D1329432

Place des Érables

Tome 5 • Variétés E. Méthot & fils

DU MÊME AUTEUR CHEZ LE MÊME ÉDITEUR :

Place des Érables, tome 1 : *La Quincaillerie J.A. Picard & fils*, 2021
Place des Érables, tome 2 : *Le Casse-croûte Chez Rita*, 2021
Place des Érables, tome 3 : *La Pharmacie V. Lamoureux*, 2021
Place des Érables, tome 4 : *Coiffure des Érables*, 2022
Les souvenirs d'Évangéline, 2020
Du côté des Laurentides, tome 1 : *L'école de rang*, 2019
Du côté des Laurentides, tome 2 : *L'école du village*, 2020
Du côté des Laurentides, tome 3 : *La maison du docteur*, 2020
Mémoires d'un quartier 1 : *Laura* (2008), *Antoine* (2008) et
Évangéline (2009), réédition 2020
Mémoires d'un quartier 2 : *Bernadette* (2009), *Adrien* (2010) et
Francine (2010), réédition 2020
Mémoires d'un quartier 3 : *Marcel* (2010), *Laura, la suite* (2011) et
Antoine, la suite (2011), réédition 2020
Mémoires d'un quartier 4 : *Évangéline, la suite* (2011), *Bernadette, la suite* (2012) et
Adrien, la suite (2012), réédition 2020
Entre l'eau douce et la mer, 1994 (réédition de luxe), 2019
Histoires de femmes, tome 1 : *Éléonore, une femme de cœur*, 2018
Histoires de femmes, tome 2 : *Félicité, une femme d'honneur*, 2018
Histoires de femmes, tome 3 : *Marion, une femme en devenir*, 2018
Histoires de femmes, tome 4 : *Agnès, une femme d'action*, 2019
Une simple histoire d'amour, tome 1 : *L'incendie*, 2017
Une simple histoire d'amour, tome 2 : *La déroute*, 2017
Une simple histoire d'amour, tome 3 : *Les rafales*, 2017
Une simple histoire d'amour, tome 4 : *Les embellies*, 2018
L'amour au temps d'une guerre, tome 1 : *1939-1942*, 2015
L'amour au temps d'une guerre, tome 2 : *1942-1945*, 2016
L'amour au temps d'une guerre, tome 3 : *1945-1948*, 2016
L'infiltrateur, roman basé sur des faits vécus, 1996, réédition 2015
Boomerang, roman en collaboration avec Loui Sansfaçon, 1998, réédition 2015
Les demoiselles du quartier, nouvelles, 2003, réédition 2015
Les héritiers du fleuve, tome 1 : *1887-1893*, 2013
Les héritiers du fleuve, tome 2 : *1898-1914*, 2013
Les héritiers du fleuve, tome 3 : *1918-1929*, 2014
Les héritiers du fleuve, tome 4 : *1931-1939*, 2014
Les années du silence 1 : *La tourmente* (1995) et *La délivrance* (1995), réédition 2014
Les années du silence 2 : *La sérénité* (1998) et *La destinée* (2000), réédition 2014
Les années du silence 3 : *Les bourrasques* (2001) et *L'oasis* (2002), réédition 2014
La dernière saison, tome 1 : *Jeanne*, 2006
La dernière saison, tome 2 : *Thomas*, 2007
La dernière saison, tome 3 : *Les enfants de Jeanne*, 2012
Les sœurs Deblois, tome 1 : *Charlotte*, 2003, réédition 2020
Les sœurs Deblois, tome 2 : *Émilie*, 2004, réédition 2020
Les sœurs Deblois, tome 3 : *Anne*, 2005, réédition 2020
Les sœurs Deblois, tome 4 : *Le demi-frère*, 2005, réédition 2020
De l'autre côté du mur, récit-témoignage, 2001
Au-delà des mots, roman autobiographique, 1999
«Queen Size», 1997
La fille de Joseph, roman, 1994, 2006, 2014 (réédition du *Tournesol*, 1984),
(édition de luxe) 2020

Visitez le site Web de l'auteur : www.louisetremblaydessiambre.com

LOUISE
TREMBLAY
D'ESSIAMBRE

Place des Érables

Tome 5 • Variétés E. Méthot & fils

SAINTJEAN

Guy Saint-Jean Éditeur
4490, rue Garand
Laval (Québec) H7L 5Z6
450 663-1777
info@saint-jeanediteur.com
saint-jeanediteur.com

. . . .

Données de catalogage avant publication disponibles à Bibliothèque et Archives nationales du Québec et à Bibliothèque et Archives Canada

. . . .

Nous reconnaissons l'aide financière du gouvernement du Canada par l'entremise du Fonds du livre du Canada (FLC) ainsi que celle de la SODEC pour nos activités d'édition. Nous remercions le Conseil des Arts de l'aide accordée à notre programme de publication.

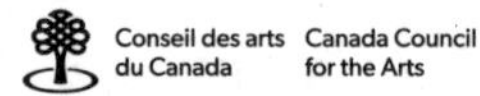

Gouvernement du Québec – Programme de crédit d'impôt pour l'édition de livres – Gestion SODEC

Révision : Isabelle Pauzé
Conception graphique et mise en pages : Christiane Séguin
Page couverture : Toile peinte par Louise Tremblay d'Essiambre, « Variétés E. Méthot & fils »

Dépôt légal – Bibliothèque et Archives nationales du Québec, Bibliothèque et Archives Canada, 2022
ISBN : 978-2-89827-326-1
ISBN EPUB : 978-2-89827-327-8
ISBN PDF : 978-2-89827-328-5

Imprimé et relié au Canada
1re impression, juillet 2022

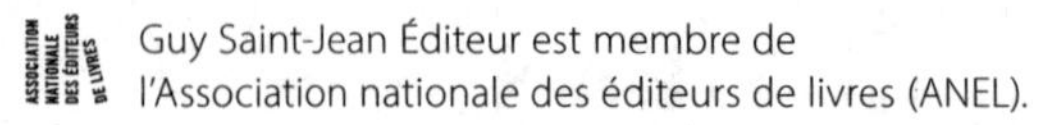
Guy Saint-Jean Éditeur est membre de l'Association nationale des éditeurs de livres (ANEL).

À vous tous, chers lecteurs,
tous ceux que je n'ai plus l'occasion
de rencontrer à cause de la pandémie.
Sachez que vous m'accompagnez chaque jour
quand je m'installe à l'ordinateur.

«Le corail des océans,
L'abeille et les ours blancs,
Les grands hommes, soi-disant»

ROMAIN DEMADRE
Lauréat du Grand Prix Adultes,
Grand Prix Poésie RATP 2019

(Quelques lignes lues dans le métro de Paris,
en janvier 2022, et qui m'ont fait l'effet
d'un coup de fouet.)

LOUISE TREMBLAY D'ESSIAMBRE

Note de l'auteur

Quelle curieuse série que celle-là! J'ai l'impression d'être devant la boîte d'un immense casse-tête, et au fur et à mesure que je dispose les pièces devant moi, les regroupant par couleurs, il en apparaît de nouvelles. Ce qui m'oblige à continuer de trier les morceaux, et de ce fait, à prolonger la série. Que voulez-vous, je suis ainsi faite! Tant qu'il y aura des pièces dans la boîte, je vais poursuivre l'écriture.

Au départ, je ne voyais que trois commerces: la quincaillerie, le casse-croûte et la pharmacie. Cependant, alors que j'écrivais le tome 3, des pièces d'un rose bonbon se sont glissées dans la boîte de mon casse-tête, à mon insu, croyez-moi, et le salon de coiffure de madame Agathe s'est ajouté, juste là, de l'autre côté du parc. Encore une fois, je croyais bien que tout allait se terminer avec la coiffeuse du quartier de la Place des Érables.

Mais non!

Quand j'étais en train d'écrire la scène dans le salon de coiffure, je me suis vite aperçue que durant la nuit précédente, des morceaux plutôt sombres s'étaient emmêlés à ceux qui restaient, et sur l'un d'entre eux, je pouvais lire le mot «variétés».

Ça m'embête un brin, parce que je ne l'avais pas vu venir, ce commerce-là. Oh ! Je l'avais bien entrevu du coin de l'œil, lorsque j'allais faire mon tour à la pharmacie, mais sans plus. Constatez par vous-mêmes, en regardant la page couverture du tome 3. Vous allez voir, vous aussi, que la bâtisse est d'un vert sombre, avec des boiseries orangées. À mon avis, ce n'est pas très attirant. De plus, cette maison à deux étages se tient en retrait du commerce de monsieur Lamoureux, ce qui ne m'a jamais incitée à y entrer. Néanmoins, à quelques reprises, j'avais cru remarquer que le va-et-vient des clients était assez régulier, voire soutenu, par moments. Mais encore une fois, cela n'avait pas titillé ma curiosité. Je dois dire, pour ma défense, que j'en avais déjà plein les bras avec la relation tumultueuse entre Mado et son cher Valentin… Une relation qui se poursuit, d'ailleurs, et dont j'espère connaître le dénouement bientôt.

Tout comme j'ai hâte de savoir ce qui empêche le gentil boulanger Mario de déclarer sa flamme à la jolie Rita. Ils feraient un très beau couple, tous les deux, et probablement de bons parents. S'ils ne tardent pas trop.

Puis, j'aimerais bien rencontrer Jacinthe pour lui demander si elle a eu le petit garçon qu'elle espérait. C'est Daniel qui serait content !

Et tant qu'à y être, je souhaite aussi de tout cœur qu'Agathe voie la fin de son cauchemar avec son fils Rémi. Normalement, le jeune homme devrait quitter Boscoville avant la fin de l'année 1969. À ce moment-là, aura-t-il vraiment tourné la page pour entrer dans sa vie d'adulte avec de bonnes intentions ? Je ne le sais pas parce que je ne me suis jamais aventurée à lui rendre visite. Tout ce que je sais de Rémi me vient de sa mère, et je crois que son jugement est un peu biaisé. Mais je la comprends. Moi aussi, je suis une maman, et gare à quiconque se permettrait de critiquer mes enfants. Même si parfois, ils pourraient mériter une bonne semonce !

Quant à Arthur, je n'ai pas la moindre idée de ce qui l'attend. J'espère seulement que son amie Anna ne s'éternisera pas en Italie, parce que notre écrivain en herbe espère sincèrement que Joseph-Alfred connaîtra la joie d'être arrière-grand-père avant de casser sa pipe, comme il le dit lui-même en nous faisant un petit clin d'œil moqueur. Il faut cependant noter que le vieux quincailler se porte comme un charme depuis que la famille a fait installer un monte-charge, et qu'il s'est fait faire des lunettes de lecture ajustées à sa vision. Alors, depuis ces derniers mois, son humeur est au beau fixe. Ce serait bien qu'on ait la chance de fêter son centième anniversaire, vous ne pensez pas ?

En fin de compte, je crois bien que je vais démêler les nouveaux morceaux qui sont apparus durant la nuit dans la boîte du casse-tête de la Place des Érables. Si je suis vraiment pour me diriger chez le voisin de la pharmacie de Valentin Lamoureux, afin de poursuivre l'histoire des gens de ce quartier, ça me permettra de le garder à l'œil, le cher homme amoureux, mais si indécis. Du même coup, je pourrai surveiller de près sa très chère mère, qui semble avoir plus d'un tour dans son sac pour contrôler la vie de son fils. Que fera Valentin, finalement, de cette nouvelle liberté acquise avec l'arrivée d'un confrère ? Arrivera-t-il à fréquenter la belle Mado aussi souvent qu'il le souhaiterait ? Nos deux tourtereaux pourront-ils enfin se marier ? Rien n'est moins certain !

Voilà ce qui m'attend ce matin : une visite dans le quartier de la Place des Érables. Tant mieux ! Ça va me permettre, du moins en pensée, de quitter la maison, car autrement, nous voici de nouveau plus ou moins confinés, avec couvre-feu obligatoire et sorties limitées au strict minimum. Et tout ça après avoir connu un temps des Fêtes frustrant de ne pas avoir eu la chance de recevoir librement tous les nôtres, alors qu'on nous avait fait miroiter cette possibilité.

Ce n'est pas que je veuille me plaindre, loin de là. Je sais que je suis une privilégiée, mais mautadine, comme le dirait sans doute Jacinthe, j'en ai assez de ce manque de normalité !

Allez, pas de pensées sombres ce matin ! J'ai rendez-vous avec un certain E. Méthot, même si lui ne le sait pas encore.

Ah oui, il faut que je vous dise ! Le « E » de l'écriteau posé sur la maison verte fait référence à la première lettre du prénom Eugène. C'est madame Rita qui me l'a précisé, quand je suis passée en coup de vent devant le casse-croûte, la saluant de loin et lui annonçant vers où je me dirigeais.

Est-ce que vous m'emboîtez le pas ?

J'arrive justement à la rue transversale, là où se trouve le commerce Variétés E. Méthot & fils. J'aime assez l'idée de faire une première visite incognito dans ce commerce, qui sera le port d'attache de ce tome.

Ainsi, vous et moi, nous pourrons nous faire une petite idée de ce qui nous attend, et nous aurons peut-être la chance de nous présenter à ce monsieur Eugène, en espérant qu'il acceptera de nous ouvrir la porte de son cœur et de sa vie, comme il le fera sans doute avec celle de son magasin.

Bonne lecture !

Partie 1

Été 1969

Chapitre 1

«Les amis, je dois m'en aller
Je n'ai plus qu'à jeter mes clés
Car elle m'attend depuis que je suis né
L'Amérique
J'abandonne sur mon chemin
Tant de choses que j'aimais bien
Cela commence par un peu de chagrin
L'Amérique
L'Amérique, l'Amérique
Je veux l'avoir et je l'aurai
L'Amérique, l'Amérique
Si c'est un rêve, je le saurai…»

~

L'Amérique, Pierre Delanoë / Jeffrey Christie

Interprété par Joe Dassin, 1970

Le lundi 23 juin 1969, dans le magasin de variétés de monsieur Eugène Méthot

Eugène arpentait les rangées de son magasin, comme il le faisait tous les matins avant l'heure d'ouverture. Ce qu'il appelait sa promenade quotidienne, il l'entamait toujours avec fierté, heureux de ce que sa femme et lui avaient réussi à bâtir, au fil des années. Il prenait un soin jaloux de ce commerce prospère, se disant que le jour où il le céderait à son fils, et cela ne devrait guère tarder, celui-ci n'aurait plus qu'à poursuivre sur la lancée amorcée bien des décennies auparavant, afin de connaître une bonne existence à son tour.

Ça, c'était ce qu'Eugène pensait jusqu'à samedi dernier, alors qu'il prévoyait une journée achalandée et qu'il déambulait dans les allées en sifflotant parce qu'il faisait très beau. Cette année, l'été était en avance de plusieurs semaines, ce qui n'était pas désagréable du tout.

Malheureusement, toutes ses belles prédictions s'étaient effondrées hier après-midi, comme un château de cartes balayé par un vent de tempête. Eugène avait alors eu la très désagréable sensation que le sol se dérobait sous ses pieds.

Alors ce matin, il n'avait pas du tout la tête à replacer correctement les produits sur les tablettes ni à regarnir celles qui s'étaient vidées le samedi précédent. Pourquoi, grands dieux, et surtout pour qui le ferait-il ?

Non, en ce moment, l'homme aux cheveux grisonnants arpentait l'allée des conserves, tout en repensant au détestable dimanche qu'il avait vécu la veille, et ses pensées oscillaient entre la colère, l'incompréhension et l'inquiétude.

Il s'arrêta devant les boîtes de petits pois, le regard portant vaguement devant lui, puis il secoua la tête avec découragement. Si on lui avait demandé de qualifier la journée d'hier, il aurait répondu sans la moindre hésitation qu'elle avait été catastrophique, à cause de la visite dévastatrice de leur fils Émilien. La nuit qui avait suivi avait été, quant à elle, tout aussi pénible, à sa façon.

En effet, son épouse Roberte s'était réveillée à deux reprises, et incapable de se rendormir, elle était sortie dans leur petit jardin pour prendre le frais, comme elle l'avait expliqué.

— Pourquoi tu t'en fais comme ça, mon Eugène ? avait-elle demandé quand son mari, de plus en plus inquiet, l'avait enfin rejointe lors de sa seconde fugue au jardin.

— Je m'inquiète parce que je t'aime, pis que je savais pas où t'étais.

À ces mots, Roberte Latour, dite aujourd'hui Méthot, avait égrené son rire cristallin qui avait jadis séduit son mari, alors qu'ils n'étaient tous les deux que des jeunots d'à peine dix-huit ans. Puis, de l'index, elle avait tancé son mari comme s'il était encore un gamin.

— À mon âge, je pense pouvoir sortir sans ta permission, mon pauvre Eugène ! J'suis pas ta fille, j'suis ton épouse... Surtout que je fais juste prendre un peu d'air frais. Il y a rien de bien dangereux là-dedans, voyons donc !

Puis, sautant du coq à l'âne avec cette candeur désarmante qui lui appartenait depuis toujours, elle avait demandé :

— As-tu remarqué ? Les feuilles de radis sortent déjà de terre, pis on devrait pouvoir manger des épinards avant la fin du mois.

À ces mots, Eugène avait levé les yeux au ciel, partagé entre le soulagement devant cette observation tout à fait pertinente et le désarroi qu'il ressentait à voir Roberte, sa merveilleuse épouse aux cheveux de neige, se promener dans le potager en pleine nuit, en pyjama et les pieds nus.

— Pis il fallait que tu viennes vérifier l'état de notre jardin au beau milieu de la nuit ? avait-il souligné sur un ton maussade.

— Ben non, voyons, c'est juste un adon... Je sais pas pour toi, mais moi, j'avais trop chaud, en haut, dans notre chambre. On a droit à un mois de juin particulièrement humide, cette année...

Sur cette constatation, Roberte s'était tue un instant, puis elle avait ajouté, avec un à-propos rassurant :

— Et ceci expliquant cela, ça doit être pour ça que les légumes sortent déjà de terre, même si moi, je dors mal.

Tout en parlant, Roberte avait pointé un index vers le ciel, puis elle avait penché légèrement la tête, en tendant l'oreille.

— Écoute, Eugène, écoute bien comme il faut : on commence à entendre les oiseaux.

Eugène s'était alors prêté au jeu, soulagé quant à l'état d'esprit de son épouse. Du moins, pour le moment.

— Ouais, pis ? Qu'est-ce qu'ils ont, les oiseaux ?

— Ils chantent, Eugène, ils chantent !

Sur ce, Roberte s'était longuement étirée en bâillant.

— Cârosse que j'aime ça, le petit matin ! avait-elle enfin soupiré, tout en regardant autour d'elle. C'est tellement agréable quand la ville est pas encore réveillée pis que la nature prend toutes ses aises ! En plus, ça veut dire que le jour est pas trop loin, pis que de toute façon, il va falloir se lever bientôt.

Puis, elle était revenue à son mari.

— J'vois vraiment pas pourquoi tu t'en fais au point de quitter notre lit pour venir me rejoindre dans la cour.

Devant cette explication, Eugène en avait déduit que son épouse ne se rappelait probablement pas être sortie précédemment, aux alentours de minuit. Du moins, elle en donnait l'impression, et il n'avait pas insisté, car il savait que ça ne servirait à rien.

Néanmoins, cette constatation ramena aussitôt une pointe d'inquiétude dans son esprit.

— T'as raison, ma Roberte, le jour s'en vient, avait-il concédé. Mais la prochaine fois que t'auras envie de te promener avant le lever du soleil, tu pourrais me réveiller, avait-il ensuite simplement suggéré. Ça me dérangera pas pantoute, pis on viendra prendre l'air ensemble, toi pis moi. Parce que là-dessus, t'as ben raison : il fait chaud sans bon sens pour un mois de juin.

Roberte avait alors esquissé un sourire tendre à l'intention de son mari.

Eugène Méthot était un homme de taille moyenne, un peu quelconque, aux cheveux plus sel que poivre, et aux impressionnants sourcils broussailleux qui lui donnaient un air colérique en permanence.

— T'as l'air du diable dans mon livre de catéchisme, lui avait un jour déclaré sa fille Laurette, avec toute l'ingénuité de ses six ans.

Eugène en avait profité pour faire les gros yeux à cette enfant délicieuse qu'il aimait tendrement. Néanmoins, Laurette n'avait pas tout à fait tort quand elle parlait du visage de son père, et à cause de cette physionomie particulière, à la fois sévère et rébarbative, Eugène intimidait la plupart des gens qui le rencontraient pour la première fois. Mais Roberte, elle, avait toujours trouvé un certain charme à ce visage sérieux.

— J'aime pas mal mieux venir prendre le frais avec toi que de me faire du tourment parce que t'es plus dans notre lit en train de dormir comme tu devrais le faire, avait alors ajouté Eugène, à l'intention de sa femme. Astheure, suis-moi, on va retourner se coucher.

— Même si les oiseaux chantent? Je pourrais tout simplement mettre le café à percoler, pis...

— Même si les oiseaux chantent! avait tranché Eugène, tout en prenant la main de son épouse avec autorité. Le temps de se lever est pas encore arrivé. Il est à peine quatre heures et quelques.

Roberte avait alors acquiescé sans argumenter davantage. D'une nature plutôt docile, elle était une femme de peu de mots. Elle gardait ses discussions pour leurs clients, car il lui était facile de parler de la pluie et du beau temps, de recettes et de chiffons. Pour les papotages inoffensifs et un brin superficiels, Roberte pouvait même devenir intarissable, à l'occasion. Mais au-delà de ces conversations de convenance, elle faisait preuve d'hésitation et d'embarras. Alors, elle évitait d'aborder les sujets sérieux, ou qui nécessitaient une réflexion poussée, sauf peut-être quand elle était seule avec son mari. Oh! Elle ne manquait ni de clairvoyance ni d'intelligence, mais elle était timide au point de préférer se taire plutôt que de courir le risque de lancer une aberration qui susciterait de la moquerie.

Depuis maintenant plus de cinquante ans, Eugène était le rempart de Roberte, et elle lui en savait gré. De toute façon, jugeant qu'elle en avait suffisamment à porter sur ses frêles épaules, étant obligée de voir à la fois à sa famille et au commerce, elle préférait, et de loin, s'en remettre à son époux pour prendre les décisions d'importance. Comme elle avait une confiance absolue dans son jugement, cela ne lui avait jamais causé de problème. Eugène étant, pour sa part, un homme d'action au verbe facile et à l'autorité joviale, il aimait bien avoir à décider de tout ou presque, et leur entente n'avait connu aucune faille majeure jusqu'à ce jour.

Depuis les débuts de leurs fréquentations, Eugène décidait et Roberte s'inclinait... Sauf de temps en temps !

Or, depuis quelques mois, et de manière tout à fait imprévue, Eugène s'était mis à anticiper le jour où Roberte ne suivrait plus, et cela l'alarmait au plus haut point.

En effet, dès la période des Fêtes terminée, son épouse avait commencé à se montrer instable, voire ronchonneuse par moments, ce qui contrastait grandement avec la femme d'humeur facile qu'il avait toujours connue. Elle promettait de faire quelque chose et elle ne le faisait pas, parce que, disait-elle, elle n'en avait plus envie. Elle pouvait préparer le même repas deux soirs d'affilée, répéter les mêmes observations plusieurs fois par jour et s'en prendre vertement à qui lui en passait la remarque.

Cette attitude ne lui ressemblant pas du tout, Eugène en était resté perplexe durant quelques semaines, puis il s'en était franchement inquiété, car en mars dernier, comme chaque année, Roberte avait parlé de choisir les tissus pour l'été parce qu'il était grand temps de le faire, puis elle avait oublié. Non seulement la négligence concernait-elle la commande elle-même, mais de surcroît, Roberte s'était entêtée à prétendre ne jamais en avoir parlé. Quand Eugène, de plus en plus anxieux, avait tenté d'en discuter avec elle sur un ton malheureusement un peu brusque qui soulignait sa préoccupation croissante, Roberte l'avait regardé en fronçant les sourcils. Visiblement, elle ne voyait pas à quoi son mari faisait allusion ni pourquoi il le faisait sur ce ton.

— Je comprends pas, mon homme, avait-elle avoué tristement.

Puis, la vieille dame avait secoué la tête et soupiré bruyamment.

— Veux-tu ben me dire pourquoi t'as l'air fâché après moi ? avait-elle alors lancé sur un ton impatient.

— Veux-tu ben me dire c'est quoi ces idées-là ? avait enchaîné Eugène sur le même ton, tout en employant les mêmes mots.

Puis, il s'était radouci.

— J'suis pas fâché pantoute, ma femme, j'suis inquiet, c'est pas pareil. Tu devrais le comprendre facilement, non ?

— Je le sais que c'est pas pareil, voyons donc ! Pourquoi tu me dis ça comme si j'étais pas capable de réfléchir par moi-même ? Ça me fait penser au temps de la petite école quand la maîtresse me criait par la tête parce que je comprenais pas ses explications tout de suite. J'suis peut-être pas la femme la plus intelligente du quartier, ni la plus vite, j'en conviens, mais j'suis pas la plus idiote non plus... Donc, si t'es pas fâché après moi, pourquoi, d'abord, tu me parles sur ce ton-là pis tu me dis que t'es inquiet ?

— Parce que je t'aime.

La réponse avait dû plaire à Roberte, car elle avait alors passé délicatement la main sur la joue de son mari.

— Moi aussi, je t'aime, mon vieux bourru.

Ensuite, elle s'était détournée pour se diriger vers le magasin.

— Si c'est de même, j'vas tout de suite passer la commande des tissus pour l'été, avait-elle lancé derrière elle. Comme ça, tu m'accuseras pas de l'avoir oubliée, pis on se chicanera pas pour de la guenille... Je devrais avoir fini à temps pour préparer le souper à l'heure habituelle. Qu'est-ce que tu dirais d'un peu de jambon avec des patates rôties ? J'vas en ramener du magasin, tantôt, quand j'aurai envoyé ma commande.

Tout en quittant la cuisine par le court corridor sombre qui donnait sur le commerce, Roberte avait tout de même ajouté en marmonnant :

— Voir que j'aurais pu oublier de passer ma commande de tissus à la verge pour l'été ! C'est celui que je vends le plus, avec le coton à motifs pour les nappes de Noël, comme de raison, pis l'organdi pour les robes de Pâques. C'est sûr que j'suis un peu limite pour commander, mais c'est pas grave... Pauvre Eugène ! Si, à son âge, mon homme commence à s'imaginer des choses qui existent pas, ça sera pas drôle t'à l'heure !

Ces quelques mots, en apparence rassurants, car ils débordaient de logique, n'avaient fait qu'augmenter l'affolement du commerçant.

De toute évidence, sa femme avait un sérieux problème de mémoire, et dorénavant, il n'aurait plus le choix : il devrait la garder à l'œil !

Puis, durant de longues semaines les menant jusqu'au printemps, tout s'était très bien passé. Aucun oubli majeur ni la moindre insomnie ! À un point tel qu'Eugène avait réussi à se convaincre qu'il s'en faisait pour rien. À leur âge, bien des choses pouvaient ralentir et moins bien fonctionner, sans que ce soit le signe d'une catastrophe annoncée.

Comme le sommeil, qui se faisait plus capricieux.

Et l'appétit, qui allait en diminuant.

Ou encore la mémoire, qui semblait devenir sélective.

— Pis les jointures, avait alors murmuré Eugène, tout en regardant ses mains aux articulations gonflées et douloureuses. Moi, c'est les mains qui me font souffrir de plus en plus. Pis ma femme, elle, on dirait ben que c'est le sommeil qui lui fait défaut de temps en temps… Pis sa mémoire qui flanche à l'occasion. Je peux toujours ben pas me faire des accroires sur notre âge ! Pauvre Roberte ! J'ai beau la trouver toujours aussi belle pis gentille, elle vieillit comme moi. Pis l'un dans l'autre, c'est probablement pas plus grave que ça.

N'empêche qu'il s'était promis de rester sur ses gardes.

Et voilà que depuis la veille, une grosse déception s'était greffée à cette sourde inquiétude qui se manifestait en dents de scie, tantôt affolante et souvent diffuse, mais qui ne voulait pas plier bagage pour de bon. Une déception si amère, si cruelle, qu'Eugène avait la sensation quasi physique que celle-ci était réellement en train de lui gruger un bout du cœur, et il trouvait cette nouvelle réalité intensément douloureuse.

Le vieil homme s'arrêta pour regarder tout autour de lui en soupirant. Les pêches en conserve avaient succédé aux pois verts, et un peu plus loin, il y avait les boîtes de Paris pâté, de saumon et de sardines, bien alignées à côté du ragoût de boulettes Cordon Bleu, et des fèves au lard Clark. Sans jamais prétendre se substituer à une véritable épicerie, le commerce d'Eugène Méthot offrait suffisamment de produits variés pour bien nourrir une famille. La preuve en était que Roberte n'avait jamais mis les pieds à l'épicerie du quartier.

Pas plus qu'ils n'avaient eu à visiter les magasins à grande surface, puisqu'Eugène avait tenu à faire de leur commerce une réplique du magasin général du village où il avait passé son enfance. Comme il le disait le plus sérieusement du monde, chez lui, on pouvait se procurer de tout, car ce qu'il ne gardait pas en inventaire, il le trouvait par catalogue.

Et il ajoutait parfois que dans son magasin, tout était à vendre, sauf la poussière qui se posait sur le dessus de certains produits moins en demande, et cela faisait bien rire les clients !

Et au fil du temps, la formule s'était avérée gagnante.

Autour du petit bazar de « bonbons à la cenne » et autres babioles bon marché, acheté avec la dot de Roberte et les économies qu'Eugène avait réussi à faire en travaillant comme bûcheron en hiver, durant les premières années de leur mariage, ils avaient monté un véritable magasin général.

Son épouse et lui n'avaient jamais compté les heures pour faire de leur commerce un incontournable dans le quartier.

Et ils avaient réussi !

De peine et de misère au début, bien sûr, car il leur fallait se forger une réputation ; puis de plus en plus facilement, puisque jamais ils n'avaient lésiné sur le service ni sur la qualité des produits offerts.

Aujourd'hui, les Méthot gagnaient très bien leur vie. Ils avaient quelques placements rentables, un compte en banque bien garni, et ils avaient offert à leur fille Laurette un mariage somptueux dont on parlait encore, quelques années plus tard. Tout cela, c'était sans compter qu'ils avaient pu se permettre trois ou quatre voyages au soleil de la Floride, et un bref séjour à Paris, dont Eugène affichait fièrement plusieurs photos sur le babillard qui servait aux petites annonces de tout un chacun. La tour Eiffel côtoyait joyeusement la cathédrale Notre-Dame, la place du Tertre et la plage ensoleillée de Fort Lauderdale. Chaque matin, Eugène s'y attardait, se remémorant quelques beaux souvenirs.

Aujourd'hui, aux yeux du marchand, pour que leur vie soit une parfaite réussite, il ne leur restait plus qu'à passer le flambeau à leur fils Émilien. Enfin, l'heure de la retraite allait sonner bientôt, et ainsi, il pourrait se reposer aux côtés de celle qui l'avait toujours soutenu, contre vents et marées, quand il le fallait. À un peu plus de soixante-dix ans, Eugène Méthot jugeait que c'était bien mérité, tant pour sa femme que pour lui-même.

Toutefois, hier, un lourd pavé était tombé dans la mare des espérances du marchand, faisant naître une onde de déception. Il avait alors compris qu'il ne suffisait pas de désirer ardemment quelque chose pour que les souhaits les plus légitimes se réalisent.

Eugène se remit à marcher. Il contourna l'étagère au bout de l'allée pour se retrouver devant les savons à lessive et à vaisselle, lesquels étaient suivis par la nourriture pour les animaux. Machinalement, il se pencha pour replacer un sac de croquettes pour chiens qui encombrait le passage. Il grimaça en se redressant, puis il secoua la tête.

De toute évidence, tous ces petits bobos dus à l'âge ne seraient pas les seuls à rendre son quotidien plus difficile. Bien au-delà des soucis de tous les jours inhérents à un commerce de l'envergure du sien, il avait appris, hier en après-midi, que la roue ne tournerait pas tout à fait dans le sens qu'il avait espéré, et il en était grandement déçu.

Et tout ça, parce qu'ils avaient reçu la visite de leur fils Émilien.

En effet, après deux semaines de congé qu'il avait employées à réfléchir calmement, avec sa femme Gisèle, à ce qu'ils souhaitaient pour leur avenir immédiat et à long terme, leur garçon était venu annoncer que finalement, il avait décidé de ne pas prendre la relève au magasin familial. La déception avait dû se lire instantanément sur le visage de son père, car Émilien s'était dépêché d'ajouter :

— Comprends-moi, popa ! Ça me tente pas d'être obligé de vivre icitte 365 jours par année, sans jamais pouvoir « slaquer » un peu !

— Je l'ai ben fait, moi ! Pis ta mère avec. On a pas eu peur du travail, mon garçon, même si c'était difficile par bouttes. En contrepartie, je te ferai remarquer que ça nous a pas fait mourir ni l'un ni l'autre, pis en fin de compte, ça nous a bien servi !

— Peut-être, oui, mais on peut pas dire que vous avez eu une vie ben ben distrayante. Votre grosse sortie de la semaine, c'était la messe du dimanche, calvinisse ! Pis votre détente, c'était de passer l'après-midi à vous bercer devant la télé, parce que moman pis toi, vous étiez ben fatigués. Pis moi, vois-tu, c'est vraiment pas une existence comme celle-là qui me fait envie !

Sur ce cri du cœur, Émilien avait promené un regard navré autour de lui, avant de reporter les yeux sur son père en soupirant.

— Je le sais qu'il faut travailler durant notre vie, avait-il expliqué, espérant ainsi rendre sa confession moins amère à accepter.

Émilien n'avait jamais ronchonné devant son père, et à sa souvenance, c'était la première fois qu'il osait lui tenir tête.

— Pis ça me fait pas peur de trimer fort. J'espère que vous vous en êtes aperçu. J'ai jamais compté mon temps ni ménagé mes efforts. Par contre, je vous ai vus aller, moman pis toi, pis ça me tente pas pantoute d'être condamné à voir le même décor jusqu'à la fin de ma vie, ni d'être obligé de faire la même chose que vous deux, jour après jour, avait-il honnêtement confessé.

— Ah bon... Pis qu'est-ce que tu fais des beaux voyages qu'on a pu s'offrir à l'occasion, ta mère pis moi ? Tu sauras que ça dépayse son homme, de se retrouver en Floride en plein hiver, pis ça fait du bien. Pourtant, à chaque fois, on était heureux de retrouver notre maison.

— Peut-être ben, ouais, que c'est agréable de voyager, pis je l'avoue, je vous ai trouvés ben chanceux de partir de même. Mais prendre ta place au magasin, ça reste que c'est un calvinisse de contrat ! Tu penses pas, toi ?

Eugène s'était alors contenté de fixer sa femme sans répondre, puis il avait soupiré à son tour, en penchant la tête.

À ce moment-là, ils étaient tous les trois assis dans la cuisine.

C'était dans cette pièce passablement grande que s'était déroulée la vie familiale des Méthot, d'abord autour de la vieille table en bois qui avait appartenu à l'ancien propriétaire, remplacée par une merveille en «arborite» jaune vif, cerclée de métal, et accompagnée de chaises assorties avec pattes chromées. Roberte l'avait choisie elle-même par catalogue pour souligner leur vingt-cinquième anniversaire de mariage, et elle ne s'en était jamais lassée. Facile d'entretien, la table de couleur vive savait ensoleiller la plus sombre des journées.

Quelques années plus tard, ils avaient logé le meuble de la télévision en angle dans un coin de la pièce. Eugène en avait fait l'acquisition par catalogue, bien entendu, et c'est assis dans l'une des deux chaises berçantes ou installés autour de la table qu'ils avaient suivi l'évolution des émissions télévisées, au fil des années. Pour bien capter les images, ils devaient régulièrement jouer en maugréant avec les antennes, qu'ils avaient toujours appelées des «oreilles de lapin», mais au moins, ils avaient la télévision, ce qui n'était vraiment pas le cas de tout le monde dans le quartier.

Puis, comme l'avait si bien dit Roberte, quand leur fils s'était plaint de ne pas avoir de salon, pourquoi, grands dieux, avoir un salon puisqu'ils ne recevaient jamais ?

— Si tu veux avoir la paix, avait alors souligné Eugène, en s'adressant à Émilien sur un ton catégorique, t'as juste à monter dans ta chambre. T'es chanceux, toi, t'as ta propre chambre. Chez nous, quand j'étais jeune, il y avait une chambre pour les filles, pis une autre pour les garçons. On s'entassait à six par pièce, pis je couchais dans le même lit que mon frère Oscar.

À ce moment-là, Émilien n'avait pas répondu. Quand son père parlait de ses jeunes années sur ce ton inflexible et dur, il était nettement préférable de ne pas argumenter avec lui.

Et d'une chose à l'autre, la vie avait passé. Il n'en restait pas moins que c'était probablement ce genre d'enfance qui avait fait en sorte qu'Eugène était de cette génération d'hommes qui ne montraient pas leurs émotions. Par manque d'intimité lorsqu'il était plus jeune, et par manque d'habitude quand il avait vieilli et quitté la maison familiale.

Seule Roberte avait accès à son jardin secret et savait à quel point son mari pouvait être sensible, par moments.

Ainsi, hier, quand son fils lui avait dit qu'il ne prendrait pas la relève, Eugène avait baissé les yeux, comme s'il réfléchissait à la question, mais ce n'était que pour encaisser le coup avec élégance. Le temps d'inspirer profondément, puis le vieil homme grisonnant avait redressé lentement les épaules, avant de darder un regard impénétrable vers Émilien.

— J'espère que tu vas au moins continuer à travailler avec moi pour une couple d'années encore. Le temps qu'on se revire de bord, ta mère pis moi.

— Ben…

Émilien s'était dandiné sur sa chaise, comme si l'homme de presque quarante ans était redevenu un enfant.

— Je le sais pas trop si ça serait une bonne idée… Disons que pour astheure, je verrais pas l'intérêt. Il me semble que je serais mieux de me trouver autre chose pendant que j'suis encore assez jeune pour le faire… Pis là-dessus, Gisèle est ben d'accord avec moi, s'était-il empressé d'ajouter.

— Ah bon…

— Mais toi, par exemple, avait alors lancé Émilien, essayant de doter sa voix d'une bonne dose d'enthousiasme, tu pourrais peut-être offrir le commerce à Maurice. Qu'est-ce que t'en dis?

— À Maurice?

— Ben oui! Pourquoi pas? J'suis certain que ça lui ferait ben gros plaisir, pis il connaît le roulement du commerce pas mal plus que moi. Rappelle-toi! Il travaillait déjà avec toi depuis quelques années le jour où moi, j'ai été en âge de vous rejoindre à temps plein dans le magasin.

— Peut-être ben, oui…

Cette réponse portait à confusion. Émilien avait tout de même cru sentir la tension diminuer d'un cran. Aussitôt, son entrain avait gagné en intensité.

— Comme ça, tu vas lui en parler? avait-il glissé, rempli d'espoir, osant croire que la discussion allait s'arrêter là.

— J'ai-tu dit ça? avait grondé Eugène.

À ces mots, le fils Méthot avait péniblement avalé sa salive, et il avait dû prendre une très longue inspiration avant d'être capable de relancer difficilement son père.

— Non, mais...

— Il y a pas de «mais» qui tienne, Émilien! avait tonné Eugène. Sur l'écriteau devant le magasin, c'est écrit: E. Méthot & fils. T'avais pas encore un an quand j'ai fait ajouter le «& fils», parce que je me voyais déjà travailler avec toi. À ce que je sache, Maurice, c'est pas mon garçon, même si je serais probablement en âge d'être son père... J'ai jamais senti le besoin de vérifier, parce que pour moi, Maurice a toujours été un simple employé. Un bon employé, sur qui je peux compter, je dirai jamais le contraire, mais ça s'arrête là! Ça fait que non, je vendrai pas le commerce à Maurice. De toute façon, où c'est qu'on irait vivre, ta mère pis moi, si je vendais à un étranger?

— Mais si c'était moi qui avais acheté, il me semble que...

— Avec toi, ça aurait été ben différent, avait tranché Eugène, de cette voix grave qui imposait le respect, tant à son fils qu'à tous ceux qui le connaissaient. Avec la famille, c'est toujours plus facile de trouver des accommodements. Astheure, comme tu m'as laissé clairement entendre que tu veux plus continuer à travailler pour nous autres, je pense que ça serait mieux que tu partes tusuite, avant qu'on aye des paroles regrettables les uns envers les autres... Pis je pense que ça sera pas nécessaire de te présenter ici demain matin.

Émilien avait blêmi sur-le-champ. Jamais il n'aurait pu imaginer que la situation virerait au cauchemar. Il s'attendait plutôt à des cris, des imprécations, car Eugène Méthot était un homme prompt. Alors quel était ce ton froid et détaché ? Comme si son père parlait à un étranger.

— Ben voyons donc ! Je peux pas partir de même, comme un malvenu ! J'sais même pas où c'est que j'vas trouver...

— C'est ça qui est ça, mon garçon ! avait alors interrompu Eugène. Comme il semblerait que tout a été dit, m'en vas te souhaiter bonne chance pour te trouver un autre emploi. Pour l'instant, c'est à notre tour, à ta mère pis moi, de discuter sérieusement de notre avenir. Tu peux toujours ben comprendre ça, non ? Tu viens justement de prendre deux grandes semaines pour réfléchir avec ta femme Gisèle.

— Ouais. C'est ben certain que vous avez à parler ensemble. Mais d'un autre côté, moi, je...

— On a à parler, c'est sûr, mais on a surtout ben des décisions à prendre ! avait coupé Eugène, sans tenir compte de la visible inquiétude de son garçon. Tu passeras me voir jeudi prochain en fin d'après-midi pour recevoir ta dernière paye.

Et comme à ce moment-là, Émilien avait ouvert la bouche pour répliquer encore une fois, Eugène avait levé la main pour lui imposer le silence.

— Ajoute rien, Émilien. Ça me tente pas de t'écouter essayer de justifier une décision aussi stupide que celle-là. Tu lèves le nez sur un bel avenir, mon garçon, sur une bonne existence à l'abri du besoin pis des inquiétudes, mais c'est ton choix pis celui de ta femme, pis c'est dans ma nature de respecter ça... Non, je m'opposerai pas à ta décision, même si je la comprends pas trop. Aux jours d'aujourd'hui, quand on a même pas une douzième année, je me demande ben ce que tu vas dénicher comme travail. Chose certaine, tu trouveras rien qui va pouvoir accoter ce que t'aurais eu ici, mais bon... Astheure, va-t'en! On se reparlera quand la poussière sera retombée, parce que pour moi, c'est un gros coup à avaler... Un ben gros coup!

Émilien n'avait plus insisté et il avait quitté rapidement la cuisine par la porte donnant sur la cour, ne voulant surtout pas que son père soit témoin de ses larmes.

Roberte, qui connaissait bien son homme, avait attendu qu'Eugène bourre sa pipe et l'allume, puis qu'il s'installe dans sa chaise préférée, avant de reprendre la conversation. Si elle était aussi bouleversée que son mari par la visite d'Émilien, elle n'en avait rien laissé voir.

— Toute une surprise, hein, mon mari ?

— À qui le dis-tu ! C'est comme... C'est comme recevoir une bonne taloche en pleine face... Non, c'est pire ! C'est comme un bon coup de poing entre les deux yeux. Je me sens aussi sonné qu'un boxeur qui vient d'encaisser un bon direct de la droite.

— Je peux comprendre, oui. Moi non plus, je l'avais pas vu venir, même si je savais depuis belle lurette que notre bru avait pas pantoute envie de venir vivre ici.

— Moi avec, je le savais, pis j'ai jamais demandé à Émilien de venir vivre dans notre maison avec sa femme pis sa fille non plus. Quand je lui ai parlé du projet, j'ai juste mentionné le commerce, parce que j'espérais ben simplement qu'il s'occuperait du magasin à notre place. J'en ai assez des calculs pis de toute la paperasse ! Comme ça, si notre garçon avait pris la relève, lui, il serait resté dans son logement, pis nous autres, on aurait pas eu besoin de déménager... Je t'avoue que ça faisait pas mal mon affaire, pis on aurait même pu lui donner un coup de main à l'occasion.

— Moi non plus, ça me tente pas de déménager, avait renchéri Roberte d'une voix chagrine en regardant tout autour d'elle. Mais si on a pas le choix, va ben falloir se résigner, hein, mon homme ?

— Le jour où on va vendre le commerce à un étranger, c'est quasiment certain qu'on aura pas le choix, comme tu dis, avait approuvé Eugène. On est mieux de se préparer ben comme il faut... Ouais, le matin où va falloir s'en aller d'ici est peut-être pas mal plus proche que tout ce qu'on avait imaginé.

À son tour, Eugène avait détaillé la pièce avec une lueur de déception dans le regard, puis il avait tourné les yeux vers la fenêtre. La brillance de ce soleil de juin lui avait semblé arrogante, et il avait soupiré, encore une fois.

— Pis Maurice, lui ? avait alors demandé Roberte, tout en reprenant les propos de son garçon. Émilien a peut-être raison en parlant de lui, pis ça serait possiblement une bonne idée de discuter de tout ça avec notre employé. C'est un homme de cœur qui rechigne jamais à l'ouvrage. Il serait peut-être le candidat idéal.

— Maurice ? Malgré toutes ses belles qualités, je pense pas, non, qu'il serait capable de nous remplacer. De toute façon, avec la trâlée d'enfants qu'il a, il a pas dû mettre ben ben d'argent de côté, pis j'ai pas l'intention de donner notre magasin. Quand on va vendre, j'veux obtenir suffisamment d'argent pour qu'on manque de rien durant nos vieux jours.

— Ouais... C'est vrai qu'avec ses sept enfants, il doit pas en rester ben gros dans les poches de Maurice à la fin de la semaine.

— Pis les accommodements qu'on aurait été prêts à faire pour notre garçon, c'est pas certain que je voudrais les faire pour un étranger, avait complété

Eugène, tout en se berçant. Même si on le connaît depuis longtemps, pis qu'on l'apprécie ben gros.

— T'as ben raison... De toute façon, il y aurait pas assez de place du côté de la maison pour loger sa grosse famille. Cârosse que c'est plate, tout ça!

Ce fut à ce moment-là que Roberte avait annoncé qu'elle n'avait pas le cœur à préparer quoi que ce soit pour le repas du soir, et qu'elle avait demandé à son mari d'aller vérifier si le casse-croûte de madame Rita était ouvert pour le souper du dimanche soir.

— Pour ça, j'ai juste à téléphoner, ça va faire pareil.

— Non, Eugène! Je te connais assez pour savoir qu'une petite promenade dans le quartier va te faire le plus grand bien... Va ruminer en paix, comme tu dis. Va faire le tour de la Place des Érables en pensant ben comme il faut à tout ça, arrête au casse-croûte en passant pour nous réserver une table, pis on reprendra notre discussion quand tu seras de retour.

Eugène en était là ce matin.

Il avait passé la pire journée de sa vie, et le fait que sa Roberte se soit levée à deux reprises durant la nuit avait complété le tableau. Si celle-ci s'était rapidement rendormie au pépiement des moineaux, lui, il avait gardé les deux yeux grand ouverts jusqu'à la sonnerie du cadran, à six heures, et de ce fait, il se sentait courbaturé et de très mauvaise humeur.

En ce moment, il entendait Roberte s'activer dans la cuisine, et il esquissa ce petit sourire en coin qu'il réservait à cette femme qu'il aimait comme au premier jour de leurs fréquentations, qui avaient duré plus de six ans avant le mariage. En revanche, depuis leur arrivée en ville, ou peu s'en faut, tous les matins, le même scénario se répétait : tandis qu'il s'apprêtait à ouvrir le magasin, Roberte préparait les légumes pour le repas du midi. Pelés, coupés en rondelles ou en morceaux, patates, carottes, navet ou petites fèves du jardin attendraient patiemment l'heure du dîner dans un ou deux chaudrons remplis d'eau. Sur le coup d'onze heures, son épouse passerait du magasin à sa cuisine et elle les mettrait à cuire. Ensuite, elle retournerait sur ses pas pour prendre une viande ou une autre dans l'antique glacière modernisée par l'ajout d'un compresseur électrique, puis elle la ferait griller. Le choix ne manquait pas ! Saucisses, croquettes de poulet, jambon, galettes de bœuf haché, côtelettes, poisson congelé, tourtière déjà faite...

Quand tout était à point, ils mangeaient toujours à tour de rôle, Roberte, Émilien et lui, question d'avoir en permanence quelqu'un de la famille pour recevoir la clientèle.

Quant à Maurice, il s'occupait du roulement de la marchandise, depuis la livraison jusqu'à la mise en étalage, en passant par l'entreposage et la tenue d'un inventaire précis. Occasionnellement, quand on n'avait pas le choix, il voyait à la clientèle, mais ce n'était pas ce qu'il préférait. Maurice Galipeau était un homme plutôt taciturne. Depuis le premier jour suivant son embauche, il préférait manger dans le *backstore* le repas que son épouse avait préparé pour lui. Et de ne pas avoir à s'entretenir de la pluie et du beau temps avec les clients lui convenait tout à fait.

À cette pensée, Eugène sursauta, avant de soupirer bruyamment.

— Mais à midi, ça va être différent, parce qu'Émilien sera pas là ! Il me semble que ça se peut pas, une affaire de même... Mon garçon sera plus jamais avec moi dans le magasin. Gériboire que j'suis déçu !

Eugène était toutefois assez intelligent pour prendre conscience que s'il n'avait pas été aussi prompt, Émilien se serait présenté au travail ce matin, comme tous les autres jours depuis plus de vingt-cinq ans, et ce, malgré la décision qu'il avait prise.

— Ça m'apprendra aussi, à être aussi prompt, grommela le vieil homme. Je me dompterai jamais !

Sa nature impulsive qui le servait pas trop mal à l'occasion lui jouait aussi de très vilains tours. Comme hier en après-midi. S'il s'était donné la peine de discuter calmement avec son fils, il n'en serait pas là ce matin. Pour l'instant, il n'avait donc qu'à s'en prendre à lui-même si l'avenir lui semblait aussi bouché qu'un ciel d'été avant l'orage, gonflé de nuages sombres et menaçants.

De retour à l'avant du magasin, Eugène leva machinalement les yeux vers l'horloge que la compagnie Coca-Cola lui avait offerte en gage de reconnaissance, bien des années auparavant. Ce jour-là, tout heureux de ce cadeau inespéré, le marchand l'avait accrochée en arrière du comptoir et de la caisse, sans la moindre hésitation. Il la trouvait très belle et il voulait qu'elle soit bien visible.

Présentement, il était sept heures vingt-deux.

Le vieil homme s'étira longuement. Il lui restait suffisamment de temps pour se préparer un café instantané avant de déverrouiller la porte. Après sa nuit mouvementée, il en avait grandement besoin.

Il se dirigea donc vers l'allée des fournitures scolaires, là où donnait la porte menant à son logement.

— Roberte ? lança-t-il tout en avançant d'un bon pas. Mettrais-tu de l'eau à bouillir, s'il te plaît ? Je me ferais bien un deuxième café. C'est rare que ça m'arrive, mais à matin, j'en ai vraiment besoin.

— La bombe est déjà sur le rond, mon mari. Je me disais justement la même affaire, moi avec, que j'avais envie d'un deuxième café. On dirait que j'ai l'esprit tout embrumé, à matin. Je nous prépare ça à la seconde où l'eau va être assez chaude.

Là-dessus, Roberte échappa un petit rire moqueur.

— Ça m'apprendra aussi, à me lever durant la nuit pour voir pousser mes légumes ! Va ouvrir, Eugène, il est quasiment sept heures et demie. Je t'apporte ton café dans quelques instants. Comme tu l'aimes, avec un nuage de lait.

Chapitre 2

«Petit matin sans horizon
Petit café, fumée d'usines
Je r'garde le derrière des maisons
Les femmes sont à leurs cuisines
Y a des oiseaux qui s'font la cour
Sur les fils du Bell Téléphone
Et dans l'œil crevé de ma cour
Un 747 qui résonne…»

~

Petit matin, paroles et musique Sylvain Lelièvre

Interprété par Sylvain Lelièvre, 1975

Le vendredi 27 juin 1969, dans une chambre d'hôpital, en compagnie de Jacinthe et Daniel

Chez les Meloche à Daniel, comme on le disait en riant quand on faisait référence à la jeune famille, il y avait eu une gentille Caroline qui était arrivée deux ans auparavant, et depuis le petit matin de ce vendredi de juin ensoleillé, il y avait maintenant une petite Christine, aussi noiraude que sa grande sœur était blonde.

Quant à Daniel, le papa, et contrairement à ce que sa femme anticipait, il n'avait pas du tout été déçu par l'arrivée de cette seconde fille.

— C'est quoi cette idée-là, ma douce? avait-il rétorqué d'emblée à sa femme lorsque cette dernière s'était excusée de ne pas lui avoir donné un fils.

À ce moment-là, Daniel était assis dans le fauteuil en cuir qui occupait tout le coin de la chambre privée qu'il avait tenu à offrir à Jacinthe. Sur le bureau, il y avait déjà un premier bouquet de fleurs qu'il avait acheté quand la maman avait été emmenée à la salle d'accouchement, et que lui-même avait été prié de se retirer dans une petite pièce adjacente, appelée la «salle des pères». Incapable de rester en place, Daniel était descendu dans le hall d'entrée de l'hôpital à la recherche d'un café, et c'est là qu'il avait trouvé ces quelques fleurs, dans une chaudière en plastique rouge, déposée à même le sol, près de la réception. Un petit papier disait qu'elles étaient à vendre et de bien vouloir déposer l'argent au comptoir d'accueil. Daniel n'avait pas hésité, et il avait dépensé la poignée de monnaie qu'il lui restait dans les poches pour acheter un petit bouquet. Tant pis pour le café! À son retour à l'étage de la maternité, une gentille infirmière avait mis les quatre roses dans un vase. Puis, Daniel avait regagné la salle d'attente, où il était arrivé juste à temps pour apprendre qu'il était l'heureux papa d'une seconde fille qui, emmaillotée dans une couverture, pleurait suffisamment fort pour le rassurer quant à sa vigueur. Il ne lui avait vu que le bout du nez avant de se faire retourner séance tenante vers l'aile de l'étage réservé aux chambres.

— Allez attendre votre épouse dans sa chambre, monsieur... ou dans le solarium, à l'autre bout du corridor, si vous voulez fumer. Vous n'avez plus rien à faire ici. Tout s'est très bien passé, et madame Meloche ne devrait plus tarder.

En fait, Daniel avait encore attendu une grosse demi-heure avant de revoir Jacinthe. Incapable de rester assis, il avait tourné en rond autour du lit, comme un ours dans sa cage.

— Enfin! avait-il lancé quand on avait poussé la porte pour laisser entrer la civière. C'était à l'instant précis où la jeune mère s'était retrouvée seule avec son mari qu'elle s'était excusée de ne pas avoir eu un garçon.

— Voyons donc ! L'important, c'est que le bébé soye en santé ! avait lancé Daniel avec l'assurance et le sérieux d'un expert en la matière. Tu penses pas, toi ?

Le jeune homme était blême de fatigue, car il n'avait pas beaucoup dormi la nuit précédente, mais son regard pétillait de bonheur.

— C'est vrai que c'est ça qui compte le plus, avait approuvé Jacinthe tout en calant confortablement sa tête dans l'oreiller. Pour ça, on est chanceux en mautadine !

— Bon ! Tu vois ben que j'ai raison de pas être déçu. Notre deuxième fille est pétante de santé ! C'est pas moi qui le dis, c'est le docteur en personne qui est venu me féliciter et m'annoncer que le bébé était en grande forme, à peine deux minutes avant que t'arrives. De toute façon, si ce bébé-là est pour être aussi tranquille que notre Caroline, même si elle lui ressemble pas pantoute, on serait ben malvenus de se plaindre de quoi que ce soit.

— Pour ça avec, j'suis entièrement d'accord avec toi.

Jacinthe attendait impatiemment que les infirmières aient terminé la première toilette de leur fille pour se rendre à la pouponnière afin d'aller contempler ce magnifique bébé un peu rougeaud et qu'elle avait à peine entrevu dans la salle d'accouchement. Ensuite, elle se promettait bien de faire une longue, une très longue sieste. La douche devrait attendre son réveil !

— Bon ben tant mieux, si on est d'accord ! Ça fait qu'il me reste juste à te remercier ben gros, encore une fois, pis à te féliciter pour la naissance de...

À ces mots, Daniel s'était interrompu brusquement, puis il avait levé un regard perplexe vers la jeune accouchée qui, tout aussi blême que son mari, était confortablement installée dans son lit.

— Saudite affaire, Jacinthe ! avait alors lancé Daniel. Te rends-tu compte ? On a tellement parlé d'avoir un garçon qu'on a même pas pensé à se choisir un nom de fille.

Jacinthe avait alors esquissé une moue amusée, et c'est à ce moment-là qu'elle avait suggéré le nom de Christine.

— J'en avais pas parlé, rapport que tu mettais beaucoup trop d'enthousiasme à chercher un nom de garçon, mais j'y avais pensé, par exemple. Avoir un bébé, c'est comme jouer à pile ou face : on sait jamais ce que la vie nous réserve. Ça fait que j'avais écrit des tas de prénoms de filles sur une feuille de papier, pis je la relisais de temps en temps. Finalement, c'est celui de Christine qui me plaisait le plus. C'est doux, pis ça va pas mal bien avec Caroline, avait-elle conclu. Qu'est-ce que t'en penses ?

— C'est vrai que ça sonne bien... Caroline pis Christine Meloche... Ouais, j'aime ça, j'aime ben ça.

Heureux de voir que le choix du prénom était aussi facilement résolu, Daniel se leva enfin du fauteuil et il s'approcha du lit pour embrasser Jacinthe.

— Sais-tu que je t'aime gros, toi ? murmura-t-il à son oreille, avant de poser une fesse sur le bord du matelas.

Puis, emprisonnant une main de son épouse entre les siennes, Daniel poursuivit avec entrain. À l'entendre s'exprimer aussi joyeusement, nul n'aurait pu savoir qu'il venait de passer une bonne partie de la nuit éveillé.

— Ben coudonc, tout est arrangé ! J'vas pouvoir dire à tout le monde qu'une belle petite Christine vient de s'ajouter à notre famille. J'attends avec toi pour aller la voir ben comme il faut à la pouponnière, pis je file chez mon père pour leur annoncer la bonne nouvelle. En même temps, j'vas en profiter pour faire une couple d'appels.

— Oublie surtout pas mes parents !

— Qu'est-ce que t'en penses ? C'est même eux autres que j'vas appeler en premier, promis ! Vu qu'ils sont les grands-parents, pis qu'ils vont être aussi le parrain pis la marraine de la petite, ton père pis ta mère passent avant tout le monde. As-tu remarqué leur face quand on leur a demandé d'être de la cérémonie du baptême ?

— Et comment ! Le sourire de mon père valait cent piastres ! Je pense qu'on aurait pas pu leur faire un plus beau cadeau...

En prononçant ces derniers mots, Jacinthe esquissait elle aussi un sourire attendri.

— Mautadine que j'suis contente ! C'est fou de voir comment les choses peuvent changer vite, des fois.

Hein, Daniel ? Dire qu'il y a pas trois ans de ça, ma mère voulait même pas qu'on se marie, toi pis moi.

— C'est bien que trop vrai… Mais l'important, c'est que ça s'est replacé depuis notre mariage. Pis assez vite merci, à part de ça…

— Une chance ! Parce que la bouderie de ma mère me faisait ben gros de la peine. Dans le fond, tout ce que ça nous a pris, c'est une petite Caroline pour embobiner sa grand-maman autour de son petit doigt, pis le reste a suivi tout seul !

— Ouais… J'vas toujours me rappeler ta mère en train de se rendre à la pouponnière pour la première fois. C'est pas mêlant, elle marchait pas, elle courait ! Depuis ce jour-là, tes parents nous aident souvent, pis de toutes sortes de manières, en plus. Je pense que ça leur était quand même un peu dû, d'être parrain pis marraine…

Sur ce, Daniel et Jacinthe échangèrent un sourire.

— C'est fou comme on est souvent d'accord, toi pis moi, nota alors la jeune femme, après avoir longuement bâillé.

— Ça fait longtemps que je sais qu'on est faites pour aller ensemble, nous deux, rétorqua Daniel… Je pense que c'est depuis la petite école que je te trouve belle pis gentille. Mais toujours est-il que j'vas appeler ma mère tout de suite après tes parents, même si probablement, à ce moment-là, elle va être en train de se préparer pour partir à sa *job*. Je sais très bien que j'vas la déranger pis que ça va la mettre en beau fusil, mais tant pis… Comme je la connais, je pense qu'elle serait encore plus fâchée si je la prévenais pas le plus vite possible.

— Oh pour ça, c'est sûr que t'as raison ! Ta mère a la mèche courte, comme on dit ! S'il fallait qu'elle apprenne la naissance de notre petite Christine par quelqu'un d'autre, tu risquerais qu'elle t'en veuille pour un bon bout de temps, pis ça me surprendrait pas qu'elle recommence à nous bouder... pis à refuser toutes nos invitations, par la même occasion. Je voudrais donc pas retourner en arrière pis être obligée de l'amadouer encore une fois !

— C'est en plein ce que je me dis... En plus, il va falloir s'arranger pour qu'elle puisse venir te voir à l'hôpital, en étant ben certaine que mon père sera pas là. Sinon, elle viendra pas, pis là encore, ça va faire de la chicane ! Veux-tu que je te dise de quoi, ma douce ?

— Ouais...

— J'espère qu'on divorcera jamais. Ça rend la vie de tout le monde difficile en saudit, surtout pour les enfants !

— Ben non, voyons, on se séparera jamais !

Le ton de Jacinthe était catégorique.

— On s'aime ben que trop pour ça !

Tout en parlant, Jacinthe s'était redressée un peu et elle déposa un baiser tout léger sur la joue de son mari. Ils échangèrent un long regard amoureux, puis Daniel reprit.

— Après avoir parlé à ma mère, j'vas téléphoner à nos amis. Mais là, c'est Arthur qui va passer en premier.

— C'est ben certain, c'est ton meilleur ami !

À la suite de ces mots, Jacinthe poussa un long soupir empreint de fatigue et de déception, avant de poursuivre.

— La seule chose plate, en ce moment, c'est qu'Anna soye aussi loin. Ouais, c'est ben dommage parce que j'aurais aimé ça pouvoir l'appeler, pis jaser avec elle de ce que je viens de vivre. J'aurais voulu qu'elle vienne me voir à l'hôpital, pis manger chez nous quand j'vas sortir d'ici. Je m'ennuie d'elle, tu sais, même si ça fait juste une semaine qu'elle est partie. Des amies de filles, depuis notre mariage, j'en ai plus tellement. À part Marjorie, que je vois pas souvent à cause de son cours d'infirmière, qui la garde quasiment tout le temps à l'hôpital. Si au moins elle travaillait ici, à Saint-Luc, on pourrait en profiter pendant que j'suis là. Mais non ! Marjorie a choisi l'hôpital Notre-Dame pour faire son cours… Pis la blonde de Michel, je sais pas trop pourquoi, je m'adonne moins bien avec elle. Je pense que c'est parce qu'on aime pas pantoute les mêmes affaires. Elle arrête pas de parler de son cours à l'université, pis ça m'énerve ! Voir que c'est une *job* de fille, ça, être avocat !

— Ça, je le sais pas trop. Peut-être que ça se peut, ma douce. Une chose qui est sûre, par exemple, c'est que personne est obligé d'aimer tout le monde… Pour

Marjorie, par contre, on l'invitera à souper quand tu te sentiras assez en forme pour ça, pis j'vas t'aider. Elle doit bien avoir des jours de congé de temps en temps, non? Pis on en profitera pour inviter Arthur en même temps. Si toi, tu t'ennuies d'Anna, imagine un peu ce que lui doit ressentir! En attendant, quand tu te seras reposée, tu pourras laisser un message à la mère de Marjorie pour lui faire savoir que t'as eu ton bébé pis que c'est une fille.

— T'as ben raison! Pis si ça se trouve, quand Marjorie va l'apprendre, elle va peut-être trouver un petit moment pour venir me voir, ici, à l'hôpital.

Une heure plus tard, Daniel arrivait chez son père. Ce dernier lui assena une bourrade affectueuse sur l'épaule quand le jeune homme lui annonça la naissance de sa deuxième fille, arrivée à six heures quatre minutes, bien précisément.

— Elle a tout plein de petits cheveux noirs, pis elle pèse un gros huit livres et demie. L'accouchement s'est très bien passé, pis Jacinthe a fait ça comme une championne, encore une fois! Du moins c'est ce qu'on m'a dit, parce que moi, j'étais pas là.

— C'est quoi ce reproche-là que j'entends dans ta voix? C'est ben correct de même, Daniel. Voyons donc! Une salle d'accouchement, c'est pas une place pour les hommes. On serait juste encombrants sans bon sens!

— J'suis pas d'accord avec ça, moi! rétorqua Daniel. Ça m'a ben ému de voir Caroline venir au monde, rapport que Jacinthe a pas eu le temps de se rendre jusqu'à la salle d'accouchement pis que j'ai été avec elle tout le temps que la naissance de Caro a duré. Je lui tenais les épaules tandis qu'une infirmière s'occupait de dire quoi faire à Jacinthe. Quand tout a été fini, ma femme m'a avoué que de me savoir là, pas trop loin, ça l'avait aidée. Ça fait que j'aurais préféré être présent, encore une fois. Quand ben même ça aurait été juste pour y tenir la main. Oh ! Je l'ai demandé à l'infirmière, pis au docteur, mais les deux fois, j'ai eu droit à un « non » ben sec qui donne pas pantoute envie d'insister. Tant pis ! C'est quand même pas ça qui va m'empêcher d'aimer ma petite Christine.

— Christine ?

— Ouais... C'est le nom que Jacinthe avait choisi pour notre fille.

— C'est un très beau nom... Ben si c'est de même, félicitations, mon gars...

Jonas Meloche avait l'air sincèrement heureux pour Daniel. Même s'il n'avait pas été le meilleur des maris pour sa première épouse, Ruth Lizotte, et qu'il était aujourd'hui divorcé, il avait toujours été un bon père pour ses trois fils et pour sa fille Carole, née d'une seconde union, qui semblait beaucoup plus solide que la première.

— Ouais, sacrifice que chus content ! ajouta-t-il avec une belle sincérité dans la voix. Un autre bébé en santé dans notre famille, ça fait vraiment plaisir. Pis toi, Dan ? Pas trop déçu de pas avoir eu un garçon ?

À ces mots, Daniel claqua sa langue avec impatience.

— Saudit ! Que c'est vous avez toutes à me poser cette question-là, à matin ? Jacinthe m'a demandé la même affaire, t'à l'heure. Même qu'elle avait l'air piteuse comme ça se peut pas de pas m'avoir donné un garçon. C'était comme si elle s'excusait. Crime pof ! Voir qu'elle l'a fait exprès ! De toute façon, c'est pas ça, l'important, c'est que tout s'est très bien passé... Pour tout le monde... Ça fait que non, j'suis pas déçu. Pas pantoute, à part de ça !

— Bien parlé, mon Daniel ! C'est le genre de réponse que j'espérais de ta part. Il faut savoir aimer ses enfants, peu importe qui ils sont... Remarque que si tu suis mes traces, t'en as peut-être pour une bonne dizaine d'années avant d'avoir ton gars. Aussi ben t'y faire tusuite !

— Pourquoi tu dis ça ? Tu connais l'avenir, toi ? T'as une boule de cristal comme la diseuse de bonne aventure du cirque qu'on est allés voir ensemble quand j'étais petit ?

— Daniel ! C'est un peu niaiseux, ce que tu viens de dire là... Ben non, je connais pas l'avenir. C'est juste qu'il faut pas oublier que de mon bord, ça m'a pris trois petits gars avant d'avoir une fille, pis que c'est peut-être une question d'hérédité.

Devant la réponse de son père, Daniel haussa les épaules avec désinvolture.

— Pis ça ? J'aurais beau avoir juste des filles, je serais pas déçu... Si elles sont toutes aussi fines que notre Caroline, je pourrai me vanter à tout le monde que j'ai la plus belle des familles. Pis sans rougir, en plus!

Sur cette constatation, Daniel s'étira longuement.

— Bon! Astheure, si ça te dérange pas trop, j'emprunterais ton téléphone. Chez nous, il est accroché au mur, pis je dois rester debout à côté quand j'veux parler, tandis que toi, il est sur une table, avec une chaise pas loin. Je ferais tout de suite quelques appels avant de retourner chez nous pour prendre une douche pis me changer. Après ça, j'vas aller voir ma grande fille avant de retourner à l'hôpital pour l'après-midi, pis je finirai mes appels avec Jacinthe.

— Pas de trouble, Daniel. T'es ici chez vous, tu le sais. Mais tant qu'à faire, ça serait bien que tu commences par appeler ton *boss*. Comme je le connais, il va...

— Inquiète-toi pas, c'est déjà fait, coupa Daniel. Comme monsieur Donald arrive au garage à sept heures tous les matins, je l'ai appelé depuis la chambre de Jacinthe, avant même de quitter l'hôpital. Il a été ben *smatte!* Il m'a félicité chaleureusement, pis tusuite après, il m'a dit de prendre ma journée *off*. Ça fait que j'vas commencer par appeler les parents de ma douce, qui se lèvent rarement avant huit heures.

— Huit heures? C'est ben tard pour se lever un jour de semaine! Me semble que les garages sont toutes ouverts, à cette heure-là. Pis souvent ben avant ça!

— J'sais ben, mais depuis que le père de Jacinthe a engagé un troisième mécanicien à son garage, il est moins pressé, le matin. Monsieur Demers s'occupe du *shift* de soir, jusqu'à neuf heures, la plupart du temps. C'est normal qu'il se reprenne le matin. C'est pour ça que je me doute que le père de Jacinthe doit être encore chez lui. Mais il faut que je me grouille, par exemple, parce qu'il risque d'être déjà parti quand j'vas téléphoner. Par la suite, madame Demers va pouvoir annoncer la bonne nouvelle à Caroline, rapport que notre plus vieille dort chez eux depuis mardi soir.

— Comment ça?

— Juste au cas où... Avec ma femme qui accouche comme une chatte, le médecin nous avait prévenus qu'il y avait pas de chances à prendre. On a ben fait de l'écouter, parce qu'on est partis de l'appartement à quatre heures et demie à matin... On aurait été ben mal pris si Caroline avait été là... Astheure, tu vas m'excuser, mais j'ai vraiment besoin d'un grand café pour me garder les yeux ouverts!

Quelques instants plus tard, Daniel s'installait devant le téléphone, muni d'une bonne tasse de café noir et de deux rôties au beurre d'arachide que sa belle-mère Nadine lui avait gentiment préparées.

Tel que promis, il communiqua d'abord avec Odette et Germain Demers.

Ses beaux-parents s'extasièrent durant un bon moment, prenant l'appel à tour de rôle, et Daniel dut patienter en ânonnant des oui et des non avant de pouvoir raccrocher sans avoir l'air impoli. À cause de ce débordement d'enthousiasme, quand il arriva enfin à appeler à l'appartement où vivaient sa mère et ses deux frères, Ruth Lizotte était déjà partie pour le travail.

— Pis tu pourras pas la rejoindre avant une bonne demi-heure, parce que ça fait tout juste cinq minutes qu'elle est partie en courant pour attraper son autobus, lui expliqua son frère René. Elle a passé tout droit, à matin ! Pourquoi tu voulais lui parler ? Je peux-tu faire le message ?

Daniel hésita. Annoncer l'heureuse nouvelle à son frère avant d'en avoir parlé avec sa mère risquait de provoquer des flammèches. En effet, Ruth était très à cheval sur quelques principes de son cru, et passer après ses garçons pour certaines choses en faisait partie. Même si la tentation de partager sa joie avec son jeune frère le chatouillait, Daniel estima qu'il valait mieux se taire.

Même s'il ne comprenait pas vraiment pourquoi !

— Bof ! lança-t-il nonchalamment. C'est pas très important, ce que j'avais à dire. Je la rappellerai un peu plus tard. Je sais qu'aujourd'hui, elle travaille au magasin de chaussures, pis j'ai le numéro... Pis vous autres, les gars, contents d'être en vacances ?

La déception de Daniel fut de courte durée, car son ami Arthur, lui, était encore à l'appartement où il habitait avec toute sa famille. À son tour, il poussa un cri de joie à réveiller les morts lorsque son ami lui annonça la naissance de sa seconde fille.

— Pis comme on a coutume de dire : la mère et le bébé se portent bien, arriva à glisser Daniel.

Ensuite, profitant d'un court silence, il ajouta :

— Saudit que j'suis content !

— Pis tu as raison de l'être, mon Dan ! renchérit Arthur. Content, pis fier aussi... Pis Jacinthe, elle ? Est-ce que ça s'est bien passé ? Ça n'a pas été trop difficile ?

— Même pas. Du moins, tout a été plutôt rapide... Intense, mais rapide... Jacinthe elle-même m'a dit que ça avait pas été plus dur que pour Caroline.

— Tant mieux ! Pis avez-vous fini par lui trouver un nom, à ce bébé-là ? Parce que la dernière fois qu'on en a parlé entre nous, vous ne reteniez que des prénoms de garçons.

— J'sais ben ! C'était un peu fou de notre part, tu trouves pas ? C'est pas parce qu'on espère un garçon que c'est ça qu'on va avoir... Finalement, c'est une petite Christine qui est arrivée ! Pis demande-moi surtout pas si je suis déçu, on l'a déjà assez fait, pis j'ai répondu que ça me dérangeait pas une miette.

— Ah non ?

— Pantoute ! Attends, Arthur, attends de passer par là, pis tu vas comprendre. On a beau dire que c'est naturel, pis que tout va ben aller, moi, j'ai l'impression d'arrêter de respirer à partir du moment où Jacinthe m'annonce qu'elle a des contractions, pis de recommencer en prenant une longue inspiration de soulagement à l'instant où le bébé pousse son premier cri. Ça fait que fille ou garçon, je m'en fiche un peu.

— Ouais, c'est vrai que ça doit être quelque chose de voir la femme qu'on aime être en douleurs...

— Ça l'est, crois-moi ! T'es nerveux comme c'est pas possible, pis en plus, tu te sens complètement insignifiant... C'est comme si tout d'un coup, t'étais de trop dans tout ça. C'est pas ben ben agréable comme sensation... C'est pas toi qui as mal, c'est ben certain, mais en même temps, tu sais très bien que si ta femme gémit, c'est en partie à cause de toi, pis saudit que j'aime pas ça ! Pis les garde-malades font pas grand-chose pour nous aider ! Elles passent leur temps à nous envoyer en dehors de la salle de travail, ou ben elles nous ordonnent de nous tasser parce qu'on les dérange. Ça fait que l'un dans l'autre, j'ai l'impression d'avoir mal, moi avec... Je peux pas expliquer ça autrement. Mais je peux ajouter, par exemple, que c'est dans ce temps-là que je me sens complètement nul pis inutile.

— Eh ben...

Arthur resta sans voix durant un instant, se demandant quand il aurait la chance, lui aussi, de vivre de tels moments. Avec Anna à l'autre bout du monde, il avait l'impression que ça n'arriverait jamais.

D'autant plus que son amoureuse n'était pas pressée d'être mère. Pour l'instant, sa carrière de cuisinière avait nettement plus d'importance qu'une éventuelle vie familiale, d'où son voyage en Europe pour travailler avec un chef renommé.

Ce fut plus fort que lui, et Arthur poussa un discret soupir avant de reprendre la parole.

— Et quand est-ce que tu penses que j'vais pouvoir me présenter à l'hôpital ? demanda-t-il tout en secouant la tête pour éloigner la déception qu'il ressentait chaque fois qu'il pensait à Anna.

— À soir, si tu veux !

— Ce soir ? Tu ne trouves pas ça un peu expéditif, ton affaire ?

— Ben non. Pourquoi ? C'est clair que ça va nous faire ben gros plaisir, à Jacinthe pis moi.

— Ouais... Ça, c'est toi qui le dis, Daniel. Mais Jacinthe, elle ? T'es vraiment sûr que ça ne la dérangera pas, si je me pointe à l'hôpital après le souper ? Il ne faut pas oublier qu'elle vient tout juste d'accoucher. Elle doit être quand même un peu fatiguée, non ?

— Pas plus que moi, je dirais...

— Ben voyons donc !

— Je te le dis ! Jacinthe a encore moins dormi que moi, la nuit dernière, c'est ben certain, pis accoucher, ça doit être ben demandant. Mais comme je la connais, une bonne sieste devrait suffire à la remettre sur le piton.

— Tu crois ?

— Ben oui ! Peut-être ben que pour une autre, ça serait pas suffisant, mais pas pour ma femme. Je viens de te le dire : ça s'est passé un peu comme pour Caroline. Jacinthe m'a réveillé aux alentours de trois heures du matin en disant qu'elle avait ben mal aux reins. Exactement comme l'autre fois. Tu te rappelles quand on était à l'Exposition universelle, sur l'île Sainte-Hélène ?

— Et comment si je m'en souviens ! Il y a de ces événements qu'on ne peut pas oublier. Et l'image de la pauvre Jacinthe qui avait de la difficulté à marcher, tellement elle avait mal dans le bas du dos, est encore ben claire dans mon esprit.

— Dans ce cas-là, dis-toi que c'était pareil la nuit passée, sauf que ça a duré pas mal moins longtemps. Le temps de me lever, d'appeler un taxi, d'arriver à l'hôpital, de l'installer dans la salle d'accouchement, pis notre fille se montrait déjà le bout du nez. En trois heures, tout était fini, pis je...

Arthur écoutait son ami avec un vague sourire sur les lèvres, essayant d'imaginer la scène. Mais rapidement, il sursauta en fronçant les sourcils.

— Attends donc une minute, toi ! ordonna Arthur, interrompant ainsi Daniel. C'est ben beau tout ça, mais qu'est-ce que vous avez fait de ma filleule, la nuit dernière ? Caroline vous a accompagnés à l'hôpital, ou quoi ? Elle ne pouvait tout de même pas rester toute seule chez vous !

— Crains pas, on avait prévu le coup... C'est le docteur qui nous l'avait conseillé, parce que Caroline, justement, était arrivée ben vite pour un premier bébé. Ça fait que depuis mardi dernier, tous les soirs, j'vas reconduire notre fille chez mes beaux-parents. Le lendemain matin, c'est mon beau-père qui nous la ramène avant d'aller travailler.

— Tu parles d'un aria, toi ! T'aurais dû m'en parler. J'aurais pu aller te conduire en auto.

— C'est bête, mais j'ai même pas pensé à te le demander. Remarque que ça m'a pas tellement dérangé, parce que ça m'a donné l'occasion d'être un peu seul avec ma fille... Ça arrive pas tellement souvent, tu sais, pis j'haïs pas ça pantoute d'être obligé de m'occuper d'elle. C'est drôle de l'entendre jaser comme une grande... Tout ça pour te dire qu'à sept heures et demie, à matin, Jacinthe était déjà prête à aller voir notre nouvelle fille à la pouponnière... Elle m'a même ordonné d'accélérer, parce que c'est moi qui poussais sa chaise roulante. Un peu plus, pis elle se levait pour aller plus vite ! Comme tu vois, elle est en forme, pis à soir, tu vas être le bienvenu.

— Si c'est comme ça, c'est sûr que tu peux compter sur moi : je vais être là comme un seul homme ! Tu parles d'une belle journée, toi !

Léonie et Joseph-Alfred avaient suivi cet appel, entré à l'appareil mural de la cuisine, l'oreille tendue, comprenant à demi-mot de quoi il retournait. L'instant d'après, la famille Picard, réunie dans la pièce pour le déjeuner, se réjouissait de l'heureux événement, se coupant joyeusement la parole.

— Pis en plus, c'est une fille !

— Et j'ajouterais que Christine, c'est vraiment un joli nom.

Léonie avait l'air ravie et Joseph-Alfred était tout guilleret. Seul J.A. avait accueilli la nouvelle avec son indifférence coutumière.

— Tabarslac, pourquoi vous riez comme des fous, pis pourquoi vous parlez fort de même? C'est ben fatigant, vous saurez! J'aime ça être tranquille, le matin, quand je lis mon journal pour avoir les résultats sportifs. Sinon, je comprends rien aux chiffres que je lis, pis j'suis pas capable de les retenir. Là, c'est le baseball des Expos qui m'intéresse, rapport que la saison du hockey est finie depuis un bon bout de temps... Ouais, pis cette année, c'est les Canadiens qui ont gagné la coupe Stanley. C'est une bonne affaire, parce que je peux les oublier. Mais tabarslac, ça me fait ben des chiffres nouveaux à apprendre, par exemple!

— Pis on respecte ça, mon mari, glissa Léonie entre deux sourires d'extase. D'habitude, c'est ce qu'on fait, pis tu pourras jamais dire le contraire. Mais à matin, c'est différent. Daniel vient de téléphoner à notre garçon pour lui annoncer la naissance de sa fille. Christine, qu'elle va s'appeler.

— Pis ça? C'est pas de nos affaires. C'est juste un bébé dans une famille qui est pas la nôtre. Pis son nom, ça nous regarde pas non plus. De toute façon, on peut être contents sans parler trop fort.

— C'est certain, J.A., qu'on pourrait parler moins fort, pis c'est certain aussi que ce bébé-là fait pas partie pour vrai de notre famille. Il en reste pas moins que les Meloche, depuis Daniel jusqu'à ses filles, en passant par Jacinthe, c'est un peu comme une prolongation de notre famille, expliqua Léonie avec cette patience infinie qui avait toujours été la sienne envers son mari.

— Ah oui ? Première nouvelle que j'en ai, fit remarquer Joseph-Armand, tout en promenant son regard de l'un à l'autre, détaillant chacun des membres de sa famille, assis autour de la table.

Il ne manquait personne. Alors J.A. haussa les épaules.

— T'es sûre que t'exagères pas trop, Léonie ?

Le temps de fixer son épouse sous ses sourcils froncés, de hausser les épaules une seconde fois, puis le regard de Joseph-Armand abandonna Léonie pour venir s'arrêter sur son père, tout en penchant la tête sur le côté, geste qu'il répétait machinalement depuis qu'il était tout jeune, chaque fois qu'il quêtait son opinion ou qu'il espérait une réponse claire.

À bientôt soixante ans, la principale référence dans la vie de Joseph-Armand Picard restait, encore et toujours, ce vieillard qui était son père.

Pour cet homme grisonnant un peu singulier, plutôt introverti, souvent taciturne, et demeuré en enfance à certains égards, le vieux quincailler nonagénaire serait toujours le modèle à suivre et celui qui avait réponse à tout.

Seule Léonie, de temps en temps, jouissait du même privilège.

— C'est-tu vrai ce que Léonie a dit à propos de Daniel ? demanda donc J.A. avec candeur.

— Et qu'est-ce qu'elle a dit, notre Léonie ? demanda Joseph-Alfred qui, présentement, était fort occupé à tremper une bouchée de pain grillé dans le jaune coulant de son œuf au miroir.

Le vieil homme venait d'avoir 97 ans, et il se disait lui-même franchement «décati». Cheveux clairsemés, dents manquantes, démarche chancelante et doigts tordus, Joseph-Alfred pouvait difficilement nier son âge. Ajoutez à cela quelques mois de confinement dans l'appartement à cause de ses genoux perclus de rhumatismes qui rendaient la descente de l'escalier impossible, et l'humeur plutôt joviale du patriarche était devenue, au fil des semaines, parfaitement insupportable.

Heureusement pour toute la famille, son petit-fils Arthur avait eu la brillante idée de faire installer un ascenseur entre le rez-de-chaussée du bâtiment, où était établie la quincaillerie Picard, fondée plus d'un demi-siècle auparavant, et l'étage supérieur, qui abritait le logement familial.

En fin de compte, par manque d'espace, c'était un monte-charge qui avait été choisi, en remplacement du garde-manger de Léonie. Tout le monde en profitait, beau temps mauvais temps, sauf J.A., encore une fois, car il trouvait l'engin trop chambranlant, comme il le disait lui-même, et cela lui faisait peur.

Toutefois, si aujourd'hui, l'allure du patriarche s'accordait toujours à la description que l'on pouvait spontanément en faire, l'âme du vieillard avait regagné des élans de jeunesse. En effet, ayant recouvré une certaine liberté, puisqu'il n'était plus condamné aux quatre murs du petit appartement, Joseph-Alfred semblait avoir rajeuni. Chose certaine, l'appétit lui était revenu tout entier, et la bonne humeur en avait profité pour emprunter la même avenue.

À la suite de la question de J.A., le vieil homme leva les yeux vers son fils, la fourchette en attente au-dessus de son assiette.

— Que veux-tu savoir, au juste?

— J'veux savoir si c'est vrai que Daniel Meloche est un peu comme quelqu'un de notre famille.

— Absolument.

— Comment ça?

Le vieux quincailler se dépêcha de gober et d'avaler sa bouchée avant de poursuivre, en s'essuyant le menton avec le revers d'une main.

— Il arrive qu'un ami soit pour quelqu'un comme un frère. J'irais même jusqu'à prétendre que certaines amitiés sont plus durables et plus sincères que les liens du sang...

— Le sang?

Inquiet, J.A. regarda la paume de sa main qui avait subi, quelques années auparavant, une vilaine entaille. Si la vue du sang ne l'avait pas effrayé outre mesure, la douleur, elle, avait laissé un souvenir particulièrement pénible, ravivée chaque fois que ses yeux tombaient sur la fine cicatrice que l'incident avait laissée.

J.A. grimaça, puis il se demanda ce que son sang à lui avait à voir avec l'ami de son fils.

— Je comprends pas. Pourquoi vous parlez du sang, papa?

— C'est une expression, J.A. Partager des liens de sang avec quelqu'un, ça veut dire qu'on est de la même famille… C'est comme une sorte d'image.

— Ah bon, approuva J.A. qui, dans les faits, ne comprenait pas grand-chose à ce que son père racontait. Je pensais pas que mon sang pouvait avoir de l'importance pour Daniel.

Il soupira, tandis que le vieil homme poursuivait sur sa lancée.

— Et cela n'en a pas, non plus ! Là, tu dis un peu n'importe quoi ! Je te l'ai déjà expliqué, mon garçon : il faut réfléchir avant de parler, et il ne faut surtout pas tout prendre au pied de la lettre, comme dans le cas présent.

— Bon ! Les lettres ont des pieds, astheure… Si ça continue, les facteurs auront plus besoin de travailler.

À cette réplique, Joseph-Alfred leva les yeux vers le plafond, aucune riposte satisfaisante ne lui venant à l'esprit ; Léonie, maintenant debout devant l'évier, tourna brièvement la tête vers son mari, tout en secouant la tête ; tandis qu'Arthur, plongé dans le journal, n'entendit rien. Alors J.A. poursuivit, s'adressant toujours à son père.

— Vous, des fois, on dirait que vous le faites exprès pour tout mélanger, pis moi, je viens tout mêlé…

Puis, après avoir bruyamment expiré, il ajouta avec humeur :

— On dirait que j'suis cabochon !

— Mais non... Tu finis toujours par saisir ce que j'essaie de t'expliquer, J.A. Néanmoins, je sais que de temps à autre, certaines choses sont plus difficiles à comprendre pour toi... Et ça vaut pour un peu tout le monde ! L'essentiel, pour tout de suite, c'est que tu te souviennes de Daniel, parce que c'est de lui dont nous parlons, et pas du facteur. Ça fait très longtemps que Daniel est le meilleur ami de notre Arthur. Depuis leur première année à la petite école, pour être plus précis. Et pour cette raison, tu devrais le considérer comme quelqu'un d'important pour nous.

J.A. fit mine de réfléchir profondément, puis un rictus étira ses lèvres. Chez lui, c'était l'expression qui se rapprochait le plus d'un sourire.

— Ouais, vous avez raison, papa... Ça fait un tabarslac de bon bout de temps que Daniel vient chez nous pour voir Joseph-Arthur ! Ben coudonc... Je comprends, maintenant, ce que vous voulez dire. Pis le sang avec le facteur avaient rien à voir là-dedans. Ça, c'est le bout que je comprends pas, pis c'est pas plus grave que ça. Vous aurez pas besoin de me l'expliquer en détail, comme vous dites des fois, parce que ça me tente pas. Mais pour le reste, je comprends que c'est un peu comme si on avait eu deux garçons, Léonie pis moi...

— On peut le dire comme ça, oui.

— Mais celui qui va me remplacer à la quincaillerie, par exemple, ajouta J.A. sur ce ton précipité qu'il utilisait quand il voulait être bien certain qu'on le comprenne et qu'il était surtout désireux de ne pas être interrompu, parce qu'il lui arrivait souvent de perdre le fil de ses pensées, c'est Joseph-Arthur. Ouais... J'veux personne d'autre que Joseph-Arthur en arrière du comptoir de la quincaillerie, quand moi, j'vas être vieux pis fatigué comme vous.

— Pour ça, tu as tout à fait raison, et ça prouve que tu as tout compris.

Il n'y avait rien qui puisse plaire autant à Joseph-Armand que de sentir l'approbation de son père. Il redressa sensiblement les épaules.

— Me semblait aussi que l'ami Daniel était quand même un petit peu moins dans notre famille... Ça le dit, tabarslac ! Il s'appelle Meloche, pas Picard ! Bon, c'est l'heure d'aller débarrer la porte du magasin. On se revoit tantôt.

Léonie attendit que son mari quitte la cuisine pour revenir s'asseoir à la table avec une tasse de café. Son beau-père essuyait consciencieusement le fond de son assiette avec sa dernière bouchée de pain, et Arthur était en train de replier les quelques pages du journal qu'il venait de lire.

— Comme ça, tu penses aller voir tes amis dès ce soir ? demanda Léonie sur un ton évasif, tandis qu'elle balayait quelques miettes de pain avec la main.

— Oui. C'est ce qu'on a décidé, Dan pis moi.

Léonie leva les yeux vers son fils.

— As-tu acheté ton cadeau, au moins ?

— Euh... Non.

Arthur avait l'air embêté. Un bref soupir et un haussement d'épaules eurent cependant raison de ce léger inconfort.

— À mon avis, ce n'est pas essentiel. Le cadeau peut venir plus tard.

— D'accord... Peut-être, oui, que tu peux te permettre d'attendre, mais uniquement parce que Daniel et Jacinthe sont des amis intimes...

— Vous croyez ?

— Oui, j'en suis tout à fait certaine... Malgré tout, moi, à ta place, je me forcerais un peu.

— Sapristi, maman ! Voir que j'ai le temps de faire ça aujourd'hui.

Léonie, qui avait une petite idée derrière la tête, une idée qu'elle souhaitait voir se concrétiser, s'emporta sans raison valable, question de paver la route à ses désirs.

— Cheez Whiz, Arthur ! Il me semble que c'est pas exactement comme ça que je t'ai élevé. Normalement, quand on va voir une jeune maman à l'hôpital, on essaie de préférence de pas arriver les mains vides.

— Mais je n'ai rien acheté, moi ! Je n'ai même rien prévu de précis. En plus, le bébé est une fille.

L'argument était à tout le moins boiteux, et Joseph-Alfred ne put s'empêcher de le souligner.

— Qu'est-ce que tu as contre les filles, toi ?

Arthur se tourna vers son grand-père.

— En principe, absolument rien... Et vous le savez très bien.

— De la façon dont t'en parles, on peut se permettre d'en douter, souligna Léonie, tout en échangeant un bref regard avec son beau-père.

Arthur prit alors une longue inspiration qui lui gonfla la poitrine, se disant au même instant que s'ils s'y mettaient à deux, il n'aurait plus le choix : il devrait s'incliner et se rendre au centre-ville. Or, il n'avait pas du tout envie de courir les magasins par une si belle journée, d'autant plus qu'il avait promis à son père de l'aider avec la commande de grils au charbon de bois qui devait être livrée ce vendredi.

Arthur jeta un regard en coin à sa mère, comme lorsqu'il était tout gamin, qu'il avait une permission à demander, et qu'il ne savait pas comment s'y prendre pour la convaincre de l'importance de sa requête.

Présentement, Léonie le contemplait avec ce petit sourire malicieux qu'elle gardait pour les rares fois où elle taquinait son fils.

Le jeune homme comprit aussitôt qu'il était encore une fois tombé dans le panneau.

— C'est ça, moquez-vous de moi, maman ! grommela-t-il, mi-figue mi-raisin.

— Qui ne vaut pas une risée ne vaut pas grand-chose ! déclara alors Léonie.

— Bon ! Vous voilà rendue à imiter grand-père avec ses citations, rétorqua Arthur, un brin découragé.

— Tu trouves ? Eh bien ! Je le prends comme un compliment.

— Et moi, sur ces bonnes paroles, je dis que vous allez devoir m'excuser ! lança Joseph-Alfred en se levant de table. Je vais rejoindre J.A. au magasin.

L'instant d'après, on entendait la poulie du monte-charge grincer par à-coups jusqu'au rez-de-chaussée.

— Alors ? relança Léonie. Qu'est-ce que tu comptes faire pour ce soir ?

Le ton employé par la mère de famille était redevenu posé, et le regard qui se tourna vers Arthur était bienveillant. Depuis que ce dernier était devenu un homme, il arrivait parfois à Léonie de se sentir intimidée par lui. Et pour cause ! Quand le jeune homme, tout feu tout flamme, s'entretenait de littérature avec son grand-père, elle n'y comprenait pas grand-chose et elle se sentait misérable. Ou encore, lorsque son fils ne pouvait s'empêcher d'embrasser Anna dans le cou devant elle, Léonie en perdait tous ses moyens, et elle détournait la tête en rougissant, se disant qu'il est parfois bien difficile de réaliser que son enfant est devenu un adulte... avec des gestes et des attitudes d'adulte !

Mais en ce moment, il n'y avait qu'une immense bouffée de tendresse qui faisait battre le cœur de Léonie.

Elle adressa un sourire tendre à son fils, et elle commença à empiler les assiettes sales qui jonchaient la table. Au même instant, Arthur se grattait la tête, comme il l'avait toujours fait quand il réfléchissait ou qu'il était embêté par quelque chose.

— Je ne sais pas quoi donner, avoua-t-il finalement... Déjà que j'ai toujours eu énormément de difficulté à choisir un cadeau pour ma filleule Caroline. Maintenant qu'elle vient d'avoir une petite sœur, mon problème se retrouve multiplié par deux. Si au moins Anna était là pour m'aider...

Un court silence succéda à cet aveu, puis Arthur murmura ces quelques derniers mots dans un souffle :

— Malheureusement, ce n'est pas le cas ! Anna est au bout du monde et je n'ai toujours pas de numéro de téléphone pour la rejoindre.

Léonie entendit aussitôt une grande tristesse dans cette banale constatation, et elle dut se retenir pour ne pas se précipiter vers Arthur afin de le prendre dans ses bras. Cela risquerait d'attiser son ennui. À la place, elle tenta de faire diversion, en revenant au sujet qui le préoccupait.

— Dis-toi bien que pour l'instant, la petite se fiche pas mal du cadeau. C'est surtout à la maman que tu dois faire plaisir.

— Ouais... Peut-être bien que vous avez raison, mais pour moi, ce n'est guère mieux.

— Et si je m'en occupais à ta place ?

Arthur leva un regard rempli d'espoir.

— Vous feriez ça pour moi ?

— Qu'est-ce que je ferais pas pour toi, mon bel Arthur ? De toute façon, il y a pas grand-chose qui pourrait me faire plus plaisir, à matin, que d'être obligée de choisir un cadeau pour la petite

Christine… Une fille ! J'aurais tellement voulu avoir une fille.

L'œil rêveur, un vague sourire sur les lèvres, Léonie pressait ses deux mains jointes à la hauteur de sa poitrine.

Surpris par cette confidence qu'il entendait pour la première fois, Arthur resta immobile un instant.

— Et moi ? demanda-t-il enfin d'une voix étranglée qu'il aurait préféré plus indifférente. Vous n'étiez pas contente d'avoir un fils ?

Les mots et le ton surtout durent se frayer un chemin sans détour jusqu'au cœur de Léonie, car celle-ci sursauta exagérément. Puis, elle reporta vivement son attention sur son fils.

— Cheez Whiz, Arthur ! Va surtout pas penser une affaire de même. Voyons donc ! C'est ben certain que j'étais la plus heureuse des femmes quand t'es venu au monde. À l'âge que j'étais rendue, je t'espérais même plus. T'étais un vrai cadeau du Ciel, pis en plus, t'étais le plus beau des bébés… T'as juste à regarder bien comme il faut le cadre sur le bahut dans le salon, pis tu vas voir que j'ai raison. C'est ton grand-père qui a pris la photo : t'es dans mes bras, pas plus gros qu'un chaton, pis moi, j'ai la face barrée par un sourire qui va d'une oreille jusqu'à l'autre ! Si c'est pas avoir l'air heureux, ça, je me demande ben ce que c'est ! Par contre, ce qui aurait été encore mieux que d'avoir un petit Arthur enfant unique, c'est que le Bon Dieu accepte de te donner une petite sœur. Mais j'ai eu beau prier pis supplier, ça a rien donné pantoute. Au bout du compte, les années ont passé pis moi, ben, j'suis passée à autre chose... Comme à un coin cuisine dans la quincaillerie de ton grand-père, pis j'ai aucun regret... Alors? Qu'est-ce que tu dis de ma proposition? Toi, tu rejoins les hommes en bas dans le magasin pour faire ta journée d'ouvrage comme d'habitude, en t'occupant du coin cuisine au besoin, pis moi, je vais voir à trouver un beau cadeau... Non, deux! Un pour la petite et un autre pour la maman.

— J'en dis que j'accepte avec plaisir! Vous m'enlevez une grosse épine du pied, vous savez! Mais si j'accepte, c'est à une condition!

— Laquelle?

— C'est que vous veniez avec moi à l'hôpital, ce soir.

À ces mots, Léonie se sentit rougir de plaisir. Voilà exactement le but qu'elle poursuivait depuis le début de cette conversation.

— Ben là, opposa-t-elle tout de même par principe, question de camoufler la manigance, c'est sûr que j'aimerais vraiment ça t'accompagner... Mais tu penses pas que ça va faire trop de monde dans la chambre de la pauvre Jacinthe?

— Je ne penserais pas, non! Selon ce que Daniel m'en a dit, tout à l'heure, la naissance de leur petite Christine s'est déroulée aussi vite pis aussi facilement que pour Caroline. Il m'a assuré à deux reprises que sa blonde était en pleine forme.

— Ben dans ce cas là, c'est ben certain que je l'accepte, ta condition ! lança joyeusement Léonie sans autre forme d'objection.

En fait, elle resplendissait !

— Daniel aussi va être content de vous voir, poursuivit Arthur, soulagé par le dénouement de la discussion. Vous le savez comme moi qu'il tient à vous comme à une deuxième mère !

— Pis moi, je l'aime comme s'il était mon deuxième garçon, tout le monde sait ça… Crains pas, mon Arthur, j'vas nous trouver le plus beau des cadeaux pour la petite Christine. Envoye, chenaille en bas ! Il faut que je lave la vaisselle, que je mette en branle un dîner que ton grand-père aura juste à compléter plus tard, pis que je me prépare. Tu parles d'une belle journée, toi ! Il fait beau, je prends congé, pis je m'en vas magasiner du linge de bébé… Pis en plus, le bébé, c'est une fille !

* * *

La soirée était faite de soleil rougeoyant qui baissait lentement derrière les toits en dessinant une fine dentelle à travers le feuillage des arbres. La brise était douce, parfumée, juste ce qu'il fallait pour rendre l'air agréable. La lourde humidité de la semaine précédente avait été emportée par un violent orage, dans la nuit du lundi au mardi, et depuis, la ville soufflait tout doucement au rythme lent des citoyens qui avaient envahi les parcs.

— Je te remercie d'avoir pensé à m'inviter pour t'accompagner, Arthur, répéta Léonie pour la énième fois, tout en marchant à côté de son garçon en direction de l'hôpital Saint-Luc.

Faute de place, Arthur avait garé son auto à quelques rues du haut bâtiment gris.

À la main, Léonie tenait un petit paquet destiné à Jacinthe, et Arthur, lui, trimballait une longue boîte enveloppée dans un papier rose à motifs enfantins, et ornée d'un gros chou blanc nacré.

— Pis moi, je vous remercie pour le bel ensemble que vous avez choisi pour le bébé, enchaîna le jeune homme. Vous avez tellement bien emballé le paquet que ça va être une vraie tristesse de voir Jacinthe le déchirer. Je n'aurais jamais pu trouver un cadeau aussi beau que celui-là, parce que je n'aurais même pas eu l'idée d'assortir une robe à un petit chandail et à des bas de la même couleur ! Et c'est sans compter la crème parfumée à l'eau de rose pour la maman... Je suis certain que Jacinthe va être contente.

— C'était bien mon intention, de lui faire plaisir, à la chère Jacinthe... Et tant mieux si ça te convient. Comme on dit, tout va pour le mieux dans le meilleur des mondes ! Cheez Whiz que j'ai hâte de lui voir la « bette » à cette enfant-là !

— Moi aussi ! Je me demande bien si elle va ressembler à ma filleule.

À ces mots, Léonie secoua la tête.

— Oh, tu sais, avec les nouveau-nés, il faut pas s'attendre à voir un petit visage de chérubin. En fait, ils ont tous un peu la même frimousse toute fripée.

— C'est vrai ! Je me souviens que Caroline avait une drôle de petite face grimaçante.

— Pis moi, j'ai toujours trouvé qu'ils ressemblaient à des petits vieux ! C'est peut-être pour nous donner un avant-goût de ce qui nous attend à l'autre bout de la route… Mais on dira bien ce qu'on voudra, à mon avis, c'est pas tellement beau un bébé qui vient d'arriver au monde… Sauf quand c'est le nôtre, comme de raison. Quant à la ressemblance entre les deux petites sœurs, c'est juste dans quelques semaines qu'on va vraiment pouvoir se prononcer.

La mère et le fils marchaient d'un même pas. La soirée se prêtait bien à la promenade, et animé par une pulsion d'amour filial, Arthur glissa sa main sous le bras de sa mère. Léonie leva alors vers son fils un regard empreint d'une tendresse sans borne.

— J'aime ça, être avec toi, Arthur…

— Ah oui ? Pourtant je dirais qu'on doit se voir au minimum dix à douze fois par jour, fit mine de calculer le jeune homme, en esquissant un sourire amusé.

— Tout seuls tous les deux, je veux dire, reprit Léonie. C'est vraiment rare que ça arrive… Comme en ce moment.

— Oui, vous avez raison. Chez les Picard, tout se déroule en famille ou presque. Mais ce serait difficile de faire autrement : on vit entassés les uns sur les autres dans un petit appartement, pis on travaille tous au même endroit. Quand on y pense bien, ce serait pratiquement impossible de se retrouver à deux dans de telles conditions !

— C'est vrai, pis je le regrette, par bouttes... Pas que j'aime pas ça avoir une famille tissée serré comme la nôtre, c'est pas ce que je dis. Mais un peu d'intimité, des fois, ça ferait pas de tort.

Sur ce, tapotant la main de son garçon, Léonie ajouta, avec une nuance d'espoir dans la voix :

— Il faudrait qu'on s'en donne l'occasion plus souvent, toi pis moi... Pis pas seulement quand tu viens me mener en auto jusqu'à l'épicerie.

Aussitôt, Arthur se mit à ralentir le pas, voulant prolonger ce moment de complicité entre eux. Les mots que sa mère venait d'avoir pour lui, le jeune homme aurait voulu que ce soit Anna qui les prononce, qu'elle ose dire, elle aussi, qu'elle espérerait un peu plus d'intimité avec lui. Mais son amoureuse n'était pas une femme très expansive quand venait le temps des déclarations sentimentales ou des gestes tendres, et parfois, Arthur le déplorait.

À cette pensée, un spasme de tristesse lui serra la gorge, et le jeune homme intensifia l'étreinte de sa main sur le bras de Léonie. En revanche, si sa mère avait fait resurgir certains espoirs déçus, il n'en restait pas moins qu'elle avait entièrement raison : les instants en tête-à-tête entre la mère et le fils se faisaient plutôt rares, et tout comme elle, il s'en désolait parfois. Alors, camouflant son chagrin et quelques déceptions sous un vernis de taquinerie, il répondit :

— Vous n'avez qu'à demander, chère dame, et tous vos moindres désirs seront exaucés !

— C'est ça, profites-en pour te moquer... Polisson ! Mais justement, tandis qu'on est juste toi pis moi, j'aimerais donner suite à notre petite jasette d'à matin.

— Ah oui ? Pourquoi ?

— Parce que je veux que tu saches, hors de tout doute, comme ils disent dans l'émission *Perry Mason*, que j'aurais jamais pu souhaiter un meilleur enfant que toi. Ça me chicotait ben gros l'idée que tu puisses t'imaginer que j'aurais pu préférer avoir une fille. J'ai même failli t'acheter un cadeau à toi aussi, pour te faire comprendre à quel point t'as de l'importance à mes yeux !

— Ben voyons donc, maman ! Je le sais que vous tenez à moi.

— Tant mieux ! Mais laisse-moi quand même continuer... C'est vrai que ça pouvait porter à confusion, mon affaire, pis je voudrais donc pas que tu te méprennes sur mes sentiments envers toi. C'est depuis que t'es né que t'es de bonne humeur, pis agréable à vivre. T'as vraiment pas été un enfant difficile à élever... Pour être franche, j'ai juste eu du bonheur avec toi ! Un beau et grand bonheur, pis je voulais que tu saches que j'aurais jamais pu me sentir plus comblée que je le suis en ce moment.

— C'est gentil de dire ça.

— Tant mieux si ça te fait plaisir, mais j'ai pas déclaré tout ça pour m'attirer des compliments ou pour me rendre intéressante. C'est juste la vérité, Arthur, la vérité toute nue! Il y a pas la moindre exagération dans mes propos. T'es vraiment quelqu'un de bien, mon fils. Pis si je t'aime profondément, ça me rend pas aveugle pour autant. T'es un homme d'exception, avec le cœur à la bonne place, et suffisamment de bonne volonté et de persévérance pour réussir tout ce que tu vas vouloir entreprendre...

— Vous croyez?

— J'en suis certaine! Oublie jamais ça, mon garçon: quand on veut quelque chose de bien précis dans la vie, qu'on le désire de toutes ses forces, c'est à l'intérieur de soi qu'on trouve la force pis les idées pour arriver à réaliser ses rêves...

À ces mots, Arthur faillit ajouter que lorsqu'on est deux, la bonne volonté et la persévérance ne suffisent pas toujours. Il se retint à la dernière minute, tandis que Léonie poursuivait.

— Pis ça vaut aussi pour traverser les bouttes plus difficiles, parce que malheureusement, on a tous nos petites misères, à un moment ou à un autre de notre vie. Je pense que pour atteindre nos buts, il y a deux grandes qualités essentielles: le courage pis la persévérance.

Tout ému, le jeune homme buvait les paroles de sa mère.

— Tout ça pour dire qu'en fin de compte, et quoi qu'il en soit, garçon ou fille, ça a pas tellement d'importance. C'est les qualités du cœur qui importent par-dessus tout. Pis là, c'est à moi que je remonte les bretelles ! Voir que j'aurais été plus heureuse comme mère, si toi, t'avais été une fille... C'est un non-sens de penser ça.

Estimant le sujet clos, Léonie s'arrêta de marcher pour prendre une bonne inspiration. Ils arrivaient au coin de la rue Saint-Denis, juste avant de bifurquer vers le nord. Elle tira sur la manche de la chemisette d'Arthur pour attirer son attention afin qu'il baisse les yeux vers elle.

— Tout ce qu'il me reste à dire, c'est que le jour où t'auras des enfants, toi avec, je t'en souhaite des pareils à toi, conclut-elle avec un gentil sourire.

Lorsque Léonie avait agrippé la manche de sa chemise, Arthur avait aussitôt penché la tête vers elle, par réflexe, parce qu'il était beaucoup plus grand qu'elle, et Léonie, en relevant le menton bien haut, avait soutenu son regard. Mais elle n'avait pas fini de parler qu'elle aperçut une eau tremblante qui brillait au bord des paupières de son garçon. Spontanément, son cœur de mère retrouva les mots qu'elle employait quand son fils était encore tout petit.

— Hé bonhomme ! Mais qu'est-ce qui se passe ? demanda-t-elle avec douceur, parce qu'elle ne voyait pas en quoi ses paroles avaient pu engendrer un tel débordement émotif.

Mal à l'aise, Arthur détourna la tête, incapable de répondre. De toute façon qu'aurait-il pu dire que sa mère ne savait déjà ? Ce n'était un secret pour personne que le départ d'Anna l'affectait beaucoup, lui qui plaçait l'existence de ses amis Jacinthe et Daniel sur un piédestal et qui en parlait avec tellement d'envie dans le regard et dans la voix. Alors, sans que Joseph-Arthur ait eu besoin de s'épancher sur ses désirs les plus profonds, Léonie savait d'instinct que son fils espérait se marier bientôt, et avoir à son tour une belle famille. Depuis quelque temps, il répétait régulièrement que son grand-père avait eu raison de prétendre que la quincaillerie serait son gagne-pain et l'écriture, son loisir. Et il ajoutait que c'était très bien comme ça, puisque de toute évidence, du moins pour l'instant, ce ne serait pas les mots qui pourraient lui garantir de mettre le pain sur la table et un toit sur sa tête.

— J'vas bien finir par me marier un jour, pis avoir une famille, moi aussi, précisait-il souvent.

Alors, même si l'éditeur prêtait un réel talent à Joseph-Arthur et qu'il était satisfait des ventes, le jeune écrivain ne se faisait aucune illusion. Il savait pertinemment qu'il y aurait un long chemin à parcourir avant qu'il soit capable de vivre de sa plume. S'il y arrivait un jour ! De cela non plus, il n'était pas tout à fait certain. En revanche, il aimait écrire, et il persévérerait tant et aussi longtemps qu'il en serait capable. Néanmoins, cela ne l'empêchait pas de se sentir prêt à empoigner la vie à pleines brassées en espérant qu'un jour, il serait enfin reconnu comme un auteur à part entière.

En attendant, à l'image d'un cheval rétif, il piaffait devant la vie, prisonnier de l'enclos que son amie Anna avait érigé autour d'eux. Comme elle semblait vouloir tarder à en entrouvrir la porte, Léonie avait facilement deviné que son fils en souffrait. Au fil des mois et des années, elle avait été le témoin silencieux de certains regards affligés et parfois même désabusés. Et quand, à son corps défendant, il lui arrivait de comparer la relation entre son garçon avec Anna à celle du jeune Daniel et de sa Jacinthe, elle ne pouvait faire autrement que de voir le fossé qui semblait les séparer. D'un côté, il y avait une belle amitié franche et cordiale, certes, mais on ne sentait nulle ferveur ; tandis que de l'autre, un amour sincère et profond attirait les regards et parfois l'envie.

Oh ! Léonie appréciait à sa juste valeur la vivacité et l'intelligence dont faisait preuve la jeune Anna, là n'était pas le problème. Et elle avait été à même de reconnaître sa ténacité et le sérieux qu'elle mettait dans tout ce qu'elle faisait, puisqu'elle l'avait déjà eue comme élève dans sa cuisine. En un mot, jamais Léonie n'hésiterait à dire qu'Anna possédait de très belles qualités, de celles qu'elle-même avait en haute estime. En revanche, elle avait le sentiment que son fils était un peu oublié sur ce chemin à deux qu'ils avaient emprunté voilà déjà quelques années. Un chemin qui semblait n'avoir aucun aboutissement prévisible, ni même la moindre étape permettant d'entretenir l'espoir. À preuve, Anna n'avait aucune idée du jour où elle reviendrait à Montréal, ce qui préoccupait profondément Léonie, puisque cela rendait Arthur malheureux. Elle n'avait qu'un seul enfant, et son principal désir était de le voir pleinement heureux. À bientôt vingt ans, son fils était en âge d'avoir des ailes et le cœur rempli de projets à deux ! Or, en ce moment, Arthur promenait plus souvent qu'autrement une mine morose, et Léonie comprenait très bien pourquoi. Quand on se dit amoureuse, on se languit de son amoureux, et malgré le plaisir ressenti à vivre une belle aventure comme celle qu'Anna était en train de s'offrir, on compte tout de même les jours nous séparant du moment des retrouvailles avec l'être aimé.

Ce qui ne semblait pas avoir la moindre importance pour Anna.

En effet, le jour où Léonie lui avait demandé la date de son retour, la jeune femme lui avait répondu, sur un ton dégagé :

— Aucune idée, madame Léonie. Je ne veux surtout pas me mettre de barrières ou m'imposer quelque limite que ce soit. Est-ce trop demander ? Je vais en Italie pour perfectionner mes connaissances en cuisine, et tant que je ne serai pas satisfaite, je vais rester à Rome. Tant pis si c'est un peu long.

— Ah bon…

À entendre Anna se projeter dans l'avenir avec autant de désinvolture, ne pensant qu'à elle en apparence, Léonie en avait presque eu les larmes aux yeux. Son fils n'avait-il pas plus d'importance que cela pour la jeune cuisinière ?

— Et Arthur dans tout ça ? avait-elle osé demander.

— Arthur ? Pourquoi me demandez-vous ça ? Il est d'accord avec moi. De son côté, il se prépare lui aussi à sa vie d'adulte. La quincaillerie, son écriture... C'est maintenant que l'on doit établir les bases de notre avenir. Demain, il sera trop tard... Et si je tardais trop à son goût, il n'aura qu'à venir me voir. La ville de Rome est tellement jolie ! J'irais même jusqu'à dire que l'Italie au grand complet est magnifique, et mérite vraiment qu'on s'y attarde. Et surtout, il n'y a pas d'hiver ! Peut-être, en fin de compte, qu'on devrait songer à s'installer là-bas ensemble ?

Léonie n'avait rien rétorqué. La réponse n'aurait sûrement pas plu à Anna. Comment cette jeune femme pouvait-elle imaginer qu'une mère digne de ce nom laisserait partir son fils pour le bout du monde sans regimber ?

Ce fut sur cette pensée que Léonie se remit à marcher, entraînant son fils par la main. Ce soir, la mélancolie n'avait pas sa place.

— Viens mon grand, c'est l'heure des visites... Pis essuie ton visage, si tu veux pas susciter de questions... Je peux comprendre que tu soyes triste à l'idée de savoir ta blonde de l'autre bord de l'océan, mais...

— Parce que vous pensez que...

— Je pense rien pantoute, Arthur, je fais seulement constater... Depuis une semaine, depuis le soir où t'es allé mener Anna à l'aéroport, il y a eu ben juste l'appel de Daniel, à matin, qui a réussi à te faire sourire sincèrement. Mais je peux très bien comprendre ça : l'ennui, ça mine son homme !

— Ça paraît tant que ça ?

— Pas tant, non, rectifia Léonie. Pour un client de la quincaillerie, ça doit pas être si évident. Mais pour ta mère, par exemple, c'est une autre paire de manches... Attends d'être parent à ton tour, Arthur, pis tu vas comprendre que les chagrins pis les soucis de tes enfants vont vite devenir les tiens.

— Daniel dit la même chose.

— Pis il a raison... Astheure, accroche un sourire à ta face, mon garçon, parce que c'est un soir pour être heureux, pis ça serait plate en Cheez Whiz que tu viennes gâcher le plaisir de tes amis !

Partie 2

Automne 1969

Chapitre 3

« When you're weary
Feeling small
When tears are in your eyes
I'll dry them all
I'm on your side
Oh, when times get rough
And friends just can't be found
Like a bridge over troubled water
I will lay me down
Like a bridge over troubled water
I will lay me down »

~

Like a bridge over troubled water, Paul Simon

Interprété par Simon and Garfunkel, 1970

Le jeudi 25 septembre 1969, dans le magasin d'Eugène Méthot, par un après-midi d'automne gris et froid

— Il y a quelqu'un ? lança Rita, tout essoufflée.

Pour contrer le vent violent et plutôt frisquet, la propriétaire du casse-croûte avait couru de son restaurant au magasin d'Eugène Méthot en traversant la Place des Érables en diagonale pour faire plus vite. On était le dernier jeudi du mois, et invariablement, douze fois par année, elle venait faire un saut jusqu'ici afin de faire quelques emplettes pour son commerce, comme l'avait fait son défunt mari bien avant elle. Ainsi, pailles et napperons, *napkins* et autres produits d'emballage étaient achetés aux Variétés Eugène Méthot, depuis toujours.

— Pourquoi je me donnerais le trouble de me promener partout en ville pour m'approvisionner quand je peux trouver toutes les fournitures dont j'ai besoin chez monsieur Méthot, à cinq minutes à pied de chez nous ? lui avait un jour répondu Rémi, lorsque Rita lui avait demandé pourquoi il n'allait pas chez un fournisseur en produits de restauration.

— Il me semble que tu aurais plus de choix chez un spécialiste, non ?

— Peut-être, mais pourquoi chercher mieux que ce que l'on a déjà ? Ce que j'achète fait l'affaire. Dis-toi bien que les clients viennent pas au casse-croûte pour admirer nos napperons, ils viennent pour manger ! En plus, monsieur Méthot fait la livraison !

À la lumière de ces explications, il devenait évident que le magasin de variétés était une solution tout à fait acceptable, et Rita en avait facilement convenu. Voilà pourquoi, au décès de son homme, lorsque la jeune épouse éplorée avait été obligée de reprendre les rênes du casse-croûte, elle avait donc renoué avec la routine établie sans la moindre hésitation : dans les gros catalogues du marchand, on pouvait aisément se procurer tout ce que l'on cherchait. De la maison aux vêtements en passant par l'alimentation et les fournitures de bureau, le magasin des Méthot était à lui seul un Eaton, un Kresge et un Dupuis Frères combinés.

Ou presque !

En effet, par principe, Eugène Méthot avait choisi de ne pas vendre de produits de quincaillerie. Malgré l'inventaire exhaustif du magasin, on n'y trouvait pas de marteau, encore moins de scie, et aucun tournevis, à l'exception de ceux, minuscules, qui servaient à réparer les lunettes.

— Pour tout ce qui touche la menuiserie pis les réparations en tous genres dans la maison, de la plomberie à l'électricité, il faut aller au magasin de Joseph-Alfred Picard, à trois pâtés de maisons d'ici, répondait invariablement monsieur Eugène quand par hasard, de nouveaux arrivants dans le quartier cherchaient à se procurer quelques gallons de peinture pour rafraîchir la couleur des murs de leur nouveau logis ou un outil essentiel pour réparer un meuble endommagé par le déménagement. Vous pouvez pas le manquer : vous tournez à gauche à la première rue au bout du parc... Ça serait pas tellement *fair-play* de ma part de lui faire compétition, vous pensez pas, vous ? Dans un même quartier, il faut tenir compte de ces choses-là si on veut que les affaires roulent bien pour tout le monde.

C'est ainsi que depuis plus de quarante ans, les Picard et les Méthot vivaient en parfaite harmonie. Léonie encourageait Roberte en se procurant chez elle bottes et chaussures, et Joseph-Alfred ne jurait que par les bas de laine et les « corps et caleçons » vendus par la même madame Roberte.

— Ses camisoles sont pas trop épaisses, ce que j'apprécie grandement quand viennent les grandes chaleurs de l'été. Quant à ses bas, ils sont doux et ils gardent mes pieds bien au chaud en hiver. Que pourrais-je demander de plus ?

En contrepartie, madame Méthot se procurait auprès de Léonie les articles de cuisine qui pouvaient lui manquer.

— Bonne idée que vous avez eue là, d'ouvrir un département de cuisine ! avait-elle un jour avoué à Léonie, alors que les deux femmes déambulaient le long des allées où casseroles et ustensiles s'offraient à la tentation des acheteurs. Je le dirais peut-être pas aussi directement à mon mari, mais j'haïs pas ça pantoute d'avoir la chance de voir pis de toucher à la marchandise avant de l'acheter. Cârosse ! C'est ben beau, les catalogues, parce que le choix est quasiment infini, mais il m'arrive d'être ben gros déçue, par bouttes, quand je reçois ce que j'ai commandé !

Quant à Eugène, une fois l'an, il allait à la quincaillerie pour en saluer le vieux propriétaire, et lui offrir ses vœux de santé et de bonne année par la même occasion. Il en profitait alors pour faire l'acquisition de quelque babiole afin de sauver la mise. Une boîte de clous ou un marteau neuf faisait habituellement l'affaire, et s'il n'en avait pas besoin, il les revendait au premier intéressé.

— Entre nous, Roberte, j'suis toujours ben pas pour payer le triple du prix pour acheter un pinceau, n'est-ce pas ? expliquait Eugène à sa femme.

— Ouais... Là-dessus, je te donne pas tort, mon mari.

— Pis des marteaux, j'en ai déjà deux !

Alors, la majeure partie du temps, Eugène comblait ses besoins en articles d'entretien et de rénovation par catalogue, et personne n'en savait rien... Ou faisait mine de n'en rien savoir ! Car on ne bernait pas aussi facilement un fin renard comme Joseph-Alfred Picard, n'est-ce pas ?, lequel jugeait cependant que c'était de bonne guerre. Allait-il, lui, commander ses sacs d'emballage au magasin de variétés ? Non, bien sûr, puisqu'il pouvait en acheter à moindre coût chez ses propres fournisseurs.

Ainsi tous les dimanches, on se saluait cordialement à la sortie de l'église et on échangeait brièvement sur la météo de la semaine et les aléas de la vie quotidienne.

Et c'était justement dans ce magasin général que Rita venait d'entrer.

— Il y a quelqu'un ? répéta-t-elle après avoir repris son souffle, un peu surprise de ne pas voir le propriétaire, ou sa gentille épouse, se précipiter pour l'accueillir, comme ils avaient coutume de le faire.

Quant à leur fils Émilien, il y avait des mois qu'elle ne l'avait pas revu, et puisqu'elle était discrète de nature, la belle Rita n'avait jamais osé prendre de ses nouvelles, sachant fort bien que la dernière rencontre entre le père et le fils s'était très mal passée.

— J'arrive !

Ébouriffée et les joues rougies par l'effort, Roberte entra en coup de vent dans le magasin par la porte donnant sur ce que les marchands appelaient pompeusement « leur entrepôt », et qui, dans les faits, se résumait à une grande salle encombrée de multiples étagères disparates. Cette réserve était flanquée d'une porte immense qui ressemblait à s'y méprendre à celles que l'on pouvait trouver dans les granges. Ajoutez à cela une minuscule chambre froide pour les denrées périssables, là-bas, tout au fond, et le tableau était complet. C'était dans cette pièce sombre que les Méthot conservaient en réserve le plus gros des articles qu'ils voulaient garder en inventaire. Quant au commerce lui-même, il occupait la majeure partie des deux étages du bâtiment. Les biens de consommation courante étaient à portée de main au rez-de-chaussée, et tout ce qui touchait à l'habillement et à la décoration se trouvait à l'étage.

La marchande afficha un grand sourire dès qu'elle reconnut Rita.

— Ah c'est vous, madame Bellehumeur ! C'est vrai que le mois de septembre achève... Cârosse que le temps passe vite ! Vous trouvez pas, vous ?

— En effet !

— Heureuse de vous voir, pis ben désolée de vous avoir fait attendre. C'est parce que le jeudi, c'est le jour de la livraison des caisses de bière en prévision de la fin de semaine. J'étais en arrière en train de démêler les bouteilles de liqueur vides pour les mettre en caisse proche de la porte qui donne dans la cour, question d'avoir un peu plus de place.

Rita fronça les sourcils, doutant de ce qu'elle venait d'entendre.

— Vous êtes quand même pas en train de me dire que c'est vous toute seule qui devez ranger la bière ? demanda-t-elle.

— Pour le moment, c'est le cas, oui. Si on veut se retrouver, il faut bien que quelqu'un le fasse, n'est-ce pas ?

— Ben voyons donc, vous ! C'est lourd, des caisses de bière !

— Oh oui ! J'en sais quelque chose. C'est pour ça que cette semaine, j'ai choisi juste des caisses de douze !

Rita afficha un grand étonnement en écarquillant les yeux.

— Ben voyons donc, répéta-t-elle, à court de mots. Je comprends pas... Jamais j'aurais pu imaginer que c'était vous qui vous occupiez de ce genre de besogne-là !

S'interrompant brusquement, Rita regarda autour d'elle. Le magasin était étrangement silencieux. La patronne du casse-croûte revint aussitôt à son interlocutrice.

— Mais où sont les hommes, madame Méthot ? Sur trois, il y en a pas un seul pour venir s'occuper des travaux lourds ?

— Ben non ! Pas pour aujourd'hui, en tous les cas. Heureusement, une fois n'est pas coutume, craignez pas...

— Mais qu'est-ce qui se passe, pour l'amour ?

— Figurez-vous que depuis quelques jours, on est comme qui dirait un peu désorganisés, mon mari pis moi... En fait, depuis lundi dernier, c'est moi qui fais à peu près tout. Ici, dans le magasin, comme de raison, parce qu'on pourrait jamais fermer plus que deux jours d'affilée sans subir de pertes, pis j'suis de corvée chez nous aussi, du côté privé du bâtiment, parce qu'il faut bien voir aux repas pis à l'entretien, expliqua la gentille dame aux cheveux de neige, tout en pointant le menton vers la porte qui donnait chez elle.

— Ciboulette, madame Méthot ! Ça a pas de fichu bon sens, votre affaire... Voir à votre logement pis au magasin en même temps... Toute seule ! Pis en plus, vous devez trimballer les bouteilles ? C'est beaucoup trop demander pour une seule personne, à plus forte raison si c'est une femme !

— Les bouteilles sont vides, quand même ! Pis la plupart des caisses de bière ont été placées par le livreur de chez Molson. Il me restait juste les caisses qui rentraient pas, pis il les a laissées à ras la porte. C'est pour ça que j'ai décidé de faire un peu de ménage dans les bouteilles vides.

— Qu'elles soyent pleines ou vides, vos bouteilles, ça change pas grand-chose, tant qu'à moi ! C'est bien trop lourd quand ça se retrouve en caisse ! Je le sais, chez nous aussi, on a des caisses de liqueur. C'est pesant que l'diable ! Surtout pour une dame de votre âge !

— Il se porte quand même assez bien, mon âge, vous savez, répliqua finement Roberte, tout en dévisageant Rita avec un sourire mutin sur les lèvres.

À ces mots, Rita se sentit rougir.

— Je voulais surtout pas vous insulter ni prétendre que vous étiez vieille, madame Méthot, mais...

— Je le sais très bien ! interrompit ladite madame Méthot, toujours sur le même ton affable. Vous êtes la gentillesse incarnée.

À voir son sourire, il était évident que la vieille dame ne s'offusquait pas le moins du monde de l'allusion que Rita avait faite à propos de son âge. Au contraire, elle semblait beaucoup s'amuser de ce petit interlude.

— Je vous taquine, madame Bellehumeur ! Imaginez-vous donc que j'ai les cheveux blancs depuis que j'ai trente-cinq ans ! J'étais châtaine clair, vous savez, presque blonde durant l'été, pis du jour au lendemain, ça s'est mis à pousser tout blanc. C'est vous dire que j'suis habituée qu'on passe des remarques sur mon âge, n'est-ce pas ? Au début, j'avoue que ça m'achalait un peu, surtout quand j'étais enceinte de ma Laurette. Ben des fois, on m'a dit que j'étais courageuse d'attendre un bébé à mon âge, pis ça me faisait sortir de mes gonds. Oh ! À l'époque, j'ai ben pensé à me faire teindre les cheveux, mais mon mari voulait pas en entendre parler... Il disait que j'étais encore plus jolie en blanc. Allez donc comprendre les hommes ! Ça fait que j'ai arrêté de m'en faire pour mes cheveux, pis aujourd'hui, ça me dérange pas une miette qu'on dise de moi que j'suis vieille... Parce que c'est la vérité, conclut-elle en faisant un petit clin d'œil à Rita.

— C'est vrai que je vous ai toujours connue avec vos beaux cheveux d'un blanc éclatant, nota cette dernière. Ciboulette, on dirait un nuage ! Ça passe pas inaperçu, une belle tête de même. Et tant mieux si l'âge vous a laissé toute votre belle vigueur. Mais d'une chose à l'autre, vous avez toujours pas répondu à ma question... Où sont passés tous les hommes pour que vous vous retrouviez toute seule dans le magasin ?

— Parlez-moi-z'en pas ! Pour faire une histoire courte, disons que Maurice a pris ses vacances comme d'habitude vers la fin de septembre, rapport que c'est plus tranquille chez lui, vu que les enfants sont retournés à l'école. C'est pour ça qu'il est pas là.

— D'accord avec ça... Mais votre mari, lui?

— Mon mari? Pauvre Eugène! Si moi, je m'en fais pas outre mesure avec le temps qui passe, pis que j'assume mon âge sans la moindre difficulté, lui, il s'imagine qu'il est encore une jeunesse. Ça fait qu'il s'est méfié de rien, pis il a décidé de remplacer notre employé dans l'entrepôt, faute d'avoir quelqu'un d'autre pour le faire. Remarquez que jusqu'à l'an passé, Eugène s'en sortait pas trop mal.

Roberte fut sur le point d'ajouter qu'en réalité, c'était surtout Émilien qui mettait les bouchées doubles, durant les vacances de Maurice. Toutefois, à la dernière minute, elle s'en abstint, sans trop savoir pourquoi.

— Mais toujours est-il que cette fois-ci, poursuivit-elle, quand il s'est penché pour agripper une caisse de bouteilles d'eau de Javel pour la transporter jusque dans le magasin, le dos lui a barré ben net. Je lui avais dit, aussi, d'y aller deux bouteilles à la fois, au lieu de prendre la caisse de six au grand complet d'un seul coup! Mais il m'a pas écoutée, pis il est arrivé ce que j'avais prédit qu'il arriverait!

— Pauvre lui! Un tour de reins, ça fait mal en ciboulette! Je le sais, j'en ai déjà eu un. Pis c'est pas une question d'âge, parce que moi, j'avais tout juste vingt ans quand ça m'est arrivé.

— En plein ce que le docteur nous a expliqué : il y a pas d'âge pour un lumbago. C'est de même qu'il a dit ça. Mais toujours est-il qu'Eugène s'est fait mal en cârosse ! Il a réussi à se traîner de peine et de misère de l'entrepôt jusqu'à la cuisine, pis depuis ce jour-là, il est pratiquement cloué au lit, tellement il est souffrant. J'ai beau lui mettre du liniment Minard soir et matin, pis lui donner des Coricidin aux quatre heures, le soulagement est pas complet, pis c'est pas assez pour qu'il puisse venir travailler. Pauvre homme ! Pour quelqu'un qui a jamais été malade, c'est pas drôle de se voir obligé de garder le lit. Ça joue sur son humeur, croyez-moi ! Il y a seulement quand il est couché sur le côté que ça lui fait moins mal. C'est donc pour ça que j'ai pris la relève un peu partout. Selon le médecin, mon mari en a pour un bon trois semaines avant d'être vraiment sur le piton, comme on dit. Heureusement, Maurice nous revient lundi dans dix jours.

— Pas avant ça ?

Roberte secoua la tête dans un geste de négation, tout en dessinant une moue un brin découragée.

— Vous devriez l'appeler, votre employé, même s'il est en vacances ! suggéra alors Rita, un peu surprise que la marchande ne l'ait pas fait.

— Vous y pensez pas sérieusement, vous là ! rétorqua madame Méthot. Jamais j'oserais déranger notre bon Maurice. Il travaille assez fort comme ça à l'année longue, il mérite amplement ses deux semaines de repos.

— Pis votre garçon, lui ? Je sais ben que je l'ai pas revu dans le magasin depuis le fameux dimanche où vous êtes venus manger chez nous, pis je me doute un peu de la raison de son absence, mais il me semble qu'il aurait pu faire une exception pour venir vous donner un coup de pouce, non ?

Devant une question aussi directe, Roberte se mit à rougir et elle ferma les yeux une fraction de seconde. Toutefois, ce fut amplement suffisant pour que Rita comprenne que le fils Méthot était devenu un point de discorde entre les parents. Elle regretta ses paroles jusqu'à ce que la vieille dame reprenne la conversation sur un ton nettement moins cordial, éloignant ainsi le malaise que la patronne du restaurant avait brièvement ressenti. De toute évidence, Roberte Méthot semblait heureuse de pouvoir se confier.

— Vous irez dire ça à mon mari, vous ! déclara-t-elle après avoir jeté un regard furtif vers la porte donnant dans sa cuisine.

Comme tout semblait très calme de ce côté-là, elle reprit, mais tout de même sur un ton plus feutré.

— Dans tout le quartier, il y a pas plus têtu qu'Eugène Méthot, vous saurez ! Tant qu'il aura pas décidé par lui-même que son garçon peut revenir à la maison, pis je sais très bien que ça va finir par arriver un jour, il y aura pas grand-chose d'autre à faire que d'attendre, si on veut pas déclencher une escarmouche...

— À ce point-là ?

— Bof! J'exagère à peine. Devant la clientèle, il a l'air ben avenant, mon homme, ben conciliant, pis c'est vraiment le cas la plupart du temps. Il aime son métier, il aime le monde, pis chacun de ses sourires est sincère. Mais quand quelque chose fait pas son affaire, par exemple, tassez-vous de son chemin, parce qu'il peut être mauvais en cârosse!

— Ah ouais?

— C'est comme je vous dis. Le mieux à faire, quand Eugène est grognon, c'est de pas trop le contrarier. Quand on s'est rencontrés, lui pis moi, j'ai compris ça assez vite, merci. Ça fait que j'en ai toujours tenu compte, pis après plus de quarante-cinq ans de mariage, je peux affirmer qu'on a eu une belle et bonne vie… Paraîtrait qu'on a tous un défaut plus gros que les autres, ben pour Eugène, c'est d'avoir la tête dure.

Rita resta sans mot pour un instant. Elle n'en revenait pas d'apprendre que le si gentil monsieur Méthot, affable et souriant, pouvait être de mauvais poil, comme semblait le dire son épouse. C'était difficile à imaginer, car le marchand avait toujours le mot juste pour accueillir son monde, et il n'avait pas son pareil pour lancer une blague. Quoi qu'il en soit, comment un père pouvait-il traiter son fils ainsi? Si Rita calculait bien, cela faisait maintenant plus de trois mois qu'Eugène Méthot boudait son garçon.

— Comme ça, vous avez pas revu Émilien depuis le début de l'été? demanda-t-elle avec une infinie délicatesse. Il me semble que ça se peut pas, tenir son garçon à l'écart comme ça.

— Craignez pas, répondit alors Roberte en faisant un second clin d'œil à Rita, qui en fut aussitôt soulagée.

Même si elle connaissait à peine Émilien, et pas beaucoup plus le couple Méthot, avec qui elle avait toujours entretenu une relation strictement professionnelle, Rita détestait la discorde, qu'elle y soit mêlée ou non n'ayant que peu d'importance. Alors elle prêta l'oreille à ce que la marchande ajouta sur un ton encore plus bas, pour être bien certaine de n'être entendue par personne d'autre que par madame Rita.

— Si mon mari est capable d'être le pire des cabochons, mais juste des fois, entendons-nous bien, moi, j'suis plutôt du genre «ratoureuse», si vous voyez ce que je veux dire. C'est pas parce que mon mari dit non que j'suis obligée de faire pareil, moi aussi. Surtout quand il est question de nos enfants. C'est moi qui les ai mis au monde, ces deux chenapans-là, pis je considère que j'ai certains privilèges envers eux, des passe-droits comme on dit, que mon mari aura jamais. Donc, je peux faire ce que je veux pour eux autres sans avoir à demander de permission à qui que ce soit. Ça fait que vous avez pas à vous inquiéter, madame Bellehumeur, j'y parle, à mon Émilien! Pis assez souvent, à part de ça. J'vas même voir ma petite-fille Virginie de temps en temps, au parc proche de chez elle. Mais pour ça, par contre, Eugène est au courant, rapport qu'on a aucune raison de tenir la belle enfant à l'écart de la chicane qui sépare son papa de son grand-père. Pour le reste, on a juste à attendre encore un peu, pis tout va rentrer dans l'ordre. Je le sais, moi, qu'Eugène va finir par faire amende honorable.

— Ben tant mieux pour vous ! Il y a rien de pire qu'une chicane de famille... Bon ! C'est pas que j'aime pas jaser avec vous, madame Méthot, mais si on revenait à nos oignons ? Le temps file pis j'vas avoir un souper à mettre en branle dans l'heure qui vient ! Si je comprends bien, aujourd'hui, c'est à vous que je dois passer ma commande ?

— En plein ça ! En revanche, j'vas vous demander de m'attendre deux petites minutes. Je traverse chez nous en coup de vent, pour vérifier si Eugène a tout ce qu'il lui faut. J'vas lui donner en même temps ses deux Coricidin de l'après-midi, pis je vous reviens avec le calepin de commandes. Promis, je fais ça ben vite !

Quand Rita retourna au restaurant, elle n'en revenait tout simplement pas de voir un homme aussi cordial qu'Eugène Méthot garder rancune aussi longtemps. Surtout à son propre garçon. Elle avait beau tourner la situation de tous bords tous côtés, elle ne trouvait aucune justification à un tel entêtement.

Et c'est ce qu'elle s'empressa de raconter à Mado, parce que tout ça la dépassait un peu, et qu'elle voulait avoir son avis. Les deux femmes étaient seules à la cuisine, monsieur Romano n'étant pas revenu de sa pause de l'après-midi.

— Pis tu dis qu'à cause de l'obstination de son mari malade, madame Méthot s'occupe du magasin toute seule ?

— Ben oui. Quand j'suis arrivée, elle était en train de ranger des caisses de bière. Pis ça dure depuis lundi dernier, tu sauras. Le pire dans tout ça, c'est que leur employé habituel est parti pour ses vacances annuelles, pis manifestement, son mari Eugène parle toujours pas à leur garçon Émilien, qui aurait pu venir aider sa mère.

— Soda ! J'vas dire comme toi, une situation comme celle-là a pas une miette de bon sens ! Pauvre femme... On s'entend pour dire qu'elle a plus vingt ans... Je la connais pas vraiment, rapport que j'vas jamais dans leur magasin, mais je l'ai quand même croisée de temps en temps, quand j'vas rejoindre mon Valentin à la pharmacie... Ouais, ça m'est arrivé de la voir en train de prendre un bol d'air frais, sur son perron, à ras la porte de leur magasin. On s'est même saluées de loin, elle pis moi, à quelques reprises. C'est une vraie belle madame, à mon avis. Elle a l'air tellement distinguée...

— Pis elle l'est ! coupa Rita. Toujours bien mise, douce, pis tellement gentille avec la clientèle.

— Eh ben ! Comme ça, t'es vraiment sûre de ton affaire quand tu dis qu'elle en a parlé à son mari pis qu'il lui a répondu de surtout pas appeler leur garçon à la rescousse ?

— Pas exactement comme ça, mais oui, ça voulait dire ça... Du moins, je pense. De toute façon, qu'elle en aye parlé ou pas, monsieur Méthot est assez intelligent pour comprendre que leur situation présente a carrément pas d'allure, non ? Il aurait dû piler sur son orgueil pour permettre à sa femme d'appeler leur fils Émilien.

— J'suis tout à fait d'accord avec toi. C'est ben clair dans mon esprit que le père Méthot est pas tellement correct envers sa femme.

— Mado ! Le père Méthot, quand même ! C'est quoi cette façon de parler d'un monsieur ben comme il faut ? Faudrait peut-être rester polie.

— Pourquoi ? Je le connais pas, lui non plus, mais je l'ai déjà vu, par exemple, pis il a pas l'air commode... En plus, c'est pas pantoute un bel homme... C'est comme qui dirait le contraire de son épouse. À se demander d'ailleurs ce qu'elle a ben pu lui trouver d'attirant. Il me donne la chair de poule, avec ses gros sourcils, même si Valentin m'a déjà affirmé que son voisin était plutôt obligeant. Remarque qu'à le voir agir comme il le fait présentement, j'en doute un peu... Comment t'appellerais ça, toi, un homme égoïste au point de voir sa femme se « désâmer » à tout faire dans la maison pis le magasin, sans même lever le petit doigt pour l'aider ? Tu sortirais tes bonnes manières ?

— Ouais... Euh, non... C'est vrai que c'est pas tellement fin de sa part.

— Pas fin, tu dis ? À mon avis, c'est carrément borné... De toute façon, c'est quoi l'idée de plus parler à son propre garçon ? Voyons donc ! La vie est beaucoup trop courte pour entretenir une rancune tenace comme celle-là. Tiens! Prends Agathe, par exemple... Son Rémi a volé des médicaments à la pharmacie, il a été condamné, pis il s'est retrouvé en maison de correction. Si c'est pas décevant rare pour une mère qui a tout donné pour son garçon, je me demande ben ce que c'est, soda! Rémi est toujours en prison à l'heure où on se parle, pis notre amie aime toujours autant son garçon. Agathe répète à qui veut l'entendre que la porte de son logement lui sera toujours grande ouverte, pis que si ça dérange quelqu'un, il a juste à passer son chemin... Ça, pour moi, c'est agir en bon parent... Pis c'est à cause de quoi, au juste, que le père pis le fils se parlent plus? Tu le sais-tu, toi?

— À cause du refus d'Émilien de prendre la place de son père au magasin.

— Ah ouais? C'est vrai que ça doit être insultant de voir que notre garçon refuse un beau cadeau de même.

— Un cadeau?

— Ben... Oui, un cadeau! Si moi, quelqu'un m'offrait un commerce ben établi, avec l'assurance que je perdrais jamais ma *job*, pis que je manquerais de rien jusqu'à ma mort, j'appellerais ça un cadeau. Un soda de beau cadeau!

— Mais comme on est pas dans la peau d'Émilien, on peut pas vraiment savoir le pourquoi de sa décision.

— C'est vrai ! Pis ça fait combien de temps, au juste, que la chicane a pogné entre le père pis le fils Méthot ?

— Un bon trois mois, je dirais.

— Trois mois ? Soda ! Comme si ça pouvait avoir de l'allure, une fâcherie aussi longue ! Si tu veux mon avis, c'est trois mois de « babounage » inutiles... Tant pour le père que pour le fils, tant qu'à ça ! Comme ma mère disait : accordez-vous donc, c'est si beau de l'accordéon ! Je te le dis, des fois... Maudits hommes !

— Deux minutes, Mado ! Il faudrait quand même pas mettre tous les hommes dans le même panier... J'en connais plusieurs qui sont ben serviables, pis pas chicaniers pour deux sous... T'as juste à penser à mon voisin Mario, tiens, pis au vieux monsieur Picard ! Mais attends donc une minute, toi là ! Pourquoi tu dis ça, maudits hommes ? D'habitude, t'es plutôt avenante avec eux autres... Ça serait-tu que ça va moins bien avec ton Valentin ?

— Moins bien, non... Il est toujours aussi galant avec moi, pis ben attentionné. J'ai rien à lui reprocher de ce côté-là. Mon appartement est fleuri à chaque semaine, le samedi matin, pis je reçois des boîtes de chocolat à m'en rendre malade... Mais soda qu'il prend du temps à aboutir, le cher homme ! J'ai beau savoir que sa mère est de plus en plus malade, du moins, c'est ce que Valentin me dit chaque fois qu'on parle d'elle, pis qu'il doit la ménager, il en reste pas moins que nos fiançailles durent un peu trop longtemps à mon goût.

Sur ces mots, Mado leva la main gauche et elle agita les doigts pour faire scintiller le diamant qu'elle portait avec fierté depuis quelques semaines.

— C'est ben *blood* de sa part d'avoir voulu officialiser notre union, même s'il doit cacher l'événement à sa chère maman, pis je l'apprécie beaucoup, parce que ça veut dire qu'il tient vraiment à moi. Mais soda ! C'est pas juste pour me pavaner avec un caillou brillant à la main gauche que je le fréquente, le beau Valentin. C'est pour partager ma vie avec lui...

Puis, rougissant sous le maquillage, Mado ajouta :

— Toute ma vie, si tu vois ce que je veux dire.

Et sur ces mots, la serveuse quitta précipitamment la cuisine en mâchant énergiquement son éternelle gomme Juicy Fruit.

— M'en vas monter quelques tables. L'heure du souper approche, lança-t-elle par-dessus son épaule, avant que la porte à battants se referme sur elle, mettant ainsi un terme à la discussion.

La fin de l'après-midi et le début de la soirée furent relativement calmes, et vers dix-neuf heures, Mado retourna à la cuisine, à l'instant où le chef cuisinier retirait son tablier.

— Vous partez déjà, m'sieur Romano ?

— Si ! Il n'y pas *multi clienti, cé* soir. Avec Maria, on va en profiter pour écrire une longue lettre à notre fille Anna.

— Ah, la belle Anna ! s'exclama Mado, avec un large sourire. Ça commence à faire un bon bout de temps qu'elle est partie... Dites-moi donc, vous, comment ça va pour elle en Italie?

À ces mots, un éclat de fierté suivi d'une ombre traversa le regard sombre du cuisinier.

— Très bien! Cela va très bien pour elle. Anna aime beaucoup *lé* travail avec mon ami Felice, et lui, il *mé* dit qu'elle est très douée... Surtout *per la pasticceria,* pour la pâtisserie.

— Ben là... Ça, on le savait déjà, non?

— Si, si... Mais *jé* crois que d'être avec un grand chef donne *dé* l'assurance à ma fille, et *jé souis* content pour elle. *Lé* seul problème, pour sa mère et moi, c'est qu'elle est un peu loin *dé la casa*... Avec notre garçon qui s'est marié au printemps dernier, l'appartement nous semble bien grand...

— C'est vrai que de voir partir ses deux enfants à peu près en même temps, ça doit laisser un ben grand vide dans une maison!

— C'est exactement comme vous dites, madame Mado... *La casa* nous semble abandonnée, et c'est triste. C'est un *pétit* peu pour cette raison que je *rétourne* de temps en temps chez moi, durant la journée. Pour être avec ma Maria... Nous ne sommes *plous* que tous les deux, *santa madonna*! Bon, *jé souis* prêt à partir. Si jamais vous en aviez *bésoin,* j'ai préparé quelques pizzas. Deux toutes garnies, et deux au pepperoni.

— Miam! Je pense que c'est ça que j'vas manger pour souper. Une grosse pointe de pizza garnie avec un bon Coke.

— Il n'y a qu'à mettre la pizza dans *lé* fourneau et *cé séra* prêt !

Tout en parlant, Gepetto Romano avait fini d'attacher son manteau, après avoir soigneusement enroulé les pans de son foulard autour de son cou, suscitant parfois quelques sourires moqueurs chez les gens qui le voyaient faire. Après tout, on n'était qu'en septembre. Mais l'Italien en lui n'y pouvait rien ! Aux premiers frissons de l'automne, le chef ressortait casquette, foulard et manteau. Invariablement, les gants suivaient de près !

— *Buona serata*... Bonne soirée, mesdames.

Gepetto souleva sa casquette pour saluer les deux femmes, puis il se dirigea vers la porte.

— On *sé* revoit demain matin.

— C'est ça, m'sieur Romano, à demain, répondit machinalement Rita, occupée à gratter les assiettes, tandis que Mado emboîtait le pas au cuisinier.

La serveuse en profita pour jeter un regard circulaire sur la salle à manger. Il ne restait plus que quelques clients occupés à jaser tout en sirotant leur café. Visiblement, personne n'avait besoin d'elle ici.

Et comme Mado commençait à avoir sérieusement faim...

La serveuse revint sur ses pas. Le temps de mettre la pizza au four, et elle retournerait dans la salle pour distribuer les additions avant de s'installer à une table pour manger à son tour, tout en surveillant la clientèle du coin de l'oeil. Si jamais quelqu'un désirait s'en aller, il n'aurait pas besoin d'attendre après qui que ce soit pour payer.

Quand Mado entra dans la cuisine, la patronne du casse-croûte, l'air las, tenait le bas de son dos appuyé contre le bord du comptoir, et elle fixait le vide devant elle, en grignotant machinalement sa lèvre inférieure. Elle ne tourna même pas la tête vers Mado quand celle-ci entra dans la pièce. La pile des assiettes sales attendait qu'une âme charitable se charge de les laver, ce qui ne ressemblait pas du tout à Rita, qui détestait voir la vaisselle collante s'empiler près de l'évier. Devant ce tableau inusité, et surtout devant les traits tirés de Rita, qui semblait avoir brusquement vieilli, Mado en oublia momentanément son envie de manger un morceau de pizza.

— Soda, Rita ! T'as ben l'air jongleuse, tout d'un coup... Pis fatiguée, c'est le moins que je pourrais dire ! Serais-tu malade ? Aurais-tu mangé quelque chose qui passe pas ?

La patronne du casse-croûte sursauta, et elle esquissa un demi-sourire tout en levant les yeux vers Mado.

— Ben non, voyons ! Je réfléchissais.

— À quoi ?

À peine Mado avait-elle prononcé ces deux mots qu'elle se donnait une petite tape sur le front.

— J'suis ben sans dessein, moi là ! Je le sais à quoi tu penses, voyons ! C'est à cause de madame Méthot, si t'es dans la lune comme ça. C'est sa situation qui te tracasse. Est-ce que je me trompe ?

— Non, Mado, t'as vu juste. C'est justement à elle que je pense.

Sur ce, Rita se redressa, et comme si elle reprenait vie, elle poursuivit sur un ton enflammé.

— Mais il y a de quoi s'en faire, non?

— Peut-être, oui.

— Non, non, pas peut-être, Mado. Pour moi, c'est un fait établi que c'est dangereux! La pauvre femme m'inquiète vraiment. S'il fallait qu'elle tombe, toute seule dans l'arrière-boutique, pendant qu'elle range toutes les caisses de liqueur? T'as-tu une idée du drame que ça pourrait causer? Ou pire! S'il fallait qu'à cause des caisses de bière trop lourdes elle fasse une crise cardiaque, sans avertissement, pis surtout sans personne pour lui venir en aide... Elle pourrait en mourir, tu sais.

— S'il te plaît, Rita! Fais pas ton oiseau de malheur!

— Mais ça se peut, voyons donc! De toute façon, si moi, une quasi-étrangère, j'y pense, son mari aussi devrait y penser.

Mado poussa un long soupir.

— Ah, ben là! Pour ça, t'as tout à fait raison. Soulever des charges lourdes, c'est sûrement pas très bon pour une femme de son âge.

— En plein ce que je me dis, moi aussi! Même si elle m'a assuré qu'elle se portait très bien, un accident pourrait quand même arriver. Le plus décevant, dans tout ça, c'est qu'on peut pas faire grand-chose pour améliorer son sort.

— Pis si toi, tu parlais à son employé? Tu le connais quand même un peu, non? Depuis le temps que tu vas dans ce magasin-là à tous les mois, t'as ben dû échanger quelques mots avec lui?

Rita soupira. Puis, elle esquissa une moue, avant de poser un regard navré sur la serveuse.

— Tu viens tout juste de le dire: on a déjà échangé quelques mots, monsieur Maurice pis moi. Mais c'est jamais allé plus loin... En fait, je le connais pas tant que ça, leur employé, parce que la plupart du temps, il reste dans la remise en arrière du magasin. Mais c'est pas vraiment ça, le problème. C'est madame Méthot! Elle m'a dit ben clairement que pour elle, il était hors de question de le déranger durant ses vacances... Ça fait qu'on retourne à notre point de départ: si monsieur Méthot faisait preuve d'un peu plus de bon sens, pis de sollicitude envers sa femme, elle serait pas condamnée à travailler comme un homme... J'en reviens toujours pas que quelqu'un comme son mari puisse oser croire qu'une femme aussi délicate que la sienne soit capable de prendre la relève au pied levé comme ça.

— Pis moi, j'peux comprendre ce que tu ressens... Mais j'vas dire comme toi: on peut pas faire grand-chose. Pis même si ça me regarde pas trop, ben, ça me fait de la peine.

En prononçant cette dernière phrase, Mado avait l'air franchement désolée. Néanmoins, elle secoua la tête en soupirant, puis, cherchant à nouveau le regard de sa patronne, elle ajouta sur un ton indécis:

— Tu trouves pas que j'suis bizarre, des fois?

La question fit sourire Rita, l'éloignant temporairement de sa réflexion pessimiste.

— Non, pas plus qu'une autre. Pourquoi tu me demandes ça?

— Parce que je m'en fais pour une vieille femme que je connais pas. Sauf de vue, pis encore! Chose certaine, c'est que je l'ai pas croisée tellement souvent, au fil des années. Pis c'est juste depuis que j'vas à la pharmacie de Valentin que j'ai pu mettre un nom sur la belle madame aux cheveux blancs que je voyais des fois à l'église.

— Pis ça? T'inquiéter pour une vieille dame que tu connais à peine, ça fait pas de toi quelqu'un de bizarre pour autant!

— Tu penses?

— Voyons donc! T'as toujours été généreuse, Mado. C'est dans ta nature. Au besoin, tu vas te fendre en quatre pour aider tes amies, même au détriment de ton confort ou de ta tranquillité.

— Ouais, c'est un peu vrai. C'est comme plus fort que moi. Du monde dans le trouble, ça me fatigue ben gros, pis j'ai toujours envie de l'aider... Comme s'il y avait juste moi capable de faire ça.

— C'est en plein ce que je dis! Rappelle-toi, au printemps dernier! T'as même appris à faire la cuisine avec Léonie pour pouvoir me dépanner, quand Anna est partie pour l'Italie. C'est dire à quel point tu peux être généreuse. T'as le cœur grand comme le monde. C'est juste normal que tu t'en fasses un peu pour une vieille femme accaparée par l'ouvrage.

— Ouais, vu de même, c'est pas faux de dire que ça me ressemble de vouloir aider les gens qui en ont besoin… Comme Agathe avec son salon de coiffure, à Noël, l'hiver dernier. Je pense que j'aurais ben mal dormi la sachant embourbée dans ses rendez-vous, sans personne pour lui donner un petit coup de pouce.

En accord avec ce constat, Mado resta songeuse le temps de sortir la pizza du réfrigérateur et de la glisser sur la plaque avant de la mettre au four.

Puis, en attendant que le repas soit prêt, par acquit de conscience, la serveuse se dirigea aussitôt vers la porte pour jeter un coup d'œil sur la salle à manger. À la voir faire, Rita esquissa un sourire et elle suggéra :

— Et si tu partais tout de suite après avoir mangé, Mado, qu'est-ce que tu dirais de ça ?

Cette dernière se tourna vers sa patronne, une lueur d'intérêt au fond du regard.

— T'es sûre que ça te dérangera pas ?

— Pantoute ! Profites-en pour aller te reposer. Avec toutes les heures que tu passes devant le poêle à préparer des recettes pour le casse-croûte, plus ton service aux tables deux fois par jour ou presque, t'arrêtes pour ainsi dire jamais depuis le départ d'Anna !

— Ouais, c'est vrai que je fais des soda de bonnes journées, depuis le début de l'été ! Mais tu me donnes la paye qui va avec, par exemple, pis c'est ben apprécié...

— C'est juste normal, tu penses pas ?

— Peut-être ben, oui, mais il en reste pas moins que ça fait pas mal mon affaire...

— Comment ça ? Tu gagnais pas assez avant ? T'étais dans la gêne ? T'aurais dû m'en parler.

— Ben non, Rita, c'est pas ça pantoute ! Ce que je dis, en ce moment, a rien à voir avec ma paye d'avant. J'ai toujours été ben satisfaite de mon sort. En plus, les gens du quartier ont toujours été ben généreux avec les pourboires. Mais je me dis, par contre, qu'avec l'argent de plus que je gagne depuis les dernières semaines, j'vas pouvoir m'offrir une belle robe de mariée... Si je finis par me marier un jour, comme de raison ! Soda que je trouve ça long d'attendre de même !

Tandis que Mado confiait son rêve à Rita, les yeux brillants d'espoir et de bonheur anticipé, elle ressemblait à une jeune femme parlant de son amoureux. La patronne du restaurant se dit alors que l'amour n'était pas uniquement réservé à la jeunesse et que le bonheur n'était surtout pas une question d'âge. Il suffisait d'être bien attentif, car il était là, à la portée de tous.

Emmêlé à cette pensée, le nom de Mario lui encombra subitement l'esprit. Décontenancée, Rita secoua la tête à l'instant où Mado lançait, sur un ton extasié :

— Je me verrais tellement en train de magasiner une robe chic ! Peut-être pas en blanc, parce qu'à mon âge, ça ferait bizarre un peu. Mais j'veux quand même une belle robe... Belle comme j'en ai jamais eue. Comme si j'allais au bal, tiens ! Longue, pis vaporeuse... Tu pourrais peut-être venir avec moi pour m'aider à la choisir. Qu'est-ce que t'en penses ?

Quand la serveuse se tut, les deux femmes échangèrent un sourire amical.

Puis, Mado s'étira, tout en bâillant sans vergogne, la bouche grande ouverte.

— Comme le dit souvent Valentin : j'ai juste à me montrer patiente, pis mon beau rêve va finir par se réaliser... Ben coudonc, soupira-t-elle finalement. Si c'est de même, pis que t'es ben certaine que ça te donnera pas trop d'ouvrage, j'vas accepter ta proposition. Mais je rentrerai pas chez nous tusuite, par exemple. Comme on est jeudi, la pharmacie reste ouverte jusqu'à neuf heures ! En plus, c'est Valentin qui est là. C'est lui qui est de garde, comme il dit. Ça fait que j'vas en profiter pour lui faire une surprise.

— Bonne idée ! Pis laisse donc faire les clients encore attablés dans la salle à manger. Donne-moi ton calepin de commandes, pis j'vas m'occuper des additions avant de faire la vaisselle. Pis je mettrai tes pourboires dans le verre à cennes, dans l'armoire. Envoye, grouille-toi, Mado ! Mange ta pointe de pizza, pis file voir ton fiancé.

La serveuse à la chevelure d'ébène ne se le fit pas dire deux fois.

Le temps de dévorer son repas en quelques bouchées, et elle quittait le casse-croûte en fouillant dans son sac à main pour trouver son paquet de cigarettes, tout à fait heureuse de ce bel imprévu.

Mado fit donc d'un bon pas le bout de chemin menant à la pharmacie. Le vent insidieux et frisquet du matin s'était transformé en bourrasques désagréables, un peu surprenantes pour un mois de septembre, mais la serveuse ne s'en soucia guère. Pour le plaisir de voir son fiancé, Mado aurait volontiers affronté tempêtes et orages !

Et à défaut d'un interlocuteur avec qui passer le temps tout en marchant, elle repensa à la jolie robe qu'elle porterait peut-être un jour.

— Ben non, murmura-t-elle pour elle-même. Arrête de penser de même, Mado Champagne, tu te fais de la peine pour rien. Il y a aucun « peut-être » dans cette histoire-là. Tu le sais que tu vas te marier un jour, Valentin en parle souvent. Il suffit juste d'être patiente, comme il te le répète dans le creux de l'oreille, pis d'attendre que sa pas fine de mère passe l'arme à gauche… C'est pas tellement chrétien de penser de même, soda, mais c'est ça, la vérité… Ma vérité.

Ce fut en arrivant au coin de l'avenue où la pharmacie Lamoureux avait pignon sur rue que Mado repensa à la conversation qu'elle venait d'avoir avec Rita. Machinalement, son regard glissa de la façade du commerce de son fiancé à celle du magasin de variétés.

Les lumières de la bâtisse étaient toutes allumées. Le geste fut beaucoup plus spontané que réfléchi. Comme si elle avait été attirée par un aimant vers la vieille maison vert forêt, Mado passa donc son chemin devant la pharmacie et elle se dirigea tout droit vers le magasin de variétés. Pour justifier ce geste pour le moins inattendu, et bien que sachant que Valentin était à quelques pas seulement, Mado se dit alors qu'il n'y avait rien de mieux que de voir une situation par soi-même. Si la propriétaire n'allait pas très bien, comme semblait l'appréhender Rita, elle le verrait tout de suite. Ne disait-on pas de Mado qu'elle avait de l'intuition pour ces choses-là ? Et quelques expériences vécues en ce sens donnaient raison à cette affirmation. Ainsi, demain matin, elle pourrait témoigner à Rita de ce qu'elle avait vu, et sa patronne saurait peut-être ce qu'il valait mieux faire pour pallier la situation.

En arrivant tout près de la maison peinte en vert, Mado hésita à peine. Se rappelant les propos de Rita, elle se dirigea d'un pied ferme vers la porte peinte d'un blanc grisâtre un peu terni par le passage du temps, et elle entra dans le magasin des Méthot. La clochette accrochée au-dessus de la porte tinta joyeusement.

La marchande était derrière le comptoir, où trônait une antique caisse enregistreuse, faite de métal martelé, avec des dorures. Si la vieille dame avait l'air un peu fatiguée, il n'y avait rien là qui puisse inquiéter Mado. N'empêche que cette dernière avança vers la marchande, affichant son plus beau sourire, celui qu'elle réservait habituellement à ses meilleurs clients. Elle était prête à engager un bout de conversation.

— Bonjour, madame Méthot ! J'sais pas trop si vous me reconnaissez, mais l'autre jour, on a...

— Bien sûr, que je vous reconnais ! coupa Roberte, tout aussi souriante. Vous êtes l'amie de notre bon pharmacien, monsieur Lamoureux, et vous êtes la serveuse du casse-croûte de madame Rita.

— En plein ça ! Coudonc, on peut pas vous cacher grand-chose, vous là ! Je m'en allais justement faire une surprise à mon ami Valentin, qui me croit encore à l'ouvrage, quand je me suis rappelée qu'il me restait plus de gomme. Aussi bien en acheter tusuite, que je me suis dit, plutôt que de le regretter demain matin.

— Excellente idée, souligna alors Roberte, qui se doutait bien que cette gentille dame était venue en exploration, à la demande de sa patronne.

En effet, l'inquiétude de madame Rita était criante, ce matin, devant la situation qui prévalait dans le magasin des Méthot.

— Pis ? Quelle est la sorte de gomme que vous préférez ?

— Juicy Fruit... Pis mettez-moi donc aussi une Oh Henry ! Ça va faire plaisir à Valentin... Mais coudonc... C'est ben calme, chez vous ! C'est-tu toujours de même ?

— Mais non ! Remarquez que je me plaindrai pas de cette accalmie. La journée a été plutôt occupée, pis comme j'suis toute seule à...

— Pardon ? J'ai-tu ben compris, moi là ? Vous avez dit que vous êtes tuseule à voir à ce grand magasin-là ?

Tout en parlant, Mado regardait autour d'elle, étonnée de voir à quel point le magasin était vaste. Au point qu'elle n'avait pas vraiment besoin de jouer la comédie devant la marchande.

— De dehors, on dirait jamais que c'est aussi grand… Pis vous dites que vous êtes tuseule ici ?

— Pour l'instant, oui. Mais c'est temporaire, inquiétez-vous pas.

— Soda ! J'espère ben que ça durera pas trop longtemps… Mais quand même ! Si jamais vous êtes débordée, gênez-vous surtout pas, pis donnez un coup de fil au casse-croûte. Ma patronne est ben accommodante, vous savez, pis j'suis sûre qu'elle me laisserait venir vous aider.

— C'est gentil de me l'offrir. Mais à date, je m'en sors pas trop mal…

Sans trop comprendre pourquoi, Mado se sentit soulagée, et demain, quand elle parlerait à Rita, elle pourrait le faire en toute connaissance de cause.

Et selon elle, son amie, la patronne du casse-croûte, s'en faisait probablement pour rien.

Chapitre 4

«Il venait d'avoir dix-huit ans
Il était beau comme un enfant
Fort comme un homme
C'était l'été évidemment
Et j'ai compté en le voyant
Mes nuits d'automne
J'ai mis de l'ordre à mes cheveux
Un peu plus de noir sur mes yeux
Ça l'a fait rire
Quand il s'est approché de moi
J'aurais donné n'importe quoi
Pour le séduire»

~

Il venait d'avoir dix-huit ans,
Jean Bouchety / Pascal Auriat / Pascal Sevran /
Simone Gaffie

Interprété par Dalida, 1974

Le vendredi 17 octobre 1969, dans un grand restaurant de Rome en compagnie d'Anna, et un peu plus tard, le même jour, à Montréal, chez les Picard

Les vendredis étaient toujours fort occupés à la salle à manger du Grand Hôtel Colosseo, et Anna en était fort aise.

— N'oublie pas, Anna, de ranger la glace royale au frais, lui avait recommandé son patron, quelques instants auparavant, au moment où elle allait quitter le travail. Couvre le plat très serré, pour qu'elle ne sèche pas comme l'autre jour. Et tu dois arriver tôt, demain matin, pour confectionner tes fleurs. Deux douzaines de roses à mettre sur le gâteau. Et du feuillage en abondance ! La réception de mariage va avoir lieu à treize heures précisément, à la sortie de l'église, et cette magnifique pâtisserie de trois étages sera la pièce maîtresse de la table d'honneur.

— Oui, chef ! Je serai là très tôt demain. Et n'ayez crainte, mes fleurs seront à la hauteur de vos attentes !

Anna n'arrêtait que très peu dans une journée, tant il y avait à faire dans la cuisine d'un grand hôtel. Non qu'elle ait besoin de vaquer à une quelconque occupation, s'activant des mains et de l'esprit pour ne pas s'ennuyer de chez elle ; l'exercice aurait été tout à fait inutile. Le temps d'un voyage en avion, d'une bouffée de chaleur en débarquant sur le tarmac de l'aeroporto Leonardo da Vinci di Roma, et Anna avait senti que la coupure venait de se faire, sans la moindre douleur. Dès le lendemain matin, la jeune femme avait compris que l'ennui n'avait pas été inventé pour elle.

Puis, elle s'était présentée à la cuisine de la salle à manger du Colosseo, et la séduction avait été immédiate.

Anna adorait tout ce qu'elle apprenait et préparait sous la supervision du chef pâtissier, Giulian Moretti, un petit homme tout en rondeurs qui annonçait clairement et fièrement son métier.

— *La bontà di Dio !* Un cuisinier tout maigrichon ne peut faire de la bonne cuisine. C'est mon opinion. Et toi, Anna, tu devrais te remplumer un peu, si tu veux que l'on te prenne au sérieux.

Quand le pâtissier lui parlait ainsi, en lui pinçant parfois la joue, Anna ne pouvait s'empêcher d'éclater de rire. Avec le chef Moretti, on devait beaucoup travailler, sans relâche, fouetter et refouetter une crème chantilly, ou plier et replier une pâte feuilletée jusqu'à atteindre la perfection.

Et surtout travailler sans faire la tête si on ne voulait pas se valoir une bordée d'interjections colorées !

Toutefois, on cuisinait toujours dans le respect les uns des autres, ne visant que l'excellence. Anna n'avait rien perdu de sa curiosité naturelle, et elle était de plus en plus minutieuse dans les détails. Alors, le boulot qui l'attendait à Rome semblait avoir été créé sur mesure pour elle. La jeune femme ne rechignait jamais quand elle devait recommencer. Elle était venue ici depuis l'autre bout du monde pour apprendre, et c'était justement ce qu'elle faisait avec application. Membre à part entière d'une brigade de plusieurs chefs cuisiniers, d'assistants-chefs dans les divers services, et d'apprentis comme elle, Anna s'était découvert une passion pour le travail en équipe.

Après quelques jours de labeur, malgré l'intense chaleur qui régnait dans la cuisine et les longues heures qui lui étaient demandées, Anna s'était juré qu'elle ne retournerait à Montréal que le jour où elle serait nommée assistant-chef pâtissière. Rien de moins !

Pour une première fois, elle se sentait vraiment importante dans une cuisine. Comme le lui avait déclaré Felice, l'ami de son père et chef cuisinier de la salle à manger du Colosseo, les résultats dépendaient toujours de la bonne volonté et du savoir-faire de tous les artisans. Sans exception, du plus grand chef au plus humble marmiton.

— N'oublie jamais, Anna, qu'une chaîne est aussi forte que le plus faible de ses maillons. Si tu trébuches, nous trébuchons tous avec toi !

Par ces mots, le chef Mingarelli avait parlé un langage qu'Anna comprenait fort bien. Mieux ! Il avait dit exactement ce qu'elle souhaitait entendre en arrivant ici. C'était précisément cette envie de participer à un grand projet collectif et son appétit pour les connaissances nouvelles qui semblait ne jamais vouloir être comblé qui l'avaient menée jusqu'ici, l'obligeant, dans la foulée, à laisser derrière elle parents et amis.

Puis, la vive émotion qui avait enveloppé ses retrouvailles avec ses cousins, ses cousines et toute sa parenté l'avait confortée dans ce désir un peu fou qu'elle avait eu de s'éloigner des siens. Chaque jour qui passait la rapprochait un peu plus de ce but qu'elle s'était donné, même si, pour l'instant, il lui semblait encore fort éloigné.

Vers la fin du mois d'août, c'était en pleurant de joie qu'Anna avait enfin retrouvé son amie Maria Elena, qui venait s'installer à Rome pour poursuivre ses études en architecture. Les deux jeunes femmes s'étaient jetées dans les bras l'une de l'autre, visiblement ravies de se revoir.

— Et cette fois-ci, ce n'est pas uniquement pour une petite semaine, avait précisé Anna, quelques minutes plus tard, son regard vrillé à celui de son amie, comme si elle avait peur de la voir disparaître subitement.

— Si tu savais comme ça me fait plaisir d'être ici avec toi ! avait renchéri Maria Elena. Il y a quelques années, je ne pensais jamais que ça pourrait nous arriver un jour. Tu vivais si loin de l'Italie !

D'un commun accord, les deux femmes s'étaient assises à la terrasse d'un café, et elles avaient commandé deux Limoncello.

— Et laisse-moi te dire que ce n'est pas demain la veille que je vais avoir envie de retourner à Montréal ! Tout est si parfait, pour moi, ici !

Anna elle-même était restée étonnée d'avoir lancé cet aveu aussi spontanément et avec une telle intensité.

En accord avec cette confession, la jeune femme avait longuement regardé autour d'elle.

Les vieux bâtiments, les pavés noirs et les toits endimanchés de verdure lui rappelaient tous son enfance, cette époque où elle avait été heureuse sans compromis. Maintenant de retour dans son pays natal, Anna le reconnaissait aisément : elle avait l'Italie dans le sang. Que d'heures passées, durant son enfance, à regarder patiemment son papa préparer les spaghettis, la sauce bolognaise, et les escalopes, tout en fredonnant ! Elle était fascinée par son adresse à étirer la pâte à pizza et son doigté à façonner les *cannoli*. Et quelle n'était pas sa fierté lorsque « *il grande Gepetto* », comme l'appelaient ses amis, lui confiait la tâche de recouvrir l'immense rectangle de pâte avec la sauce vermeille avant qu'il glisse le tout dans le four à bois, où les tisons rougeoyaient sous la grille.

Et ce soleil, chaud sur les bras...

Et cette senteur d'origan et de tomates confites qui chatouillait les narines, un peu partout dans la ville...

Et cette langue mélodieuse qu'elle avait recommencé à utiliser du matin au soir, et qui lui chantait aux oreilles...

Et ce *gelato el limone* qui coulait tout frais au fond du gosier quand le mercure avoisinait les trente-huit degrés…

Souvent, en se couchant, Anna se surprenait à réfléchir en italien, comme lorsqu'elle était toute petite. C'était dire combien elle se sentait chez elle, à Rome !

Comment avait-elle pu croire un seul instant qu'elle était faite pour un pays où l'hiver pouvait régner en roi et maître jusqu'à six mois par année, tandis qu'ici, elle avait la sensation de toucher au paradis ?

Sur cette pensée, Anna avait reporté les yeux sur son amie.

— Si ce n'était de mon ami Arthur, avait-elle confié, les mots lui venant maintenant en italien sans l'effort d'une courte réflexion, j'irais jusqu'à dire que s'il n'en tenait qu'à moi, je ne repartirais plus jamais.

— Et tes parents ?

Anna avait haussé une épaule indécise, redevenue sérieuse le temps d'un soupir.

— Oui, effectivement, il y a mes parents… Si jamais la nostalgie se manifestait avec douleur, ce sera d'eux que je m'ennuierais le plus, j'en suis persuadée. En revanche, je sais qu'un jour, je vais très bien gagner ma vie. Même tonton Felice et le *signore* Moretti, mes patrons, en sont convaincus. Alors, je me dis que je pourrais aller voir mes parents de temps en temps… J'en aurais les moyens financiers. Et je pourrais même leur faire cadeau de billets d'avion à l'occasion, pourquoi pas ? Ce serait la fête pour eux de venir ici pour célébrer Noël ! Puis, même si j'habitais encore à Montréal, le temps viendrait de toute façon où je ne serais plus avec eux à la maison ; dès lors, où serait la différence ? Je me le demande bien.

— C'est vrai. Alors je lève mon verre à nos retrouvailles, Anna, et je suis très heureuse de savoir que tu vas rester longtemps en Italie... Si tu savais à quel point tu m'as manqué !

Et l'été avait passé, joyeux, gourmand, bien occupé entre le travail, les rencontres d'amis et les soupers en famille. La tante Rosita, la sœur de son père, chez qui Anna habitait, n'avait pas son pareil pour cuisiner durant des heures d'immenses lasagnes ou des cannellonis au veau et aux herbes, accompagnés de salades fraîches et d'olives gorgées de soleil, afin de *riunire tota la famiglia*, comme le pensait désormais la jeune fille.

Et sa tante confectionnait le plus suave des sabayons !

En revanche, assez régulièrement, Anna avait pris l'habitude de partager des pans de sa vie avec Arthur en lui écrivant de courtes lettres. Le dimanche, au retour de la messe, elle s'asseyait à la longue table au bois tout usé par des générations de mains et de couverts, et à l'abri des rayons ardents dans la cuisine de sa tante, et elle couchait sur le papier les beaux moments qui ponctuaient son quotidien, et ce qu'elle avait vécu récemment, tout en attendant que *la famiglia* arrive pour partager le repas qui sentait si bon et qui serait servi au jardin.

Depuis qu'elle s'était installée à Rome, Anna avait dû envoyer au moins quatre lettres, ce qui, pour elle, était un record. Même toute jeune, au moment de son arrivée à Montréal, elle n'écrivait pas autant à son amie Maria Elena, de qui elle s'ennuyait beaucoup, pourtant.

« J'aimerais tant que tu sois ici pour voir à quel point Rome est une jolie ville, débordante d'histoire, avait-elle souvent répété à Arthur. Je voudrais aussi que tu rencontres ma famille et mes amis. Ils sont si gentils ! J'ai l'impression que c'est toujours un peu la fête, ici, même au travail, et je crois sincèrement que cela te plairait. Demain, comme je suis en congé, je vais me rendre à la mer avec mes amis. »

Mais comme elle se doutait qu'Arthur n'était pas encore prêt à laisser sa famille, ne serait-ce que pour quelques semaines, Anna ne l'invitait jamais formellement, même si on était au début de l'automne et qu'il continuait de faire très beau. Elle savait pertinemment que la présence d'Arthur était devenue essentielle au bon fonctionnement de la quincaillerie, et elle ne voulait surtout pas le torturer inutilement en lui proposant de venir la rejoindre. Anna terminait invariablement ses lettres en lui demandant de saluer madame Rita et la gentille Mado pour elle.

« Et dis-leur qu'un jour, bientôt j'espère, je vais tous vous éblouir avec mes gâteaux. Promis, quand je serai vraiment satisfaite de ce que je fais, je vous enverrai quelques photos pour vous mettre l'eau à la bouche. »

C'était là l'essentiel de ses propos : les amis en Italie, son travail à l'hôtel, qu'elle décrivait en long et en large, le soleil omniprésent, même en octobre, ses progrès en cuisine et les pique-niques.

Anna étant une fille foncièrement honnête, elle n'aurait jamais eu l'idée de prétendre qu'elle s'ennuyait quand ce n'était pas le cas. Elle gardait ces quelques mots pour ses parents. Parfois. La présence amicale d'Arthur lui manquait, certes, mais cette sensation qu'elle trouvait tout à fait incongrue disparaissait dès qu'elle avait terminé d'écrire sa lettre. Les mots confiés au papier suffisaient à la réconforter. Comme à Montréal, lorsqu'ils revenaient d'une longue promenade où ils avaient parlé d'avenir ensemble, échafaudant les projets comme un enfant érige une tour avec son jeu de blocs. En ces occasions-là, Anna s'endormait, le soir venu, bercée par l'idée qu'un jour, Arthur et elle seraient tous les deux très heureux ensemble, réalisant leurs rêves, chacun à sa manière. Toutefois, même si elle s'attardait à décrire en détail le bonheur qu'elle ressentait à travailler dans une grande cuisine, ce qui équivalait pour elle à annoncer qu'elle ne retournerait jamais travailler dans un casse-croûte de quartier, Anna ne questionnait pas Arthur sur ce second bouquin qu'il devait bien avoir commencé à écrire. Elle attendrait que le jeune homme lui en parle de lui-même. Une des craintes d'Anna était d'apprendre que son absence pesait lourd à son ami, jusqu'à lui enlever l'inspiration, peut-être. Anna connaissait suffisamment son ami pour savoir que la chose était possible. Elle restait donc à la surface des gestes et des émotions, n'évoquant qu'elle et les gens qui l'entouraient.

L'avenir lui dirait un jour si elle avait eu raison d'agir ainsi.

Petit à petit, c'était donc ce genre de lettre qu'Arthur s'était habitué à recevoir. Il rêvait d'un grand amour passionné, et Anna continuait de lui offrir son amitié, pleine et entière. Oh! Arthur savait que les sentiments d'Anna à son égard étaient sincères, mais ils n'étaient pas ceux qu'il avait imaginés, ou espérés. Alors, il lui répondait sur le même ton, employant les mêmes mots, oubliant lui aussi de dire certaines choses, comme le fait qu'il se languissait d'elle jusqu'à ce que cela l'éveille parfois la nuit, après un rêve trop réaliste. Arthur ne voulait pas gâcher le voyage de son amie par des jérémiades qui ne feraient que les éloigner l'un de l'autre. Il mettait donc à l'avant-plan le travail à la quincaillerie qui lui plaisait de plus en plus, leurs amis qu'il voyait régulièrement, ses parents qui la saluaient avec affection et le soleil qui brillait sur Montréal, même si l'été était chose du passé et que le fond de l'air fraîchissait un peu plus chaque jour parce qu'on était déjà en octobre.

Arthur signait toujours en disant à Anna qu'il l'aimait, sans trop s'attarder, et qu'il avait hâte de la revoir, seule confidence sentimentale qu'il se permettait à travers les lettres-fleuves qu'il lui envoyait. Après tout, Anna était tout ce que l'on pouvait espérer d'une femme, sauf romantique.

Cependant, plus les lettres se suivaient, au rythme d'une toutes les quatre ou cinq semaines, et plus le jeune homme sentait que la relation dont il avait rêvé s'évanouissait, s'estompant tout doucement dans un lavis grisâtre. Sa propre déception était accentuée par des descriptions de paysages bucoliques et ensoleillés. L'idée qu'il se faisait des nombreuses fêtes avec des amis qu'il ne connaissait pas le rendait inquiet.

S'il fallait que son amie trouve mieux que lui, il ne s'en remettrait pas.

Puis, comment Anna, une fille de soleil comme elle se décrivait elle-même, allait-elle pouvoir revenir dans un pays d'hiver? C'était le genre de questions qui faisaient frémir Arthur. Il était cet homme vulnérable qui avançait dans la vie avec une sensibilité à fleur de peau. Un rien, parfois, pouvait exacerber cette émotivité, le rendant profondément anxieux ou malheureux. Alors, son humeur s'en ressentait, et quand Arthur était malheureux, il se fermait à ceux qui l'entouraient, que ce soit sa famille, ses amis ou les personnages à qui il prêtait vie.

En effet, depuis le départ d'Anna, Arthur avait bien peu écrit, et quand il avait essayé de s'y mettre, l'exercice avait été pénible. Il vivait dans l'expectative d'un retour qui se faisait de plus en plus incertain, et cela l'habitait tout entier. Il avait bien tenté de se faire violence à quelques reprises, se répétant qu'il avait été une époque où l'écriture était une grande partie de sa vie et qu'il y puisait un bien-être sans nom. Maintenant, coucher quelques mots sur le papier, ne serait-ce que pour s'occuper l'esprit, était devenu une véritable souffrance. À l'exception des lettres qu'il envoyait à son amie, ses écrits restaient sans intérêt, et cela lui faisait peur. Aurait-il épuisé tout ce qu'il avait d'imagination en écrivant un seul roman ? À cela, Arthur n'avait aucune réponse. Le jeune homme avait la sensation d'avancer sur une corde raide sans filet protecteur, et l'ensemble de ses pensées voyageait quotidiennement de Montréal à Rome, ne laissant aucune place à l'inspiration. L'appréhension d'apprendre qu'Anna ne reviendrait probablement jamais le hantait, et lui, en fils reconnaissant et aimant, il savait qu'il n'abandonnerait jamais ses parents et son grand-père pour se jeter tête baissée dans une aventure dont il ne connaissait pas l'issue.

Et comme d'une lettre à l'autre, Anna ne parlait jamais d'un éventuel retour, Arthur envisageait tout doucement la perspective que sa vie ne serait pas tout à fait celle qu'il avait souhaitée... ou imaginée !

Mais voilà que dans la missive qu'il avait reçue la veille, un peu plus longue que les autres, il y avait eu un timide rappel du passé qui avait ravivé de fragiles espoirs.

«Embrasse la jolie Caroline pour moi. Et deux fois plutôt qu'une ! C'est triste, une petite fille de deux ans et demi privée de sa marraine. Je pense

souvent à elle, tu sais. Il y a aussi nos soupers à quatre du vendredi soir qui sont pour moi un merveilleux souvenir. Il se manifeste régulièrement, tu sais, car nos amis me manquent, même si je suis bien occupée. S'il te plaît, dis bonjour à Daniel et à Jacinthe pour moi. Et toi, bien, je t'embrasse.»

C'était la première fois qu'Anna parlait de sa vie à Montréal, en avouant qu'elle ressentait une certaine nostalgie, et Arthur avait perçu cette mélancolie comme un heureux présage des mois à venir. Si l'ennui s'emmêlait à son enthousiasme, peut-être bien, après tout, qu'Anna allait choisir de revenir.

Et elle avait écrit qu'elle l'embrassait!

Alors, ce matin, le jeune homme avait quitté sa chambre le sourire aux lèvres.

Léonie, sa mère, qui avait toujours été attentive aux états d'âme de son garçon, jusqu'à l'exagération, parfois, accueillit cette visible bonne humeur avec soulagement. Il faut dire, à sa décharge, que les matins souriants avaient été plutôt rares depuis le départ d'Anna, et que cette nouvelle attitude peinait grandement la maman.

— Cheez Whiz, Arthur, qu'est-ce qui se passe à matin? T'as ben l'air en forme... Pourtant, il pleut à boire debout. Tellement, que ça ressemble à un déluge. Même moi, je trouve ça désolant.

Machinalement, le jeune homme tourna les yeux vers la fenêtre, dont la vitre était barbouillée de longs rubans mouillés. Sa mère avait raison: il faisait un temps détestable. Curieux qu'il ne l'ait pas remarqué!

— C'est comme ça, laissa-t-il tomber nonchalamment, tout en s'asseyant à sa place habituelle... J'ai particulièrement bien dormi, cette nuit. Ça doit être pour cette raison-là que je me sens aussi bien... Et je meurs de faim !

— Ça, par exemple, c'est pas nouveau...

Puis, ce fut son grand-père qui remarqua son visage détendu à l'instant où il entra dans la cuisine pour prendre son déjeuner.

— Basewell, mon garçon ! Quel est ce pétillement de joie que j'aperçois dans ta prunelle, ce matin ? Ce n'est sûrement pas la vue de ton vieux grand-père rachitique qui peut te mettre en joie comme ça.

— Vous seriez surpris !

— Flatteur !

— Même pas ! Je suis toujours heureux de vous voir, grand-père, et vous devriez le savoir depuis longtemps.

— D'accord, tu as raison. Je voulais simplement te tirer la pipe, question de mettre un peu de couleur sur la grisaille de ce petit matin. Mais c'est vrai que nous nous entendons particulièrement bien, toi et moi. N'empêche qu'il ne fait vraiment pas très beau aujourd'hui, et habituellement, si je me souviens bien, tu détestes la pluie.

Arthur se contenta de hausser les épaules, même si son grand-père n'avait pas tort. En fait, toute sa famille s'était moult fois frottée à son mauvais caractère des matins sombres, au point où cette manie désagréable était devenue un sujet de taquinerie entre eux.

Toutefois, ce matin, le jeune homme n'entrerait pas dans le jeu du grognon qui exagère, et tant pis pour cette pluie froide qu'il détestait cordialement. L'espoir en lui suffisait à le rendre un brin euphorique, et rien au monde ne pourrait ternir cette sensation de félicité. En revanche, il n'irait pas jusqu'à confier que s'il était d'aussi bonne humeur, c'était grâce à Anna, qui lui avait écrit que leurs amis lui manquaient, qu'elle l'embrassait, et que lui avait délibérément choisi de rattacher ses espérances à ces quelques mots qu'il trouvait rassurants. De toute manière, quoi qu'il dise, soit sa mère ou son grand-père le questionnerait, puisqu'ils étaient tous les deux d'un naturel curieux. Ou alors, ils ne comprendraient pas qu'on puisse se réjouir pour si peu et ils se moqueraient gentiment de lui. Quoi qu'il en soit, ce qui se passait entre Anna et lui ne regardait aucunement les membres de sa famille.

Il se contenta donc de manger de bon appétit le pain doré que sa mère déposait devant lui et qu'il inondait de sirop d'érable, tout en discutant de la journée à venir avec son grand-père. Arthur avait promis à J.A. de l'aider à libérer des tablettes dans l'arrière-boutique pour pouvoir ranger la marchandise d'hiver qui leur serait livrée au cours de la semaine suivante, et c'est ce qu'il était en train d'expliquer, entre deux bouchées.

— Pis t'as promis aussi de sortir les décorations pour l'Halloween, intervint le père du jeune homme, tout en levant le nez au-dessus d'une page repliée du quotidien.

Depuis peu, il avait troqué encore une fois les résultats du baseball pour ceux du hockey. C'était pour lui la preuve que le temps passait, comme d'autres se fient aux saisons qui se suivent.

— C'est vrai. J'avais oublié !

— Tabarslac, Joseph-Arthur ! Il me semble que je te l'ai déjà dit : il faut jamais oublier les choses importantes. Surtout dans un magasin comme la quincaillerie Picard. Même si toi pis moi, on aime pas tellement se déguiser pis avoir l'air d'un clown, les clients, eux autres, trouvent que c'est une fête amusante. Pis dans un commerce, il faut toujours penser aux clients.

— Vous avez raison, papa.

— Je le sais que j'ai raison, parce que c'est ce que mon père a toujours dit ! Astheure, j'vas descendre en bas, c'est l'heure de débarrer la porte. Dépêche-toi de finir de manger, Joseph-Arthur, pis viens me rejoindre. On va arranger les tablettes ensemble, toi pis moi, même si j'aime pas trop ça changer les choses de place.

Aux derniers mots de son père, le jeune homme esquissa un petit sourire en coin. Depuis qu'il travaillait à plein temps à la quincaillerie, son père faisait de gros efforts pour être moins tatillon. C'était sa façon à lui de dire à son fils qu'il l'aimait, qu'il appréciait sa présence, et ce dernier n'avait besoin de rien de plus pour le comprendre et le lui rendre.

— Je finis mon café, papa, pis je vous rejoins tout de suite après. Vous allez voir ! J'y ai longuement pensé, pis je crois avoir trouvé une solution pour ne pas déplacer nos réserves de clous.

La journée d'Arthur se passa donc entre les clous et les marteaux, les clients et les décorations pour l'Halloween, qu'il installa avec son père sous les directives de sa mère, avec en filigrane le nom d'Anna emmêlé à ses pensées. Ce soir, il parlerait de l'élue de son cœur avec Daniel et Jacinthe, sans risquer de se mettre à pleurer devant eux. Son amoureuse avait écrit que sa vie d'avant le voyage lui manquait, et Arthur était porté par cet espoir ténu.

Ne faisait-il pas partie intégrante de cette vie d'avant ?

Bien sûr, Anna n'avait pas écrit de façon explicite qu'elle l'aimait, ni qu'elle s'ennuyait de lui, mais qu'importe ! Elle n'avait jamais été très volubile quand venait le temps d'exprimer ses sentiments. Pourquoi en serait-il autrement maintenant qu'elle vivait au bout du monde ? Depuis longtemps, Arthur avait appris à lire entre les lignes avec la jeune cuisinière. Il continuerait donc de deviner les émotions qui enveloppaient les mots de ses trop courtes lettres… qui se faisaient tout de même de plus en plus longues, n'est-ce pas ?

Cet espoir était aussi fragile qu'un bourgeon au printemps, mais rempli de sève, et il porta Arthur du matin jusqu'au soir.

Quand il quitta le logement qu'il partageait encore et toujours avec sa famille, à son grand découragement, d'ailleurs, Arthur était d'une humeur radieuse. On était vendredi, il allait rejoindre ses amis, et la quincaillerie était décorée de feuilles d'automne et de citrouilles, de fantômes et de chats noirs, au ravissement de sa mère, qui avait gardé son cœur d'enfant pour toutes les fêtes religieuses ou païennes qui s'échelonnaient au fil des mois.

En route vers l'appartement de son ami Daniel, Arthur fit même un détour par la Régie des alcools pour acheter une bouteille de vin mousseux, de ceux que Jacinthe affectionnait particulièrement.

Quand Arthur était heureux, il voulait que tous ceux qui l'entourent le soient aussi.

Puis, un peu plus tard dans la soirée, les frères Langlois et leurs blondes, ainsi que Bobby Malone, l'éternel célibataire, et son frère Jimmy, récemment marié, devaient se joindre à eux. Cela faisait plusieurs mois, pour ne pas dire une longue année, que les amis du quartier ne s'étaient pas réunis de la sorte. On prévoyait jouer à des jeux de société, pour ceux qui aimaient ça, et on allait en profiter pour souligner les fiançailles de Michel Langlois à une certaine Lise Caouette qui avaient été célébrées en famille, la semaine précédente.

Présage d'une belle soirée, Arthur réussit à garer son auto juste devant la porte de l'édifice où vivait la famille Meloche.

Grimpée sur un pouf en lainage gris assorti au divan, et le nez écrasé sur la vitre de la fenêtre du salon, la petite Caro surveillait l'arrivée de son parrain depuis au moins vingt minutes. Pour la gamine de deux ans et demi, et la demie était très importante pour elle, tous les vendredis soir, quand sa mère sortait la jolie nappe bleue, c'était synonyme de fête.

La bambine n'aimait pas Joseph-Arthur, elle l'idolâtrait!

Il faut dire que le jeune homme le lui rendait bien. Depuis le départ d'Anna, dès qu'il avait un peu de temps libre et que la météo était clémente, Arthur venait chercher sa filleule pour l'emmener manger une crème glacée au casse-croûte de madame Rita, comme l'avait fait son grand-père avec lui, quand il était petit. En cours de route, Arthur se faisait plaisir en inventant des histoires abracadabrantes mettant en scène des fées et des dragons, ce qui enchantait la petite fille.

— Si moi je me souviens parfaitement de nos promenades, à grand-père et à moi, avait-il un jour expliqué à Daniel, qui trouvait que son ami exagérait un peu dans les gâteries, il y a de fortes chances que Caroline se souvienne, elle aussi, de ses balades en auto avec son parrain… Pis si tu veux mon avis, Dan, il me semble que ça serait pas mal plaisant que vous déménagiez un peu plus près de chez nous. On se verrait plus souvent.

— Ça s'en vient, avait alors confié Daniel, avec un franc sourire. Jacinthe le sait pas encore, parce que j'veux lui faire la surprise, mais j'ai discuté avec mon *boss* pour l'achat d'une auto usagée, pis on attend juste la perle rare… Avec un peu de chance, en mai prochain, on va déménager pour se rapprocher de la Place des Érables ! Avec un char pour me rendre rapidement à la *job*, il y aura plus rien pour nous retenir ici.

— Câline que ça me fait plaisir, ce que j'entends là ! Il y a certains jours où je trouve le temps long, tu sais !

Ce qu'avait entendu Daniel, à ce moment-là, c'était que son meilleur ami s'ennuyait d'Anna, et beaucoup plus que ce qu'il en laissait paraître.

Cependant, il n'avait pas osé entrer dans les détails et demander des nouvelles de la jeune femme, puisqu'Arthur lui-même n'en parlait que du bout des lèvres.

Et c'est encore à cela que Daniel pensait quand sa fille lança de cette petite voix aiguë qu'elle employait quand elle était particulièrement excitée :

— Papa, maman ! Mon oncle Arthur est en bas, sur le trottoir !

Un sourire éclatant succéda à ces quelques mots, et le temps de le dire, la petite se laissait glisser en bas de son perchoir pour filer vers la porte d'entrée. Sa mère lui avait donné la permission de l'ouvrir et de sortir sur le palier quand elle verrait son parrain arriver, alors qu'en temps normal, il lui était strictement défendu de sortir de l'appartement.

— Ça va me rendre service que tu t'occupes de ton oncle Arthur, avait-elle expliqué avec la solennité d'un pape pour que sa grande fille se sente importante. Moi, je pourrai pas, parce que quand ton parrain va arriver, j'vas être probablement dans la cuisine en train de faire manger Christine.

Depuis la naissance de sa petite sœur, au début de l'été, la jeune Caroline était devenue « l'aide en chef » de la maison, comme le disait souvent sa maman, et la gamine s'acquittait des tâches réclamées avec le plus grand des sérieux.

Exactement ce qu'elle venait de faire, en ce moment, tout heureuse de voir enfin apparaître Arthur.

— Il est déjà là ? demanda son papa.

— Ben oui... Ça fait TRÈÈÈS longtemps que j'attends mon oncle Arthur, tu sais.

— Pis t'as bien fait ça, Caro, lui répondit Daniel, qui se préparait dans la salle de bain.

Il passa la tête dans l'entrebâillement de la porte. Un peu de mousse à raser barbouillait ses joues.

— Tu peux aller ouvrir la porte à ton oncle Arthur, pis dis-lui d'accrocher son imperméable dans le placard de l'entrée. J'arrive dans deux minutes.

Les deux hommes se retrouvèrent avec plaisir, tandis que la jeune Caroline était pendue aux basques de son parrain qu'elle dévorait des yeux.

Arthur tendit la bouteille de vin à son ami, une main posée sur la tête de sa filleule.

— Tiens, Dan, mets ça au congélateur durant quelques instants.

— Oh, du mousseux ! Ça va faire plaisir à Jacinthe. En quel honneur ?

— Comme ça... Il y a aussi qu'on pourrait peut-être lever nos verres à la santé d'Anna.

Une lueur d'intérêt traversa le regard de Daniel.

— Comment ça ?

— J'ai reçu une lettre, hier, où elle m'a écrit qu'elle s'ennuie de vous deux et de nos soupers...

— Ben dans ce cas-là, c'est sûr qu'on va trinquer à ta blonde, Arthur ! Nous autres avec, on pense souvent à elle. Tu pourras lui écrire ça, dans ta prochaine lettre. Pis lui dire aussi qu'on a ben hâte de la revoir.

— Sans faute !

Sur ce, Arthur s'accroupit pour être à la hauteur de Caroline.

— Et pour toi, ma belle Caro, poursuivit-il, voici un gros bec de la part de ta marraine.

Le ton était léger, tandis qu'Arthur se penchait pour déposer un baiser sonore sur la joue rebondie de Caroline. De toute évidence, le jeune homme était heureux.

— Ce bec-là, Caro, c'est ta marraine qui te l'envoie, expliqua Arthur à la gamine qui le regardait, les sourcils froncés. Elle m'a écrit une longue lettre et elle m'a demandé de t'embrasser pour elle...

— Ah bon...

— Veux-tu que je te dise un secret?

— Oui.

— Je pense que ta tante Anna commence à s'ennuyer de toi, glissa alors Arthur à mi-voix.

Il y avait une sorte de sérénité tranquille dans la réponse d'Arthur, et Daniel en fut content pour lui. Il était grand temps que son ami quitte le masque de mélancolie résignée qu'il s'était plaqué sur le visage depuis le départ de son amoureuse.

— Ma tante Anna s'ennuie? répéta Caroline, songeuse.

Puis, elle plongea insolemment son regard dans celui d'Arthur, comme seuls les enfants peuvent le faire sans susciter de reproches.

— Pourquoi d'abord elle est partie?

— Pour étudier. Ta marraine est allée dans un pays très très loin d'ici pour apprendre à faire la cuisine.

Un éclat d'inquiétude traversa le regard de la petite fille.

— Est-ce que ma maman va partir elle aussi?

— Mais non, voyons! Ta maman, elle, elle étudie la cuisine dans son gros livre de recettes.

— Tant mieux... J'veux pas que maman s'en aille loin de moi.

— Ne t'inquiète pas, ta maman va rester ici, avec toi, ton papa, et bébé Christine... Tante Anna m'a aussi écrit que ses gâteaux étaient de plus en plus beaux.

— Ah oui? J'veux les voir!

— Moi aussi, j'aimerais ça... Veux-tu que je lui demande de prendre une photo de ses gâteaux?

— Oui!

Sur ce cri du cœur, Caroline se mit à applaudir.

— J'ai beaucoup hâte de les voir!

— Et moi, donc!

Quand Daniel revint au salon, il tenait sa seconde fille dans ses bras. Aussi brunette que sa grande sœur était blonde, Christine était un bébé sage et souriant.

— Jacinthe finit de mettre la table, pis elle vient nous rejoindre, expliqua alors Daniel en s'approchant du fauteuil qu'il occupait ordinairement. On mange du bœuf braisé. Une nouvelle recette que Jacinthe a essayée.

— Si c'est aussi bon que les odeurs qui nous arrivent jusqu'ici sont alléchantes, ça va être délicieux!

Tout en parlant, Arthur s'était relevé, et sans hésiter, il s'approcha de son ami en tendant les bras.

— Maintenant, donne-moi ça, ce beau bébé-là...

Avec une infinie délicatesse, Arthur prit la petite Christine tout contre lui en soupirant de bonheur.

— Si tu savais à quel point j'ai hâte de mener une vie qui va pouvoir ressembler à la tienne! lança-t-il, tout en prenant place sur le long divan, afin de permettre à Caroline de grimper pour s'asseoir à côté de lui.

— Saudit, Arthur! Voir que je le sais pas... Ton disque est usé tellement tu me répètes la même rengaine d'un vendredi à l'autre. Dans pas longtemps, crime pof !, il va se mettre à sauter, ton *record* !

— C'est ça, moque-toi donc de moi...

— Jamais j'oserais !

— N'empêche que t'es chanceux en sapristi !

Arthur regarda autour de lui, puis ramena les yeux sur les deux petites filles de son ami.

— J'ai hâte d'avoir des enfants, avoua-t-il tout simplement. Je ne sais pas si ça se dit pour un homme, mais c'est vrai.

Au même instant, Jacinthe se joignait à eux, et l'image d'Arthur entouré de ses deux filles la fit sourire.

— Pis comme je te vois là, déclara-t-elle en écho aux derniers mots d'Arthur, j'suis sûre que tu vas faire un bon papa !

— C'est gentil de me dire ça. Mais t'avoueras avec moi que c'est pas très difficile d'aimer des enfants aussi sages que les vôtres ! Elles sont tout bonnement adorables, vos filles !

À ces mots, Jacinthe se mit à rougir de fierté. Daniel et elle échangèrent un sourire de connivence, puis la jeune femme reporta les yeux sur son ami.

— Effectivement, Daniel pis moi, on a deux filles merveilleuses, approuva-t-elle d'emblée. Mais j'ai pas de crainte pour toi pis Anna ! Vous autres avec, vous devriez avoir des beaux enfants en santé, comme tu dis.

— Je l'espère !

Le ton manquait de conviction, mais personne ne passa la moindre remarque, puisque Jacinthe et Daniel savaient pertinemment que si leur ami rêvait d'une vie familiale comme la leur, Anna, elle, était à des lieues de penser au mariage et aux enfants.

Mais comme Arthur aimait bien leur petite famille, Jacinthe se fit un plaisir de poursuivre, tout en s'assoyant sur le bras du fauteuil où était assis Daniel, lequel se hâta de poser une main possessive sur la cuisse de sa femme.

— Caroline, c'est un petit boute-en-train qui arrête tellement pas de parler pis de questionner que c'en est ben fatigant... des fois! enchaîna donc joyeusement la jeune mère. Mais d'un autre côté, elle est tellement serviable qu'on oublie tout le reste. Pis Christine, elle, c'est mon bébé tranquille. Elle est sage comme ça se peut pas! Même ma mère trouve ça. Elle l'appelle son petit ange. C'est fou, mais on l'entend jamais, cette enfant-là.

— Ben voyons donc! Ça pleure quand même un peu, un bébé, non? demanda Arthur, tout en jetant un coup d'œil médusé à la petite.

— D'habitude, ça braille pas mal, ouais... Si je me fie à Caro toute petite, dès qu'elle était réveillée, ou qu'elle était tannée de quelque chose, ou encore qu'elle avait faim, la sirène partait! Une chance qu'elle s'est toujours calmée aussitôt que je m'occupais d'elle, parce que j'suis pas la femme la plus patiente en ville. À croire que notre Caroline avait compris ça, même toute petite, parce qu'elle a fait ses nuits pas mal de bonne heure, pis à partir du jour où elle a commencé à marcher à quatre pattes, elle a plus jamais fait de crise. Mais avec Christine, c'est différent en mautadine ! Elle pleure des fois, c'est ben certain, tous les petits pleurent, parce que c'est leur façon de se faire comprendre. Mais c'est pas elle qui va me faire sortir de mes gonds, par exemple. Jamais. Je te le dis : c'est la petite fille la plus calme que j'ai connu !

À vrai dire, Arthur ne voyait pas de grosse différence entre Caroline et Christine. Elles étaient toutes les deux des bébés plutôt gentils.

Depuis quelques instants, la petite fille fixait intensément Arthur, et elle répondait à chacun de ses sourires, comme le faisait sa filleule quand elle était encore un nourrisson. Incapable de résister, chaque fois, le jeune homme sentait son cœur s'emballer. De petites fossettes se creusaient au milieu de ses joues rondes comme des pommes, donnant à Christine un petit air coquin. C'était vraiment une très belle petite fille, et Arthur venait justement de se dire que la prochaine fois qu'il viendrait chez ses amis, il emporterait un appareil photo pour immortaliser cette jolie frimousse afin de l'envoyer à Anna, qui n'avait pas eu le temps de connaître la petit fille avant de partir pour l'Italie.

Aucune femme ne pouvait demeurer insensible à ce joli minois, même si cette dernière se prénommait Anna et qu'elle spécifiait haut et fort ne pas vouloir d'enfant pour l'instant.

— Selon moi, il n'est pas nécessaire qu'un bébé braille à tue-tête pour qu'on dise de lui qu'il est normal, fit remarquer le jeune homme, tout en levant enfin les yeux vers son amie.

— Voyons donc, Arthur, tu dis ben des niaiseries, tout à coup ! Ben non, un bébé est pas obligé de hurler à pleins poumons pour être normal... Même le docteur à qui je disais l'autre jour que Christine était sage comme une image s'en fait pas plus que ça. Il m'a répondu que c'était simplement une question de caractère. Mais mautadine que ça reste surprenant ! C'est pas mêlant, il y a des fois où il faut que je la réveille pour la faire manger. Laisse-moi te dire que j'ai jamais eu besoin de faire ça avec Caro, parce qu'elle avait tout le temps faim, pis elle nous le faisait savoir ben assez vite ! Mais Cricri, ou ben elle est réveillée dans son lit, pis elle regarde tout autour d'elle sans faire de bruit, ou elle dort encore.

— Ben tant mieux pour toi !

— Pis pour moi avec, crime pof !

— Comment ça ?

— Tu sauras, Joseph-Arthur Picard, que la nuit, c'est moi qui se lève au besoin.

— Ah oui ?

Sceptique, Arthur promena son regard de Daniel à Jacinthe, qui éclata de rire devant la mine incrédule de leur ami.

— Ça me surprend un peu, parce que d'habitude, tu dors comme une marmotte pis t'es pas mal difficile à réveiller.

— C'est vrai. Mais avec mes filles, c'est pas pareil. Le moindre petit cri me réveille ! De toute façon, ma douce s'occupe des petites à longueur de journée, c'est juste normal que je fasse ma part de temps en temps, moi avec... Astheure, que c'est vous diriez d'une coupe de mousseux avant le souper ?

— Bonne idée !

Le repas fut excellent, comme toujours, et la soirée s'avéra un franc succès.

Vers huit heures, toute la bande des amis d'enfance était arrivée, les frères Langlois ayant précédé les autres.

Arthur les rencontrait à l'occasion à la quincaillerie, puisque Michel et Robert travaillaient tous les deux dans le domaine de la construction, mais que tout le groupe soit réuni sous un même toit, comme ils l'avaient si souvent fait chez les frères Malone, les samedis après-midi, apportait une dimension particulière à la soirée. Les souvenirs fusaient de partout, les uns après les autres, ou s'entrecroisaient bruyamment.

Les longues journées à vélo, les pique-niques improvisés dans le boisé du quartier voisin, les parties de hockey, l'hiver, à la patinoire de l'école, les gros plats de frites partagés au casse-croûte de madame Rita, qui connaissait par cœur la boisson préférée de chacun. La plupart du temps, elle doublait les portions de patates frites, juste pour leur prouver qu'elle les aimait bien...

— Hé ! Vous rappelez-vous quand on jouait aux Indiens pis aux cowboys, dans le parc ? lança une voix.

— Et comment ! répondit Michel. On y avait passé tout un été. Fallait-tu être niaiseux, un peu !

— Pourquoi ? On était encore des enfants. Pis si je me souviens bien, on s'était pas mal bien amusés, non ?

— Peut-être, oui, mais moi, j'haïssais ça en mautadine me retrouver attachée au poteau de lumières.

Tout en parlant, Jacinthe regardait les garçons les uns après les autres, les sourcils froncés.

— Mais tu faisais une sacrée belle *squaw* !

— Tais-toi donc ! rétorqua Jacinthe, toute rougissante. Heureusement, je l'ai pas fait si souvent que ça. C'était Marjorie surtout qui…

— Ben oui ! Marjorie… Elle est où, elle ? T'aurais-tu oublié de l'appeler, Jacinthe ? Marjorie était quasiment tout le temps avec nous autres.

— J'ai rien oublié pantoute, Jimmy. C'est juste qu'elle travaillait, ce soir. Tu savais pas ça, toi, qu'elle est en train de faire son cours d'infirmière ?

— Un cours pour devenir garde-malade ? répéta Robert. Eh ben… Non, j'avais pas entendu parler de ça. C'est plate qu'elle soye pas là, par exemple. J'aurais ben aimé ça la revoir, souligna celui qui était accompagné ce soir-là d'une jolie rousse délurée au regard rieur.

— Ouais, elle était gentille, Marjorie. Quand ses parents sont déménagés à Sorel, j'ai plus jamais entendu parler d'elle. Faut dire qu'à cette époque-là, nous autres, les Malone, on était déjà déménagés dans l'ouest de l'île, fit remarquer Jimmy.

— C'est vrai… C'est quand ses parents sont partis pour Sorel que Marjorie a commencé son cours à l'hôpital Notre-Dame, expliqua Jacinthe, qui avait toujours gardé un certain contact avec son amie d'enfance. Elle couche même là-bas… C'est comme une sorte de pensionnat.

— Ben la prochaine fois qu'on va se retrouver en gang, ça serait ben le *fun* qu'elle soye avec nous autres, nota Bobby, qui avait toujours eu un faible pour celle qui avait été très gentille avec lui, même s'il était le plus jeune des garçons.

— En fait, à soir, il manque rien qu'elle, souligna alors Jimmy.

— Et Anna aussi, peut-être ! fit remarquer Arthur sur un ton un peu froid.

— Ouais, c'est sûr… Je voulais surtout pas te faire choquer, Arthur… Mais t'admettras avec moi que ta blonde était pas avec nous autres, quand on était encore tout jeunes, pis qu'on faisait les 400 coups dans le parc.

— Pis ta femme non plus, Jimmy ! rétorqua alors Arthur du tac au tac, un peu insulté que son amoureuse n'ait pas plus d'importance auprès de ses amis… Pis ça ne l'empêche pas d'être ici, ce soir, avec nous.

— C'est vrai… Je m'excuse… Mais justement, elle est où Anna ? Vous sortez plus ensemble, ou quoi ?

— Mais qu'est-ce que c'est que cette idée-là ?

Le ton maintenant était brusque, car bien malgré lui, Arthur se sentait attaqué par les propos de son ami. Pour lui, si on sentait le besoin de lui demander s'il était toujours en couple avec Anna, ça devait être parce que ça ne paraissait pas tellement.

Subitement, Arthur revit les nombreuses fois où il rejoignait certains de ses amis, seul, parce qu'Anna avait souvent de bonnes excuses pour ne pas l'accompagner.

Toute l'euphorie qu'il avait ressentie durant la journée et tout l'enthousiasme qu'il avait mis à parler d'Anna durant le repas disparurent comme par enchantement, et Arthur se sentit tout à coup très fatigué.

— Bien sûr qu'on est toujours ensemble, elle pis moi. Qu'est-ce que tu vas penser là ? C'est tout simplement qu'en ce moment, Anna étudie en Italie. J'ai l'impression que tu es en retard dans les nouvelles du quartier. C'est depuis le mois de juin dernier qu'elle a quitté Montréal.

— Désolé, je savais pas… Mais tu sais, avec notre mariage, à Lise pis moi, j'ai pas eu vraiment la tête aux histoires du quartier… Comme ça, Anna est en Italie ?

— Exactement !

— Wow ! Tu parles d'une chanceuse. J'espère que tu vas en profiter pour aller la voir, pis visiter l'Italie par la même occasion.

— Un de ces jours, oui. Quand j'vais pouvoir me libérer de la quincaillerie pour plus d'une semaine…

Curieusement, Arthur sentait de plus en plus le besoin de justifier l'absence de son amie, comme s'il s'agissait là d'une sorte de mise au point pour que tout soit clair.

Tant pour lui que pour ses amis.

Parce que pour l'instant, même si Anna était partie depuis quatre mois, il n'avait jamais été question dans ses lettres d'un quelconque voyage en Italie.

Alors, avant qu'une certaine tristesse ne prenne le dessus, ou que quelqu'un se mette à le questionner sur ce voyage hypothétique, ce qui serait bien embêtant devant tous ses amis, puisqu'Arthur n'avait rien à dire sur le sujet, ou encore que le petit malaise engendré par cette brève discussion ne vienne tout gâcher de leur soirée de retrouvailles, il lança :

— Vous souvenez-vous de la fois où on était allés voir les Beatles ? On avait acheté nos billets des mois à l'avance, pour être bien certains d'avoir des places.

— Comment oublier ça ? approuva aussitôt Robert Langlois.

— Si je me rappelle bien, c'était toi, Jacinthe, qui avait eu l'idée de manquer l'école pour aller voir leur concert au Forum, n'est-ce pas ?

Daniel avait pris le relais, sensible au visible embarras d'Arthur. Désireux de changer de conversation, il ajouta :

— Pis c'est ce jour-là qu'on a commencé à sortir ensemble, hein, ma douce ?

Jacinthe et Daniel échangèrent alors ce sourire lumineux qui écorchait Arthur au passage, puis le jeune père poursuivit dans la foulée, tout en regardant ses amis à tour de rôle.

— Dire qu'on avait payé... quoi? Un gros cinq piastres chacun?

— À peu près, oui.

— Saudit! Tout ça pour juste une demi-heure de spectacle, parce que c'était comme qui dirait la folie furieuse dans le Forum!

— Mais quelle belle demi-heure! souligna Jacinthe, le regard tout illuminé de ce souvenir qu'elle n'oublierait jamais...

Elle poussa un long soupir nostalgique, puis se redressa sensiblement.

— Pis si vous voulez mon avis, les programmes, quand on était jeunes, étaient pas mal plus le *fun* que ceux d'aujourd'hui.

— Comment ça, plus le *fun*? Voyons donc, Jacinthe! Laisse-moi te dire que Donald Lautrec avec ses danseuses à gogo est pas mal plus psychédélique que Michel Louvain. Tu peux pas prétendre le contraire...

— Ça a même pas de rapport!

— N'empêche que ça brasse à mon goût dans l'émission de Lautrec. *Héloïse*, c'est une maudite bonne «toune»!

— Peut-être, oui, mais moi, j'aimais mieux Pierre Lalonde! Il était beau comme un acteur d'Hollywood! Pis Joël Denis, lui, il dansait tellement bien!

— C'est pas à soir qu'on va décider qui est le plus beau ou qui est le meilleur. Chacun a droit à ses préférences.

— Ben d'accord avec toi, Jacinthe.

— Tant mieux ! Bon, astheure qu'on a fait le tour de nos plus importants souvenirs, on pourrait peut-être passer à autre chose.

— Il en reste pas moins que ça m'a fait plaisir de voir qu'on a rien oublié.

— Peut-être, mais c'est ben beau, le passé, moi, je vis au présent ! Que c'est vous diriez de jouer au *Monopoly* ? Comme dans le temps, justement ! Le jeu est déjà sur la table de la cuisine. Moi, ça me tente, mais j'veux pas m'occuper de la banque, par exemple !

Ce soir-là, chacun retourna chez lui le cœur heureux. On avait bien joué, on avait bien ri, et on avait commandé des pizzas pour terminer la soirée en beauté.

— Pis une prochaine fois, ça serait le *fun* de tous se retrouver au casse-croûte de madame Rita !

— Ça fait un moyen bail que j'suis pas allé là ! Depuis que j'suis déménagé, je dirais ben.

Même Arthur quitta ses amis le cœur content.

S'il continuait d'éprouver un vertige douloureux quand il pensait à Anna, Arthur décida de ne pas en tenir compte. Bien qu'il venait de passer la soirée avec tous ses amis qui semblaient avoir une vie calme et bien tracée devant eux, ce qui était loin d'être son cas, il avait tout de même pu confirmer la solidité de l'amitié qui le liait à Daniel.

Et cela aussi avait une importance considérable dans sa vie. Pour le reste, pour ce qui l'attendait réellement, avait-il le choix d'attendre ?

— Je vais continuer de croire en ma bonne étoile, murmura Arthur en se glissant sous les draps... Pourquoi pas ? Dans sa dernière lettre, Anna a dit qu'elle s'ennuyait... et qu'elle m'embrassait. Il me semble que ça doit bien vouloir dire quelque chose, non ? Surtout avec elle, qui n'aime pas tellement qu'on se minouche.

Le temps de se remémorer leur dernier baiser amoureux, de sentir son cœur s'emballer comme un cheval lancé au grand galop et d'éprouver cette douleur dans le bas-ventre qu'il n'avait pas le choix de calmer s'il voulait s'endormir, Arthur se tourna finalement sur le côté.

Épuisé par toutes ces émotions, le jeune homme s'endormit tout d'un coup.

Chapitre 5

« ...When I find myself in times of trouble,
Mother Mary comes to me
Speaking words of wisdom, let it be
And in my hour of darkness
she is standing right in front of me
Speaking words of wisdom, let it be
Let it be, let it be, let it be, let it be
Whisper words of wisdom, let it be
And when the broken hearted people
living in the world agree
There will be an answer, let it be
For though they may be parted, there is
still a chance that they will see
There will be an answer, let it be... »

~

Let it be, John Lennon / Paul McCartney

Interprété par The Beatles, 1970

Le mercredi 17 décembre 1969, tôt en soirée, dans le salon de coiffure du quartier, en compagnie d'Agathe et de Léonie

— Cheez Whiz, que t'es fine, Agathe ! D'avoir accepté de me recevoir comme ça, à la dernière minute, ça me rend ben gros service.

Tout en remerciant son amie la coiffeuse, Léonie fourrageait dans son sac à main à la recherche de son porte-monnaie afin de payer la permanente qu'Agathe avait consenti à lui donner après les heures d'ouverture de son salon.

— Arrête-moi ça, Léonie ! Si on est pas capables de s'entraider de temps en temps, aussi ben dire qu'on est plus des amies.

— N'empêche que tu viens de m'enlever une grosse épine du pied. Avec le magasin qui va être ouvert tous les soirs à partir de demain, samedi y compris, j'avais ben de la difficulté à me figurer comment j'aurais pu trouver du temps pour venir te voir. Même pour une simple mise en plis, mon horaire était serré. C'est pas des farces, on va être rendus à Noël dans une semaine, pis j'ai l'impression d'avoir rien de prêt ! J'sais pas pantoute où c'est que j'vas trouver le temps de popoter, de servir les clientes qui sont ben nombreuses à ce temps-ci de l'année, de faire mon ménage... Ça fait que merci encore ! Si j'ai pas le temps de tout préparer, c'est un moindre mal ! De toute façon, je reçois personne, parce que le beau-père a une grosse grippe, mon garçon a la fale ben basse à cause de sa blonde qui s'éternise au bout du monde, tandis que lui l'espérait de retour au moins pour Noël, pis mon J.A., lui, il aime pas tellement la visite. Ça fait qu'on va se contenter de ce que j'aurai eu le temps de cuisiner. Au moins, j'ai ma permanente, pis j'aurai pas l'air d'une vadrouille à la messe de minuit.

— Qu'est-ce que tu dis là, toi ? T'as jamais l'air d'une vadrouille, Léonie Picard ! rétorqua Agathe sur un ton faussement insulté. Je te le permettrais pas, parce que c'est ma réputation qui serait remise en question.

— Tu y vas un peu fort, non ?

— Pantoute ! Pis c'est pas sorcier à comprendre, tu vas voir ! Tout le monde dans le quartier sait que tu viens te faire coiffer chez nous, non ?

— Euh... oui.

— Alors selon moi, c'est en masse suffisant pour tirer des conclusions pas tellement flatteuses à mon égard, si jamais t'avais l'air d'une vadrouille, comme tu dis ! Mais pour ce qui est d'avoir peur de manquer de temps, par exemple, ça ressemble à chez nous en bigoudi ! Quand Noël approche, c'est pas mêlant, j'ai toujours un peu l'impression de courir le marathon.

Ce dernier mot accrocha l'oreille de Léonie. Elle l'avait déjà entendu, certes, mais elle n'arrivait pas à l'accoler à une image quelconque.

— De quoi tu parles? demanda-t-elle tout hésitante, craignant de passer pour une ignorante.

Tout en jasant, Léonie sortit le petit porte-monnaie rouge et blanc qu'elle utilisait depuis qu'elle était jeune fille.

— Je serais supposée connaître ça, moi, le... le «ce que tu viens de dire»?

— Ben oui! Tout le monde connaît ça, le ma-ra-thon! répéta la coiffeuse en séparant les syllabes! On a vu ça aux Jeux olympiques, à la télévision, il y a quelques années. Tu sais, les courses qui finissent plus de finir, pis où les participants tombent quasiment morts au fil d'arrivée? Ça m'avait ben impressionnée de voir ça, pis mon Rémi avec.

— Ouais... Ça me dit vaguement quelque chose, mais sans plus. De toute façon, les sports pis moi, ça fait deux. Je laisse ça à mon J.A. pis au beau-père, ça les occupe. Moi, pendant ce temps-là, je peux faire mon ordinaire de la maison sans être «bâdrée»... Mais pourquoi tu me parles de courses en ce moment? Avec la neige qui nous tombe dessus depuis le début du mois, il y a pas grand monde qui va aller courir dehors.

— Je le sais ben... C'était juste une manière de dire que c'est comme ces coureurs-là que je me sens, quand on se prépare pour le temps des Fêtes, pis au bout du compte, j'suis raide morte de fatigue quand Noël arrive. C'est pour essayer d'éviter ça, encore une fois, que j'ai décidé de pas faire de permanente ni de teinture durant la prochaine semaine. Ça fait râler quelques clientes, mais j'ai pas quatre mains. Va falloir que le monde le comprenne.

— S'il y en a qui sont pas d'accord, laisse-les faire. Moi, je t'approuve. T'as vraiment bien fait d'imposer tes règlements. C'est toujours ben toi, la patronne, ici !

Debout devant son amie, son porte-monnaie ouvert entre les mains, Léonie avait retrouvé sa faconde habituelle.

— De toute façon, comme le claironnait ma défunte mère quand elle était débordée pis que mon père osait passer des remarques si elle se permettait de s'asseoir, le temps de siroter une tasse de thé : faut toujours ben prendre le temps de souffler un peu.

— J'veux ben, mais dans mon cas, je pense que j'vas pouvoir respirer à fond juste une fois que la journée de Noël va être passée... Tout ce que je demande au Bon Dieu, c'est de m'aider à trouver trois ou quatre heures de « lousse » dans mon horaire de fou pour aller magasiner en ville.

— En quel honneur ?

— Pour habiller mon Rémi !

Léonie esquissa une moue, vite remplacée par un grand sourire.

— C'est ben que trop vrai ! Ton garçon te revient pour de bon à partir de la semaine prochaine.

— C'est en plein ça !

Le regard d'Agathe pétillait de joie.

— Si tu savais comme ça me fait plaisir de savoir que mon Rémi revient à la maison. Finis les soupers en tête-à-tête avec mon frigidaire ! Ouais… J'ai hâte en bigoudi, tu sauras !

— Ça se comprend.

— En plus, le directeur de Boscoville m'a faite venir dans son bureau, la dernière fois que j'suis allée voir mon garçon, pis il m'a dit que tout s'annonçait bien pour lui. À son avis, je devrais plus avoir de troubles. Il m'a assuré que la rage que mon fils avait dans le cœur lui est passée, pis qu'il est prêt à retourner vivre dans la société. C'est pour ça que j'veux aller faire des commissions. Pour lui trouver du linge neuf… J'ai pour mon dire que tant qu'à repartir la vie du bon pied, autant le faire dans du linge tout beau pis tout propre.

Puis, levant un index sentencieux, Agathe déclara :

— Une vie flambant neuve dans du linge flambant neuf ! Il me semble que ça sonne pas pire, pis ça devrait faire plaisir à Rémi.

— T'as ben raison. En tout cas, moi, je serais contente en Cheez Whiz d'avoir une mère qui pense à ça ! Qui serait pas heureux de recevoir une garde-robe toute neuve ?

— J'suis ben contente de voir qu'on pense pareil, toi pis moi. En plus, ça va lui permettre de bien paraître quand il va se chercher du travail. Parce que sur le sujet des études, mon Rémi a pas changé une miette : pas question pour lui de retourner à l'école. Mais ça me dérange pas plus que ça. Après tout, il vient d'avoir dix-sept ans… Le hic, dans tout ça, c'est que je peux pas vraiment compter sur Mado cette année. Ça fait que j'sais pas trop comment j'vas pouvoir me…

— Comment ça, tu peux pas compter sur Mado ? interrompit Léonie, tout en déposant un billet de cinq dollars à côté du téléphone. Notre amie est malade ou quoi ? Ça fait un petit bout de temps que je l'ai pas vue, c'est ben certain, c'est comme ça chaque année avant le temps des Fêtes, mais il me semble que je l'aurais su, si elle avait été…

— Elle est pas malade, inquiète-toi pas, coupa Agathe en empochant le billet qui disparut promptement dans la poche de son tablier, tandis qu'elle ajoutait mentalement une chemise de plus au profit de Rémi. C'est juste que Mado aussi brûle la chandelle par les deux bouts, par les temps qui courent.

— Eh ben… Qu'est-ce qui se passe avec elle, à part la popote pis le service au restaurant ?

— Imagine-toi donc que son Valentin pis elle ont décidé de prendre le taureau par les cornes, pis ils vont affronter la chère madame Lamoureux durant le réveillon, après la messe de minuit.

— Non !

— Ben oui, toi ! J'invente rien, c'est Mado elle-même qui m'a raconté son histoire la semaine dernière, vu qu'à elle aussi, j'ai fait une petite faveur en devançant la date de sa teinture. Comme elle me l'a expliqué, pas question d'avoir une repousse pour Noël, elle veut être en beauté pour rencontrer sa belle-mère qui est, paraîtrait-il, une madame ben comme il faut.

— Voyons donc, toi! J'en reviens pas… Par contre, pour donner suite à ce que Mado t'a confié, madame Lamoureux est peut-être une madame ben comme il faut, pis ça reste à vérifier, tant qu'à moi, mais c'est pas ça qui l'empêche d'avoir mauvais caractère, pis l'air bête… Je l'ai rencontrée une seule fois, il y a de ça ben des années, pis c'est tout juste si elle m'avait saluée du bout des lèvres. Une vraie pimbêche! De la manière que Mado m'en a déjà parlé, à mots couverts, ben entendu, parce que tu sais comme moi que notre amie a ben de la misère à dire du mal des autres, j'ai l'impression que la madame Lamoureux a pas vraiment changé. J'sais pas pantoute si moi, j'aurais l'audace d'y faire face…

Tout en expliquant son point de vue, Léonie avait repris son manteau sur un des crochets jouxtant la porte d'entrée, et elle commença à l'enfiler.

— T'es ben certaine que Mado a employé le mot «belle-mère»? demanda alors Léonie en levant les yeux vers Agathe, car elle doutait d'avoir bien entendu.

— Sûre comme t'es là devant moi.

— Ben coudonc! Si elle se permet d'appeler la mère du pharmacien «la belle-mère» au lieu de madame Lamoureux, je dirais que ça sent le mariage à plein nez, ça là!

— C'est ce que je me suis dit, moi avec. Mais comme Mado est pas entrée dans les détails, j'ai rien demandé.

— T'as ben faite ! Même si Mado est une bonne amie depuis des années, il y a des choses de même qu'on veut garder pour soi. De toute façon, elle est discrète de nature, notre Mado… Les détails, comme tu dis, ils viendront ben assez vite par après.

— Je me suis passé la même réflexion… Il en reste pas moins qu'il était grand temps qu'ils se décident, les tourtereaux !

— Ben d'accord avec toi. J'suis tellement contente pour Mado ! s'écria Léonie tout en enfilant ses bottes.

Puis, elle leva les yeux vers Agathe.

— S'il y en a une qui mérite d'être heureuse, c'est ben notre Mado… Elle a le cœur grand comme le monde ! Bon ben, c'est pas que la discussion est désagréable, mais je pense que j'vas m'en retourner chez nous.

Le manteau était attaché, le foulard noué, et Léonie était en train d'ajuster chacun de ses doigts dans ses gants en peau de mouton renversée.

— La soirée est loin d'être finie pour moi. J'ai préparé ma pâte après-midi, pis c'est à soir que je fais mes pâtés à la viande… Mais j'y pense… Vu que ton salon est fermé, pourquoi t'en profiterais pas tusuite pour faire tes achats ?

— Voyons donc, Léonie, il est déjà sept heures ! J'ai pas le temps de me rendre en ville pis…

— Non, non ! Je te parle pas d'aller sur Sainte-Catherine, parce que là, c'est vrai que tu serais un peu serrée dans ton horaire pour courir les grands magasins. Mais si tu vas chez Eugène Méthot, par exemple, tu pourrais prendre tout ton temps pour choisir ce que tu veux acheter. Je sais qu'à soir, ils restent ouverts jusqu'à neuf heures.

— Tu sais ça, toi ?

— Ouais, parce que j'suis allée passer ma commande de bas de laine, juste avant de venir te voir, pis c'est en plein ce que madame Méthot m'a annoncé. À cause de Noël qui s'en vient, eux autres avec, ils ont décidé de rester ouvert tous les soirs, sauf le dimanche, comme de raison, parce que c'est leur jour de congé. Comme nous autres à la quincaillerie, finalement. C'est la première année qu'ils vont faire ça.

— Ah bon.

Cette précision avait l'air de laisser Agathe totalement indifférente. Alors, Léonie insista.

— Je te dis que tu devrais y aller ! Tu vas être surprise de voir tout ce qu'ils gardent en *stock*.

— Pis tu dis que c'est là que t'achètes les bas de ta gang ?

— Oui ! Chaque année, j'en prends cinq paires : trois pour le beau-père, une pour mon gars, pis une pour mon J.A. Selon mes hommes, ils sont très confortables, leurs bas, pis surtout ben chauds. C'est parfait pour l'hiver... Je les emballe, pis ça leur fait un petit cadeau de plus au pied de l'arbre de Noël.

— Coudonc, j'aurais jamais cru...

Agathe était songeuse.

— Je pensais vraiment que chez Méthot, c'était juste comme une sorte de petite épicerie, avec quelques bébelles de saison… Pis comme j'suis pas une grosse magasineuse, j'ai jamais été tentée de rentrer.

— C'est une sorte d'épicerie, oui, mais en même temps, c'est pas mal plus que ça. Comme me l'a déjà expliqué le propriétaire, quand il a acheté le fonds de commerce pis la bâtisse, il voulait en faire un magasin général, comme on voit en campagne. À mon avis, il a très bien réussi. Ce qu'ils ont pas sur leurs tablettes, ou ben il y en a dans leur réserve en arrière, ou ben ils peuvent le trouver dans la montagne de catalogues qui sont cachés en piles sous leur comptoir. Comme chez Sears, quand on veut acheter un patron ou ben de la tapisserie.

— Tu m'en apprends pas mal, Léonie. J'vas me coucher moins niaiseuse à soir… C'est gênant à dire, mais c'est vrai que j'suis jamais rentrée chez eux. Remarque qu'il y a jamais personne d'eux autres qui est venu se faire coiffer chez moi non plus. J'sais pas pourquoi, par exemple, parce que j'suis la seule coiffeuse du quartier, mais bon, ça me regarde pas. En fait, si je connais l'existence de ce magasin-là, c'est simplement parce que je vois leur affiche accrochée sur le devant du commerce, quand j'vas faire un tour à la pharmacie… Quand j'allais à la pharmacie, je devrais dire…

— Ben voyons donc, toi ! Tu vas plus à la pharmacie ? lança Léonie avec étourderie, car pour elle, il était impensable d'imaginer toute une semaine sans sa petite visite à Valentin Lamoureux.

Et le fait que son amie Mado soit devenue la fiancée du pharmacien n'avait pas réussi à lui faire perdre cette vieille habitude. Léonie prenait toujours un réel plaisir à ces quelques instants de marivaudage arrachés à son quotidien. Une coquetterie qui ne portait nullement à confusion. Ce n'était qu'un jeu entre le pharmacien et elle qui durait maintenant depuis des décennies.

— T'as jamais mal à la tête? demanda donc Léonie, s'enfonçant davantage dans sa maladresse. T'as jamais besoin de sirop contre le rhume?

— Oui, comme tout le monde, mais disons que depuis un an, j'ai jamais remis les pieds chez Valentin Lamoureux, expliqua alors la coiffeuse, sur un ton un peu froid. J'espère, Léonie, que ce sera pas nécessaire que je te fasse un dessin, n'est-ce pas? Quand j'ai besoin de quelque chose, j'ai pris l'habitude d'aller dans le quartier voisin.

À ces mots, Léonie comprit d'emblée à quoi son amie faisait allusion, et son visage exprima aussitôt le plus parfait désarroi et une contrition sans borne. Elle retira un gant pour mettre la main sur l'épaule de la coiffeuse et la serrer avec affection.

— Désolée, Agathe… J'suis franchement désolée. C'est ben moi, ça, de dire une niaiserie pareille. J'sais pas trop comment j'suis faite, mais les choses désagréables, on dirait que c'est plus fort que moi, pis je me dépêche de les oublier… Pis vois-tu, l'histoire de ton garçon en fait partie. J'ai toujours pensé que la vie était trop courte pour entretenir des regrets ou de la rancune.

— Là-dessus, j'suis ben d'accord avec toi !

— Peut-être ben, mais Cheez Whiz ! que ça peut me mettre dans le trouble, des fois ! C'est pas pantoute ce que je veux, mais ça m'amène quand même à blesser les gens inutilement. Ou à dire des stupidités comme j'viens de le faire. Encore une fois, je suis sincèrement navrée de t'avoir obligée de ressasser tout ça.

— C'est pas grave. Je le sais ben que t'as pas voulu mal faire. Pis pour te rassurer sur mes intentions, dis-toi que dans mon cas, c'est pas pantoute une vieille rancune que j'entretiens. Dans le fond, j'suis un peu comme toi, pis j'ai pas de temps à perdre à ruminer des vieilles affaires. En plus, dans le cas présent, je vois pas en quoi je pourrais en vouloir à monsieur Lamoureux ! Non c'est plutôt de la gêne qui me retient d'aller chez eux.

— Ouais, c'est vrai que ça se défend, ton affaire... Par contre, ce que je connais de notre pharmacien me laisse croire que tu serais quand même la bienvenue dans sa pharmacie. Il y a pas plus aimable pis accueillant que notre cher Valentin Lamoureux !

— Tu penses ?

Agathe secouait la tête, visiblement indécise.

— Même si t'as raison de dire que monsieur Lamoureux est pas mal gentil, argumenta la coiffeuse, j'ai plutôt l'impression qu'il doit m'en vouloir terriblement. Après tout, mon garçon l'a mis dans l'embarras, en volant des médicaments pour les revendre.

— Ben justement ! Tu viens de le dire toi-même : c'est pas toi qui l'as volé, ma pauvre Agathe, c'est ton garçon Rémi. Pis lui, vois-tu, il a pour sa défense le fait qu'il est encore ben jeune, sans expérience de la vie, pis qu'il a été influencé par une bande de malappris. Je te le dis ! Il faut pas t'en faire avec ça ! À part les langues sales du quartier, pis je t'assure que Valentin Lamoureux en fait pas partie, il y a personne qui t'en veut pour quoi que ce soit. T'en parleras avec Mado, pour voir ! Elle va te le confirmer, elle, que son fiancé est une bonne personne... Bon ! Là c'est vrai, faut que je m'en aille chez nous. Pis toi, si tu veux gagner un peu de temps, tu devrais vraiment passer par le magasin d'Eugène Méthot. J'suis quasiment certaine que tu vas trouver tout ce dont t'as besoin pour habiller ton Rémi de pied en cap ! De toute façon, t'as rien à perdre, n'est-ce pas ?

Cette dernière phrase acheva de convaincre la coiffeuse.

Le temps de fermer son salon, de s'emmitoufler, car il faisait un peu froid pour un mois de décembre, et elle quittait la maison à son tour.

* * *

La première chose qu'Agathe remarqua en entrant dans le magasin de variétés, ce fut la belle tête blanche de Roberte Méthot et son charmant sourire.

Aussitôt, la coiffeuse comprit qu'elle avait déjà croisé cette femme-là à l'église, le dimanche matin, et ce, à plusieurs reprises. Une telle chevelure ne pouvait passer inaperçue à son regard d'experte en soins capillaires. Cependant, son intérêt pour la vieille dame s'était arrêté à cela, sinon qu'elle était accompagnée par un homme tout à fait quelconque, avec son visage bouffi et ses sourcils touffus, plutôt impressionnants. En revanche, le bonhomme avait une drôle de face, à la fois sympathique et revêche, si la chose était possible. Chose certaine, sous ses sourcils en bataille, il avait le regard vif et le sourire facile. Son bagout était sûrement à l'avenant, si l'on se fiait à la petite troupe de paroissiens qui s'agglutinaient autour de lui, dimanche après dimanche. Que cet homme soit le frère ou le mari, un cousin ou un ami de la jolie dame, Agathe n'en savait rien, et elle n'avait pas cherché à savoir non plus. Il faut cependant préciser qu'elle se présentait toujours à la messe dominicale avec Rémi, et qu'elle n'avait pas tellement le loisir de s'attarder sur le parvis de l'église. En effet, le gamin était toujours pressé de filer au restaurant, où ils mangeaient ensemble tous les dimanches midi.

De surcroît, depuis que son fils avait été placé en maison de correction, à la suite du fameux vol commis à la pharmacie, la pauvre Agathe, mortifiée jusqu'à l'âme, n'était pas retournée à la messe. Sauf à Noël et à Pâques, parce que malgré le cambriolage perpétré par son fils, un forfait qui laissait sous-entendre que le galopin avait été très mal élevé,

Agathe était une bonne chrétienne. Du plus profond de son cœur, elle osait espérer, malgré tout, qu'elle avait donné le meilleur d'elle-même à son garçon, et que l'avenir se porterait garant de ses efforts.

En revanche, si Agathe n'avait jamais compris jusqu'à maintenant que la belle dame aux cheveux blancs était la propriétaire du magasin de variétés, Roberte, de son côté, savait très bien qui était Agathe. Si l'épouse du marchand général n'avait jamais fréquenté le salon de coiffure de Place des Érables, c'était tout bonnement qu'elle gardait ses cheveux très longs, tout comme sa fille, d'ailleurs, et que toutes les deux, elles les remontaient en chignon tous les matins. Au besoin, Roberte se transformait en coiffeuse pour toute la famille, raccourcissant et rasant ce qui avait besoin de l'être.

Dès que la vieille dame aperçut Agathe, elle s'approcha de la porte d'entrée en tendant la main.

— Madame Langevin ! C'est un plaisir de vous voir chez moi…

Interdite, la coiffeuse fronça les sourcils.

— Vous connaissez mon nom ?

— Bien sûr. Un bon commerçant se doit de connaître les gens de son quartier… Même ceux qui viennent jamais dans son magasin, glissa-t-elle malicieusement, en levant l'index… En fait, c'est madame Léonie qui m'a parlé de vous, il y a de ça pas mal d'années, quand j'avais passé une remarque sur sa coupe de cheveux, que je trouvais pas mal bien réussie. Je lui avais dit que ça la rajeunissait. Madame

Picard avait semblé très heureuse du compliment, et elle s'était dépêchée de mentionner que c'était grâce à vous si elle avait une si belle tête.

— Eh ben ! Je savais pas ça... Coudonc, si je vous disais que c'est la même Léonie qui m'a conseillée de venir vous voir, pas plus tard que tout à l'heure, me croiriez-vous ?

— C'est une charmante dame, n'est-ce pas ?

— Une vraie soie ! Je suis chanceuse de l'avoir comme amie.

— En effet ! Alors, qu'est-ce que je peux faire de bon pour vous ?

— Ben voyez-vous, je cherche à habiller mon garçon, qui va sortir de...

Agathe s'arrêta brusquement, à l'instant où elle prit conscience qu'un mot de plus, et elle s'apprêtait à raconter à une inconnue que son garçon sortait de prison, même si Boscoville n'était pas une prison au même titre que les autres. Une certaine chaleur maquilla aussitôt les joues de la coiffeuse d'un rouge vif. En bonne commerçante, et connaissant le drame qui avait traversé la vie de cette nouvelle cliente, Roberte constata facilement l'embarras de sa visiteuse. Alors, elle se détourna légèrement pour replacer machinalement les paquets de cigarettes offerts sur un présentoir derrière elle.

Agathe lui en sut gré.

Elle se dit alors que l'histoire de son fils avait probablement fait un petit détour par le magasin de variétés, ce qui était normal, compte tenu de l'offense commise chez son voisin, dans un quartier aussi paisible que la Place des Érables ! La coiffeuse fut soulagée de pouvoir se dire que de toute évidence, on ne lui en tenait pas rigueur. Agathe en profita donc pour inspirer longuement, puis elle toussota dans son poing refermé. Ensuite, elle replaça ses cheveux d'un geste vif, avant de revenir à ses explications, que la marchande attendait patiemment.

— En fait, Rémi, lui, c'est mon fils, il me revient après plus d'un an d'absence, déclara Agathe d'une voix mal assurée. Alors, j'ai pensé que ça lui ferait plaisir d'avoir du linge neuf comme étrennes au pied du sapin.

— C'est une excellente idée !

— Me semblait aussi, approuva Agathe qui, devant l'amabilité de madame Méthot, reprenait lentement sur elle. Selon moi, il va falloir penser à des vêtements pour homme, rapport que mon garçon est déjà rendu à dix-sept ans. Mais il est pas tellement costaud, par exemple. Grand, ça oui, on dirait qu'il a poussé comme une asperge durant la dernière année, mais pas tellement étoffé, si vous voyez ce que je veux dire.

— Tout à fait !

— Dans ce cas-là, pensez-vous pouvoir m'aider ?

— Absolument ! Mais pour ça, on va devoir monter au premier. C'est là qu'on garde le tissu à la verge, avec tout ce qui touche à l'habillement et à la décoration... Si jamais ce que je garde en inventaire vous plaisait pas, pis il faut surtout pas vous sentir gênée de me donner franchement votre avis, on regardera ensemble dans mes catalogues. Prenez l'escalier à droite, là-bas, à côté de la machine à Coke. J'vas aviser mon mari que je monte avec vous pour qu'il vienne me remplacer, pis je vous rejoins tout de suite après.

Les deux femmes se quittèrent une heure plus tard, aussi satisfaites l'une que l'autre. Agathe avait facilement trouvé tout ce dont elle avait besoin, et Roberte venait d'enregistrer une excellente vente. Elle referma le tiroir-caisse d'un petit geste sec, accompagné d'un large sourire. Celle qui voulait annoncer à son mari que de rester ouvert le soir était une perte de temps et d'énergie venait de changer d'opinion.

— Pour ce qui est de la chemise à carreaux, pas de crainte à avoir, mon mari doit se rendre au centre-ville demain matin pour toutes sortes d'achats en prévision de Noël, expliqua la marchande. Il va en profiter pour passer chez le grossiste. Un Italien du nord de la ville qui a une quantité phénoménale de vêtements dans son sous-sol. Eugène devrait trouver exactement ce que vous cherchez, pis il va vous livrer ça avant l'heure du souper.

— C'est ben parfait comme ça... Mais il y a pas de presse pour la livraison, vous savez. Noël, c'est juste dans une semaine.

— Déjà dans une semaine, vous voulez dire !

À ces mots, Agathe éclata de rire.

— Vous avez ben raison… Ça va venir vite ! Comme toujours, n'est-ce pas ? Là-dessus, il me reste plus rien qu'à vous remercier de votre temps.

— C'est mon travail, ça, madame, de donner un bon service à notre clientèle ! Pis comme j'aime mon métier, c'est jamais une souffrance d'aider les clients. La satisfaction de mes acheteurs, c'est une bonne partie de mon salaire, vous savez !

— Je comprends très bien ce que vous voulez dire. Moi, c'est pareil ! Il y a rien qui se compare aux sourires de mes clientes quand elles se regardent dans le miroir pis qu'elles sont contentes de ce qu'elles voient.

Les deux femmes échangèrent un sourire, et Roberte accompagna Agathe jusqu'à la porte, qu'elle verrouilla derrière elle. Elle resta un instant à la fenêtre pour la suivre des yeux, se disant qu'elle venait peut-être de se faire une nouvelle cliente, auquel cas, elle irait dorénavant se faire coiffer chez elle… au moins une fois par année. Comme elle achetait une babiole de cuisine quelconque à Léonie dans le temps de Pâques.

— Pis j'vas dire à notre fille Laurette de faire la même chose, tiens, murmura Roberte en éteignant les plafonniers du magasin. Une fois de temps en temps, ça peut pas nuire, d'aller voir une vraie coiffeuse.

Puis, elle traversa chez elle pour rejoindre son mari.

La cuisine embaumait déjà le café qu'Eugène avait préparé. Tous les soirs, en regardant une émission de divertissement et le bulletin d'informations à la télévision, ils buvaient ensemble une tasse de café décaféiné avec des biscuits secs, avant de monter se coucher. Cette routine du soir, acquise au moment de l'achat du poste de télévision, s'était transformée, au fil des années, en un rituel immuable, et ils y tenaient tous les deux. Sans leur petit café du soir, ils avaient la sensation de moins bien dormir.

Présentement, la télévision jouait un peu trop fort au goût de Roberte, mais elle ne passa aucune remarque. Depuis quelque temps, son mari entendait assurément moins bien. Même leur fille l'avait constaté, à sa dernière visite, mais le vieil homme ne voulait pas l'admettre. La moindre suggestion d'aller consulter un spécialiste le mettait en rogne pour la journée. Roberte avait donc pris l'habitude de parler plus fort quand elle voulait s'adresser à lui. Si par malheur Eugène était proche d'elle, il lui lançait avec humeur de baisser le ton.

Ce qu'il fit, encore ce soir, quand elle lui demanda s'il préférait des biscuits au chocolat ou ceux à l'érable.

— Pas besoin de crier, Roberte ! Ça m'énerve, pis tu le sais.

— C'est vrai. Mais c'est toujours ben pas de ma faute si t'entends rien une fois sur deux.

— C'est pas vrai !

— Oh oui, c'est vrai ! T'es le seul à pas vouloir le reconnaître. Dis-toi ben que si je parle fort, je le fais surtout pas pour t'embêter, parce que je l'aime pas, ta mauvaise humeur. Mais comme régulièrement tu me réponds pas, je prends pas de chance, pis je lève le ton, parce que moi, tu sauras, ça m'énerve d'être toujours obligée de répéter !

— Encore tes grands mots ! Jamais pis toujours... T'auras ben menti, Roberte, parce que c'est pas toujours que tu dois répéter ! C'est juste quand j'ai la tête ailleurs. Que c'est que tu veux que je te dise ! J'suis pas capable de réfléchir pis d'écouter en même temps.

L'excuse était ridicule, mais Roberte ne répliqua rien. La journée avait été suffisamment longue pour qu'elle n'ait pas envie de partir une polémique.

— C'est ça, Eugène ! T'as sûrement raison, pis j'vas faire attention, promis ! La prochaine fois que je voudrai te parler, j'vas prendre le temps de ben t'examiner avant d'ouvrir la bouche, pour savoir si t'es toute là, ou ben si t'es perdu dans tes pensées...

Content de voir que la discussion n'irait pas plus loin, Eugène ne voulut pas entendre la moquerie dans le ton employé par sa femme. Il se contenta de grogner.

— Astheure, mon homme, qu'est-ce que tu préfères ? Les biscuits à l'érable ou ceux...

— Je préfère les biscuits au chocolat, interrompit alors Eugène. Tu vois ben que j'avais compris.

— D'accord, je m'excuse... Maintenant, viens, on va s'asseoir ben confortablement dans nos fauteuils. Je le sais pas pour toi, mais moi, j'ai les pieds en compote ! On a eu une grosse journée, qui vient tout juste de se finir avec la visite de la coiffeuse du quartier.

Intrigué, Eugène tourna les yeux vers son épouse.

— Ah oui ? Madame Langevin est venue chez nous ?

— Hé oui ! Pis en plus, j'ai fait une vente plutôt intéressante. Dans les trois chiffres !

— Eh ben... En quel honneur ? On lui avait jamais vu la face dans notre magasin.

— J'sais ben... Sans que la coiffeuse le dise ouvertement, j'ai compris que son garçon allait sortir de prison pour de bon. Il a dû pas mal grandir, depuis le temps, parce qu'elle lui a monté une garde-robe au grand complet. Des bobettes jusqu'aux chemises... Ah oui ! Pour pas que je l'oublie, je t'ai mis un papier avec les mesures du jeune, juste à côté de la caisse. Tu le prendras quand tu iras faire tes commissions en ville, demain... Tout ce qui nous a manqué, à soir, c'est une chemise en flanelle, à carreaux, dans les tons de bleu.

— Pas de trouble, j'vas te trouver ça chez Augusto.

— Merci ! Bon ben là, c'est vrai, ma journée est finie ! Un peu de télévision avant de monter se coucher, ça va nous changer les idées.

Ce qu'ils firent dans un silence monacal, sans argumenter, comme ils avaient coutume de le faire.

Toutefois, ce que Roberte prit pour de la fatigue persistante de la part de son mari n'était pas autre chose qu'une intense réflexion à propos de Noël.

Quant à Eugène, comme son épouse ne pipait mot, visiblement épuisée elle aussi, il préféra attendre que Pierre Nadeau annonce la fin du bulletin de nouvelles pour se permettre d'entamer la conversation qu'il se passait mentalement en boucle depuis quelques jours.

— Avant de monter, ma femme, j'aimerais ben ça qu'on discute de Noël ensemble, lança-t-il à l'instant où Roberte se levait pour porter sa tasse vide dans l'évier. Si ça t'adonne, comme de raison.

Le ton était gentil, engageant. Et comme de toute façon, Roberte savait que cette discussion viendrait, elle se laissa retomber sur son fauteuil sans aucune forme de protestation.

— J'suis éreintée, c'est vrai. Mais j'ai bien quelques minutes à te consacrer, mon mari. Alors... C'est quoi ce besoin pressant de parler de Noël, juste comme on allait se préparer à dormir?

— Parce que depuis une éternité, c'est ce qu'on a toujours aimé, toi pis moi: on discute ensemble de ce qu'on va préparer pour le réveillon. Pis là, je trouve qu'on tarde un peu à s'y mettre. En plus, t'as rien cuisiné en avance, comme de coutume.

— T'as remarqué ça, toi? Je te savais pas perspicace à ce point-là.

— Ça m'arrive, ouais... C'est pas pour te critiquer que je parle de même, mais ta nouvelle manière d'agir m'inquiète un peu.

— Ma manière d'agir? Qu'est-ce qu'elle a de changé, ma manière d'agir, mon pauvre Eugène? J'arrive pas à te suivre.

— J'sais pas trop... Tu me connais, j'ai pas toujours les mots quand vient le temps de parler de certaines choses. J'suis meilleur pour discuter de vente pis d'achat avec les clients ou les fournisseurs. Ça, c'est ma spécialité. Mais il me semble que t'as pas l'entrain que je te connais pis que t'affiches d'habitude, dès que le mois de décembre arrive.

— Voyez-vous ça! Coudonc, je me savais pas observée à ce point-là. Va falloir que je me surveille. Sait-on jamais, des fois que je ferais des gaffes...

Interloqué par la réaction de son épouse, Eugène en resta silencieux durant un moment, un moment suffisamment long pour que Roberte poursuive.

— Mais j'ajouterais à tout ça, mon mari, qu'à date, c'est toujours moi qui s'est démenée pour organiser les fêtes de la famille... C'est pas un reproche que je te fais là. Au contraire, ça me convient tout à fait comme ça... Tu vois, Eugène, le seul blâme que je pourrais te faire, c'est que t'as l'inquiétude plutôt facile depuis quelques mois, pis laisse-moi te dire que ça me tape sur les nerfs, tu peux pas savoir comment!

Le propos était surprenant; le ton était étrange, à la fois moqueur et impatient; et les deux mis ensemble semblèrent plutôt inusités aux oreilles d'Eugène.

Ce qui l'alerta aussitôt.

Sa Roberte aurait-elle une rechute ?

Les oublis seraient-ils revenus ?

Et quel était ce ton narquois et froid qu'il ne lui avait jamais entendu ?

Pourtant, depuis le jour où son vilain mal de dos l'avait terrassé, côté commerce, tout allait pour le mieux dans le meilleur des mondes. Roberte l'avait remplacé de façon magistrale, au pied levé, sans pour autant négliger la maison, et tout en veillant sur lui, comme elle l'avait jadis fait pour leurs deux enfants : avec douceur et diligence. Roberte était partout et s'occupait de tout ! Sauf des livraisons, bien entendu, puisqu'elle ne conduisait pas leur camionnette. Toutefois, la clientèle avait accepté ce petit inconvénient sans rouspéter.

— Pauvre monsieur Méthot ! avait-il parfois entendu quand, malgré les avertissements du médecin, il s'était risqué à marcher à petits pas prudents jusqu'à la cuisine, tant il n'en pouvait plus de devoir garder le lit. Tant pis pour la livraison, madame Méthot, l'important, c'est que votre mari se repose ben comme il faut pour reprendre des forces. Je demanderai à mon voisin Hector de venir chercher ma commande un peu plus tard aujourd'hui. Entre voisins, justement, on peut s'entraider, n'est-ce pas ? Donnez-moi juste la crème glacée pis le lait.

Tant de sollicitude de la part de leur clientèle avait probablement aidé à la guérison du pauvre Eugène, il n'en savait trop rien. Mais chose certaine, l'attitude de sa Roberte, ainsi que ses bons soins, y avaient contribué en grande partie.

Désœuvré, n'aimant pas la lecture ni les casse-tête, Eugène avait profité de ce temps de repos obligé pour se remémorer ses vieux souvenirs.

Il ne se lassait pas de revoir l'époque où il avait connu Roberte. Encore presque un gamin, il était tombé amoureux fou d'une jeune femme de cœur, douce et conciliante.

Et elle avait dit oui sans la moindre hésitation, le soir où il lui avait fait la grande demande !

Depuis ce jour béni où ils avaient uni leurs destinées, Eugène chérissait sa belle épouse avec tendresse.

Ils se plaisaient à dire qu'ils se complétaient à merveille. Il y avait Eugène, le chef de famille, et il y avait Roberte, sa douce moitié. Chacun son domaine, chacun ses qualités, et ils avaient vécu en parfaite harmonie, avec deux bons enfants.

Puis, quand Eugène s'était blessé, il avait découvert, avec surprise, une femme de tête, capable de se débrouiller toute seule avec compétence.

C'était totalement nouveau, mais pas désagréable du tout. À un point tel qu'Eugène avait réussi à se convaincre qu'il s'en était fait pour absolument rien, au printemps dernier. Allons donc ! Les maussaderies, les absences et autres oublis sans importance n'étaient que de petits soucis liés à l'âge. Tout comme lui, qui venait de se blesser au dos en soulevant une simple boîte. Comment avait-il pu croire que sa Roberte était atteinte d'une grave maladie? Une femme diminuée n'aurait jamais pu prendre le gouvernail d'un magasin comme le leur avec autant d'aisance et de savoir-faire.

Le mois de novembre avait donc été plus que parfait sous le toit des Méthot. Et si ça n'avait été de l'inquiétude concernant la relève au magasin, Eugène aurait été le plus heureux des hommes. Sauf qu'il y avait leur fils qui était venu gâcher toute une vie de labeur. Parce qu'après tout, Eugène ne travaillait pas uniquement pour lui. Il le faisait pour sa famille, et d'autant plus pour son fils, qui un jour prendrait sa place. Chaque fois qu'Eugène repensait à ce dimanche après-midi où tous ses espoirs s'étaient effondrés, son cœur se mettait à battre comme un fou, jusqu'à lui couper le souffle. Il était persuadé que la décision d'Émilien allait finir par le tuer. À ses yeux, c'était amplement suffisant pour entretenir cette rancune qui lui laissait un goût amer. Mais comment en parler sans passer pour un faible, lui qui avait toujours été le pilier de la famille?

Sinon, depuis quelques semaines, Eugène se portait de mieux en mieux, et Roberte était souriante, malgré une certaine lassitude tout à fait normale après les semaines harassantes qu'elle venait de traverser. En un mot, ils étaient heureux de reprendre leur routine respective. Même leurs discussions dominicales avaient pris une tout autre tournure, se rapprochant agréablement de celles qu'auraient pu avoir deux associés qui échangeaient leurs points de vue. Eugène avait même eu la présence d'esprit de se dire qu'ils auraient dû agir ainsi bien avant.

Mais voilà que depuis le début du mois de décembre, les problèmes semblaient vouloir revenir peu à peu.

Cela avait commencé d'une manière aussi insidieuse qu'en mars dernier. Un certain midi, Roberte avait oublié un chaudron sur la cuisinière, et elle avait rouspété de plus belle quand Eugène lui avait dit que ça aurait pu être très dangereux. Malheureusement, à cause de l'inquiétude engendrée par l'incident, après tout, les carottes commençaient à calciner au fond de la casserole, Eugène avait employé ce ton un peu brusque qu'il utilisait quand il ne voulait pas être contredit.

— Gériboire, Roberte ! Ta damnée casserole aurait pu mettre le feu à toute la bâtisse ! Essaye donc de faire attention, veux-tu !

Le pauvre homme imaginait avec effroi le désastre qui aurait pu s'ensuivre, s'il ne s'était pas présenté à la cuisine pour se servir un verre d'eau.

— Mais tu avais soif et ça a réglé le problème, avait alors rétorqué sèchement Roberte.

La vieille dame détestait être prise en flagrant délit de bévue ou d'étourderie. En cela, elle n'était pas très différente de son mari, qui trouvait toujours une justification ou une réplique cinglante quand on lui faisait des remontrances. À chacun son orgueil, n'est-ce pas?

— C'est toujours ben pas de ma faute si j'étais coincée dans le magasin avec une cliente qui arrivait pas à se décider! avait-elle lancé en guise d'explication.

Puis, elle avait tourné les talons.

— Il y a un Bon Dieu pour les personnes de bonne volonté, Eugène, oublie jamais ça! avait-elle ajouté, tout en filant promptement vers le magasin, se promettant toutefois d'être très prudente à l'avenir, tout à fait consciente, elle aussi, du drame qu'ils auraient pu vivre à cause de son étourderie. Car oui, elle avait complètement oublié les carottes mises à cuire, lancée qu'elle était dans une discussion avec une cliente qui hésitait entre une paire de bottes noires et une paire de bottes brunes.

— Je préfère les brunes, pas de doute là-dessus. Mais j'suis loin d'être certaine que ça va ben aller avec mon manteau rouge.

— Vous n'avez qu'un manteau?

— Mais non!

En fin de compte, la dame était partie avec les deux paires, et c'était justement au moment où Roberte, fière d'elle, cherchait son mari pour lui raconter l'anecdote qu'elle l'avait trouvé, fulminant dans la cuisine. Une fumée nauséabonde s'échappait du chaudron qu'il avait déposé au fond de l'évier en catastrophe.

Ils s'étaient alors un peu disputés, ce qui leur arrivait tout de même de temps en temps, mais le mal était fait, et Eugène avait dès lors recommencé à épier sa tendre moitié avec anxiété.

À partir de ce jour-là, le moindre détail était sujet à questionnement. Eugène voyait bien que cela semblait agacer son épouse, mais c'était plus fort que lui.

Les tourtières n'étaient pas déjà préparées? Curieux, car à ce temps-ci de l'année, normalement, elles s'empilaient sur la petite table dans la galerie couverte, cette espèce d'antichambre que Roberte avait toujours appelée «le tambour». Eugène n'avait donc pu s'empêcher de lui en glisser un mot, lors d'un souper de la semaine précédente, question de voir si ce n'était pas là un autre oubli.

Roberte l'avait pris à rebrousse-poil, en soupirant et en secouant la tête

— T'es fatigant, des fois, toi! Non, il y en aura pas, cette année, des tourtières, lui avait-elle ensuite déclaré sur un ton décidé. C'est long à faire pis je suis trop occupée... À la place, on va les acheter toutes prêtes. Je te laisse même décider de la marque. Une ou deux, ça suffira.

Quelques jours plus tard, les beignes avaient eu droit au même sort.

— Ça me tente pas pantoute que la maison sente la friture pendant toute une semaine, avait alors soupiré Roberte, visiblement agacée. Ça aussi, on pourrait en acheter, si jamais tu y tenais tant que ça. Moi, si j'en ai un ou deux à grignoter, ça va me suffire. J'ai vu dans la vitrine du boulanger Mario Painchaud, l'autre jour, en revenant de la messe, qu'il prenait déjà les réservations. T'en veux combien de douzaines, Eugène ?

Le pauvre homme n'en revenait pas ! Où donc était passée la magie de Noël qui régnait sous leur toit depuis tant d'années ? Habituellement, Roberte était comme une enfant, et elle espérait la fin de l'année avec enthousiasme, préparant mille et une gâteries, décorant la maison et le magasin, le 1er décembre. Il lui arrivait même de sortir les décorations dès le premier flocon, si jamais celui-ci se pointait en novembre.

Mais pas cette année !

À la mi-décembre, Eugène avait dû voir lui-même à toutes les décorations qu'il avait gardées minimalistes, faute de temps.

Et depuis le début de la semaine, le marchand en était même venu à se demander s'il y aurait au moins de la soupe aux pois et des fèves au lard, pour les repas des Fêtes.

Roberte avait-elle oublié que Noël s'en venait à grands pas ? Cette sorte d'indifférence à tout était-il le signe d'une maladie plus grave ?

Le vieil homme avait même fait le deuil de la dinde et du ragoût, puisque le volatile et les pattes de cochon n'étaient toujours pas commandés. De cela, Eugène pouvait être certain, puisque c'était lui qui avait passé toutes les commandes depuis un mois, une légère raideur résiduelle dans le bas du dos l'obligeant à s'asseoir fréquemment. Le ragoût de pattes et de boulettes était un classique sur leur table, le soir de Noël, comme l'étaient les tourtières et la dinde pour le réveillon.

Mais que se passait-il ?

Heureusement, au jour de l'An, ils iraient chez leur fille, comme ils le faisaient depuis qu'elle était mariée. C'est Laurette elle-même qui le lui avait confirmé.

Alors, pourquoi cette année, son épouse ne participait-elle pas aux préparatifs ? Oubli et entêtement de la part de Roberte ? Ou alors, peut-être était-ce simplement le fait d'une femme vieillissante, accaparée par une routine qui devenait trop lourde pour ses fragiles épaules ?

Quand Eugène avait ce genre de réflexion, il ne pouvait s'empêcher d'en vouloir encore un peu plus à son fils Émilien, à qui il n'avait toujours pas reparlé. Et sans en aviser qui que ce soit, il avait déjà décidé qu'il ne participerait pas à la fête des Rois, qui se déroulait annuellement chez son garçon. De toute façon, il avait toujours trouvé cette coutume de chercher une fève dans un gâteau un peu ridicule.

Quoi qu'il en soit, Eugène Méthot avait la certitude que quelque chose d'important lui échappait, mais il ne savait pas trop quoi. Peut-être devrait-il demander en cachette l'avis d'un médecin ? S'il fallait qu'un accident arrive à sa Roberte à cause de sa négligence, il ne se le pardonnerait jamais.

Mais avant cette hypothétique consultation, il y aurait le temps des Fêtes, et s'il devait mettre la main à la pâte pour tout préparer et festoyer selon leurs habitudes, il le ferait de bon cœur.

D'où cette discussion autour de Noël, dès ce soir, parce qu'il n'avait pas la moindre idée de ce qu'il pouvait entreprendre, ni comment le faire, pour soulager un tant soit peu son épouse et que la fête aurait lieu dans une semaine.

— Alors, Roberte, qu'est-ce que je pourrais faire pour t'alléger la tâche ?

— Ben voyons donc... Pourquoi voudrais-tu m'aider ? Quelque chose te déplaît, Eugène ?

— Rien pantoute ! Que c'est tu vas imaginer là ? T'es parfaite dans toute, ma femme. Je serais ben mal venu de critiquer quoi que ce soit. Non, c'est juste que cette année, j'aimerais ça t'aider un peu à préparer Noël pis le réveillon... Pour te remercier de tout l'ouvrage que t'as été obligée d'ajouter à ton barda habituel à cause de mon tour de reins, tiens !

— C'était pas par obligation, que je me suis occupée de toi. Pis tu le sais. Ça fait que t'as vraiment pas besoin de me remercier. Je me dis que si un jour j'étais malade, tu ferais la même chose. Pour moi, c'était tout simplement normal que je prenne la relève au magasin. Tu penses pas, toi ?

— Dans un sens, oui.

— C'est ben ce que je croyais, aussi. Ça fait que tu peux oublier ça, l'idée de m'aider, pis on aura surtout pas besoin d'en reparler, ajouta-t-elle d'emblée, connaissant l'entêtement proverbial de son mari. Et effectivement, ce dernier demanda :

— Pourquoi tu dis ça ?

Roberte esquissa un petit sourire entendu.

— Je te connais assez pour savoir que t'es le genre d'homme à insister, pis ça me tente pas pantoute de t'entendre radoter sur ce sujet-là, répondit-elle. Je te remercie quand même d'y avoir pensé, c'était ben gentil, mais ça sera pas nécessaire.

— Comment ça, pas nécessaire ? Je le vois ben que t'en as plein les bras, ma pauvre toi !

— C'est ben certain que j'suis fatiguée ! Le magasin est ouvert de sept heures le matin à neuf heures le soir, tous les jours depuis lundi passé. Même une jeunesse de vingt ans serait fourbue de faire des journées comme celles-là. Imagine, astheure, comment une vieille dame comme moi doit se sentir. Mais ça va passer, inquiète-toi pas !

— Je le sais ben que ça va passer, parce que tout finit toujours par passer… Il est pas là, le problème.

— Il est où, d'abord ?

— Gériboire, Roberte ! On est à une semaine de Noël, pis t'as rien de préparé. Je me demande ben…

— J'viens de te le dire, Eugène : fais-toi-z'en pas avec ça. Tout est parfaitement sous contrôle.

— Je comprends plus rien !

— Pourtant, c'est très facile à comprendre, tu vas voir ! laissa tomber la vieille dame en haussant les épaules. Si je te disais qu'il y en aura pas, de réveillon, ça t'aiderait-tu à te poser moins de questions ?

— Pas de réveillon ?

— Pas de réveillon ! Cette année, justement parce qu'on est un brin éreintés, toi pis moi, j'ai jugé que la messe de minuit, ça serait ben en masse pour nous deux.

— Sans m'en parler ?

— Pourquoi je l'aurais fait ?

À ces mots, Eugène leva les yeux au plafond.

Et dire que Roberte lui recommandait de ne pas s'en faire !

Bien au contraire, l'inquiétude d'Eugène venait de monter d'un cran. Fallait-il que son épouse soit épuisée, ou malade, pour escamoter le réveillon avec autant de désinvolture sans même le consulter ! Après tout, chez les Méthot, c'était le réveillon qui avait toujours été la fête la plus importante des célébrations de fin d'année. On mangeait jusqu'à s'empiffrer, en riant et en faisant des blagues, avec de belles chansons de circonstance en sourdine. Puis, le ventre plein, on déballait les cadeaux lentement, un à la fois, pour voir la réaction de chacun, tout en prenant une crème de menthe pour aider à digérer le copieux repas.

Et pour le souper du 25, on se retrouvait autour de la même table pour faire honneur, cette fois-là, au ragoût de pattes et de boulettes avec des patates rondes et des betteraves dans le vinaigre que Roberte avait mises en pots à la fin de l'été.

— Pis pour le souper de Noël, poursuivit Roberte en écho à la réflexion de son mari, c'est notre fille Laurette qui m'a promis de l'organiser à ma place.

Comme tu vois, on fera pas pitié pantoute. Quand ben même on mangerait un peu moins, on en mourra pas.

— Pis nous autres, on reçoit personne ?

— T'as tout compris.

— Ben non, je comprends rien à tout ça... Mais attends donc un peu, toi là ! Si Laurette nous reçoit à Noël, qui c'est qui va faire le repas du jour de l'An ? Toi pis moi ?

— Même pas. Cette année, j'ai décidé de rien faire.

— Pas de dîner au jour de l'An ?

— C'est pas ce que j'ai dit. J'ai juste dit que ça me tentait pas de me casser la tête. Je trouvais ça trop compliqué, pis j'avais pas le goût pantoute d'avoir à discuter sans fin pour une histoire de repas.

— C'est nouveau, ça. Il me semble que t'aimes ça, d'habitude, faire à manger pour la visite.

— J'ai jamais dit le contraire. Tu sais très bien à quel point je trouve ça plaisant, préparer le temps des Fêtes.

— Pour sûr que je le sais ! Tu le fais même en chantant des cantiques, gériboire ! Pourquoi, d'abord, tu veux rien savoir, cette année ? Même qu'on dirait que ça t'arrange, de pas recevoir notre famille.

À ces mots, Roberte dévisagea longuement son mari. Comment pouvait-il ne pas voir ce qui pourtant sautait aux yeux ? Elle soupira de déception avant de poursuivre.

— J'ai décidé de rien faire pour la simple et bonne raison que normalement, on organise tout ça pour notre famille. C'est toi-même qui viens de le dire… Pis cette année, ben, je pourrais pas inviter toute notre famille, expliqua Roberte en pesant bien les mots. Parce que si ça avait été le cas, tu m'en aurais parlé pour qu'on en discute ensemble… Pour moi, il est pas question de recevoir uniquement Laurette sans que notre…

Sachant ce qui allait suivre, et parce qu'il n'avait surtout pas envie de remettre cette discussion sur la table, Eugène s'avança sur le bord de son siège et il leva la main pour interrompre sa femme. Cette dernière n'en tint pas compte.

— Laisse-moi finir, Eugène ! De toute façon, ton explication, je la connais par cœur. Pis je trouve que ta bouderie commence à être pas mal exagérée.

— Viens surtout pas me dire que j'suis tout seul à trouver ça dur de voir notre garçon…

— Ça m'a déçue, moi aussi ! coupa Roberte. C'est ben certain, pis ça serait mentir de prétendre le contraire. Mais faut toujours ben en revenir ! T'as mené ta vie à ta guise, hein, pis personne t'a mis des bâtons dans les roues. Oui ou non ?

— Ben oui… C'était juste normal que ça soye de même. Je faisais rien de mal, ben au contraire ! Ma famille a jamais manqué de quoi que ce soit.

— C'est pas ce que j'ai dit non plus. Mais il en reste pas moins que le magasin, ça a été ta décision, pis j'ai respecté ça, même si je me doutais que ce serait de la grosse ouvrage pour moi aussi. Je voyais que ça te rendait heureux, l'idée de posséder un magasin général, pis c'était suffisant pour que je t'emboîte le pas. Alors, je trouve normal que notre garçon aye le droit de faire pareil, pis d'être heureux comme lui l'entend. Avec sa femme, comme de raison. Si ça lui tente pas, à Émilien, de vivre le reste de ses jours dans la maison qui l'a vu naître pis grandir, c'est toujours ben de ses affaires. Pas des nôtres... Tout ça pour en venir à te dire que le réveillon, cette année, il va avoir lieu chez Émilien, justement parce que j'ai décidé de rien faire, vu que lui pis sa famille auraient pas pu se joindre à nous. J'ai même décliné son invitation pour pas te laisser tout seul.

— T'es-tu en train de me dire que tu y parles, à Émilien ?

— Qu'est-ce que tu crois, mon pauvre Eugène ? Une mère, tu sauras, c'est pas capable de bouder ses enfants ben ben longtemps ! Par contre, je me suis pas gênée pour lui dire que j'étais ben gros déçue parce qu'on commence à se faire vieux, toi pis moi, pis que sa décision allait nous compliquer l'existence. Mais j'ai ajouté que malgré ça, il avait pas à se sentir coupable. Pis ça s'est arrêté là. C'est pas parce que toi, tu fais ta tête dure, que la vie s'est interrompue autour de nous. Pis va falloir que tu révises tes positions, parce que moi, je commence à en avoir plein le casque de ta bouderie !

— Émilien est pas mieux que moi ! répliqua Eugène, sur la défensive, sur le ton qu'un enfant boudeur aurait employé. Ça se joue à deux, ces affaires-là.

Une telle attitude exaspéra Roberte. Sa réponse à elle fut cinglante.

— Pardon ? C'est malhonnête ce que tu viens de dire là. C'est pas l'envie qui lui manque, à Émilien, de venir à la maison. C'est toi qui l'as mis à la porte pis qui l'empêches de revenir. Pis tout ça, c'est à cause de ta cârosse de tête dure !

— C'est vraiment ce que tu penses ?

— C'est vraiment ce que je pense... Astheure, j'vas me coucher. J'ai une autre grosse journée qui m'attend demain... Faire de la belle façon aux gens, quand t'as le cœur triste, c'est pas facile, tu sauras... Essaye de pas faire trop de bruit quand tu monteras. Ça serait ben apprécié.

Laissant sa tasse vide sur le guéridon, Roberte se dirigea vers l'escalier qui menait aux chambres. Elle avait le pas lourd. Elle monta une marche, puis elle s'arrêta, devant le silence entêté de son mari.

— Si jamais ça te tentait qu'on organise le dîner du jour de l'An, j'suis partante, proposa-t-elle alors, question de diminuer les tensions. Un ragoût, c'est pas trop compliqué à faire. Mais pour ça, tu sais ce qu'il te reste à faire... Là, c'est vrai, j'ai tout dit. Bonne nuit, Eugène, on se reverra au déjeuner demain matin.

Partie 3

Hiver 1970

Chapitre 6

«Aujourd'hui
J'ai rencontré l'homme de ma vie
Wow, aujourd'hui
Au grand soleil, en plein midi
On attendait le même feu vert
Lui à pied et moi dans ma Corvette
J'ai dit veux-tu un lift?
Aujourd'hui
J'ai rencontré l'homme de ma vie
Wow, aujourd'hui
Je l'ai conduit jusque chez lui»

~

J'ai rencontré l'homme de ma vie,
Luc Plamondon / François Cousineau

Interprété par Diane Dufresne, 1972

Le jeudi 12 février 1970, dans la cuisine des Méthot, alors que Roberte prépare le souper, tout en revoyant sa vie

Lorsqu'elle était plus jeune, Roberte avait toujours pensé que son mari était un bon père. Pas très présent, certes, mais le pauvre homme était si occupé qu'on ne pouvait lui en tenir rigueur.

Comme il le disait lui-même :

— Il y a juste vingt-quatre heures dans une journée, ma Roberte. Mais des fois, je me dis que c'est ben de valeur ! Oui, oui, j'suis sincère... Gériboire ! J'aimerais ça, moi avec, avoir plus de temps dans mes journées pour pouvoir jouer avec Émilien, comme toi tu fais avec notre belle Laurette !

Roberte comprenait très bien ce que son mari voulait dire, car elle était une mère entièrement dévouée à ses deux enfants. Malgré ce constat, s'il y avait une chose dont elle était certaine, et ce, depuis l'instant où leur fils avait poussé son premier cri, c'était de l'amour qu'éprouvait Eugène pour ses deux moussaillons, comme il appelait Émilien et Laurette. Le regard qu'il avait posé sur bébé Émilien ne pouvait mentir. Et à partir de ce jour, la jeune mère avait été tout à fait d'accord avec son mari sur la plupart des points concernant l'éducation de leurs enfants.

Et malgré le fait que son Eugène passait nettement plus de temps au magasin qu'à la maison, chacune des décisions d'importance concernant les petits avait été prise à deux.

Sinon, la majeure partie du temps, quand son homme travaillait de son côté, Roberte s'occupait seule des enfants. Elle estimait qu'ainsi, chacun faisait sa juste part dans cette vie familiale qui était devenue la leur. Comme elle le racontait parfois en riant :

— De toute façon, durant la journée, c'est juste une bonne affaire de pas avoir mon mari dans les pattes. Comme ça, j'ai pas besoin de répondre à ses mille et une questions. C'est fou ce qu'il peut être curieux, quand il s'agit de nos deux mousses. Ça arrête pas ! Ouais, quand Eugène est dans le magasin, je réussis à faire pas mal plus d'ouvrage dans la maison, pis c'est très bien comme ça !

En revanche, lorsque les deux enfants faisaient leur sieste, en après-midi, Roberte traversait donner un coup de pouce à son homme. Puisqu'Eugène était seul pour voir à tout, de l'accueil des clients à la réception de la marchandise, il peinait à réaliser tout le travail qu'il espérait faire dans sa journée. Alors oui, il appréciait grandement les quelques heures que sa Roberte mettait à sa disposition. Il n'en restait pas moins qu'Eugène passait l'entièreté de ses journées dans le commerce, et une bonne partie de ses soirées penché sur ses cahiers de commandes ou sur celui où il inscrivait les achats faits à crédit, pour s'efforcer de donner le meilleur de lui-même au commerce, tout en essayant de consacrer quelques instants à la famille. Dans la même optique, le marchand ne gardait que six heures pour le sommeil, chaque nuit, et il recommençait la même routine étourdissante le lendemain, sans jamais se plaindre de quoi que ce soit. Pour être honnête, même aujourd'hui, Roberte admettait aisément qu'elle avait toujours admiré son homme qui, à ses yeux, était un modèle de patience et de persévérance pour atteindre le but fixé. Il était ce qu'on appelait un bourreau de travail, et si pour d'aucuns, c'était là une sorte de défaut, ça ne l'était pas pour Roberte. Eugène avait toujours désiré être le patron d'un commerce prospère, et elle était bien d'accord avec lui. Alors, tous les deux, chacun à sa manière, ils s'étaient employés à réaliser ce rêve.

Voilà pourquoi le dimanche, une fois par mois, quand Eugène sortait son grand livre de comptabilité, et pour qu'il puisse travailler en toute tranquillité, Roberte partait en promenade avec les enfants, tout de suite après la messe et le dîner. Elle se rendait alors jusqu'au parc. Mais pas en direction de celui des Érables. Elle s'y était aventurée à quelques reprises, et elle était revenue de la randonnée complètement épuisée, ayant eu à engager des conversations avec tout un chacun, tout en surveillant ses enfants du coin de l'œil.

— Attention, Laurette, tu vas tomber ! Et toi, Émilien, aide donc ta petite sœur à monter dans l'échelle... Vous avez dit, madame Laprise ?

Puis un jour, elle avait été abordée par Joseph-Alfred Picard, qui marchait avec son garçon, J.A., récemment revenu de la guerre.

— Bien le bonjour, madame, lui avait alors dit le seul quincaillier du quartier, à l'époque, tout en soulevant sa casquette en guise de politesse. Je vous ai remarquée, ce matin, à la messe. Ce sont deux beaux enfants que vous avez là, avait-il ensuite ajouté, tout en hochant la tête dans un geste d'appréciation.

Roberte avait rougi sous le compliment.

— Merci. C'est gentil de le dire.

Chez les Méthot, il y avait un petit Émilien, noir de cheveux comme son papa, et une petite Laurette, blondinette comme l'avait été sa maman. Ils étaient tous les deux toujours impeccablement vêtus, et plutôt bien élevés.

Puis, quelques années avaient passé. Le projet de magasin général prenant de l'ampleur et faisant des profits, Eugène avait pu engager Maurice Galipeau. Homme de peu de mots, ce dernier s'était cependant avéré un excellent employé, et les travaux lourds ne le rebutaient pas. À deux, avec Roberte dans leur sillage de plus en plus souvent, puisque les enfants étaient alors en âge d'aller à l'école, ils arrivaient à voir à peu près à tout sans trop empiéter sur la soirée, consacrée désormais aux activités familiales, sauf les jeudis et les vendredis, quand le magasin restait ouvert jusqu'à neuf heures, bien entendu.

Roberte s'en souvenait très bien, car ce furent de merveilleuses années. Si, d'un coup de baguette magique, elle avait pu remonter dans le temps, c'est à cette époque de sa vie que la vieille dame aurait bien voulu retourner... et y rester pour l'éternité !

Puis, un bon matin au déjeuner, Eugène avait proposé à leur fils de l'accompagner au magasin, puisque le jeune Émilien était un enfant particulièrement sage et obéissant. Nul doute, il pourrait rendre une multitude de petits services, sans pour autant déranger la clientèle.

— Maintenant que t'es devenu un grand garçon, Émilien, que c'est tu dirais de suivre papa au magasin ? Ça t'occuperait durant tes vacances, pis ça nous permettrait d'être ensemble, toi pis moi ! Ben entendu, j'vas te payer. Un beau vingt-cinq cennes ben rond à tous les jours. Que c'est que t'en dis ?

Roberte avait levé un sourcil dubitatif devant la proposition. À douze ans, Émilien était-il assez grand pour travailler ? Et comment se faisait-il qu'Eugène ne lui en ait pas parlé auparavant ?

En temps normal, les décisions concernant les enfants se prenaient toujours à deux, n'est-ce pas ? Alors, ce jour-là, Roberte avait éprouvé une petite déception.

Toutefois, comme le jeune garçon avait souscrit à l'idée de son père sans protester, elle ne s'en était pas fait outre mesure. Elle resterait à l'affût du moindre signe de fatigue ou d'ennui, et au besoin, se disait-elle, elle interviendrait auprès de son mari.

Ce qu'elle avait fait au fil des mois, à quelques reprises, d'ailleurs, pour que son fils ait la chance de courir et de s'amuser avec ses amis, comme tous les enfants de son âge, sans pour autant irriter Eugène, qui n'avait pas été très long à compter sur lui de plus en plus régulièrement.

— J'en reviens pas de voir à quel point notre garçon est digne de confiance. Un vrai petit homme!

Et quand Eugène parlait de la sorte, son regard brillait de fierté.

— En autant que tu lui en demandes pas trop, par exemple! rétorquait invariablement Roberte. C'est important de lui laisser un peu de «lousse» pour s'amuser. Après tout, il est encore ben jeune pour travailler. Il a toute la vie devant lui pour exercer un métier.

— C'est ben certain. Mais moi, à son âge, l'été, je travaillais aux champs avec notre voisin, pis j'aimais ça. Je me sentais important. Ça compte, ça, dans la vie d'un garçon! De toute façon, le travail, ça a jamais fait mourir personne.

— Ah pour ça, t'as ben raison!

— Tu vas voir, ma Roberte! Un jour, c'est Émilien qui va être le patron du magasin, pis nous deux, on va pouvoir enfin se reposer pis voyager... J'ai ben fait de rajouter le «& fils» sur la devanture du commerce, quand Émilien est venu au monde... Tiens! J'vas lui proposer de travailler tous les samedis, maintenant que l'école est recommencée. Astheure qu'il a pris l'habitude d'avoir de l'argent de poche, ça devrait lui faire plaisir que j'aye pensé à ça.

Et encore une fois, les années avaient passé.

Émilien était devenu un beau grand jeune homme, calme et responsable, et son amie Gisèle avait été accueillie à bras ouverts au sein de leur famille. À l'inverse d'Émilien, Gisèle était une jeune fille dynamique et volubile, ce qui avait fait déclarer à Eugène que le dicton disant que les contraires s'attirent était probablement vrai dans leur cas.

À dix-neuf ans à peine, Émilien convolait déjà en justes noces avec sa Gisèle, secrétaire juridique dans un grand bureau d'avocats, situé au centre-ville de Montréal. Depuis, ils formaient un couple uni.

Quelques années plus tard, une jolie et douce Virginie était venue compléter la petite famille. La seule enfant qu'ils auraient, avait spécifié Gisèle à la naissance de sa fille, car elle tenait à garder son emploi.

Pour sa part, de quatre ans la cadette de son frère, Laurette avait été une adolescente plutôt joyeuse et particulièrement active.

— Un vrai tourbillon ! disait alors Eugène, un sourire attendri sur les lèvres. Peut-être qu'on devrait l'engager au magasin ? avait-il moult fois suggéré. Ça l'assagirait sans doute un peu. Pis qui dirait non devant la possibilité d'un petit salaire ?

Mais Laurette avait refusé sans la moindre hésitation dès la première tentative de séduction paternelle.

— Pis essaye pas de me faire changer d'avis, papa, tu perdrais ton temps ! avait-elle lancé sur une pirouette... Et tu me ferais perdre le mien par la même occasion.

Eugène avait bien ronchonné un peu, par principe. Ensuite, entêté de nature, il s'était risqué à la faire revenir sur sa position. Ce fut en pure perte, car Laurette ne voulait absolument rien entendre concernant le commerce familial.

— Pas question de rester au comptoir à attendre des clients, ou passer des heures à placer de la marchandise sur des tablettes. Ouache ! Tu parles d'un travail plate ! J'ai ben assez, *fly bean*, de vous aider à faire l'inventaire une fois par année.

Alors, Eugène avait cessé de s'acharner.

En réalité, soyons honnêtes, il n'avait jamais été capable de tenir tête à sa fille très longtemps ! C'était plutôt Roberte qui ramenait les pendules à l'heure au besoin, lorsque la jeune Laurette exagérait.

— Non ! Pas question de rentrer plus tard que minuit, tu m'entends !

— Mais moman…

— Pas de « moman » qui tienne.

Devant la mine boudeuse de sa fille, Roberte se retenait pour ne pas éclater de rire, ce qui aurait jeté de l'huile sur le feu, car la demoiselle était d'une nature plutôt prompte, tout comme son père.

— Pauvre enfant ! disait-elle plutôt sur un ton sentencieux. Attends d'être une moman à ton tour, tu vas tout comprendre.

— Non ! C'est toi qui comprends rien à rien… Toutes mes amies rentrent plus tard ! *Fly bean,* moman ! Si je promettais de revenir à…

— Arrête-moi ça tout de suite, tu perds ton temps. C'est pas négociable... Passe une belle soirée quand même, ma belle Laurette! Pis moi, j'vas t'attendre pour minuit. Fais ben attention de pas dépasser l'heure, ma fille, parce que ton cavalier va se changer en souris.

Laurette partait alors en haussant les épaules d'exaspération.

Heureusement, la rancune n'était pas un défaut que la jeune fille entretenait, et dès le lendemain, au déjeuner, elle avait déjà tout oublié, et elle pépiait comme un petit moineau, racontant sa soirée dans les moindres détails.

En revanche, avec une jeune personne qui ne pouvait compter ses amis tant ils étaient nombreux, les cavaliers s'étaient succédé les uns après les autres durant quelques années, à un rythme parfois affolant! Jusqu'au jour où un certain Jean-Michel avait fait son apparition dans leur salon.

Du jour au lendemain, la jeune fille s'était rangée. Fini le temps des *partys* du vendredi dans le sous-sol de ses amis, les excursions en bande durant les jours de congé et les soirées de danse tous les samedis soir dans la grande salle de l'école.

Deux ans plus tard, un mariage princier, la grande fierté d'Eugène, d'ailleurs, que cette réception coûteuse et extravagante, avait scellé l'amour des deux tourtereaux. Par la suite, Laurette avait proposé de bon cœur de travailler au commerce familial, comme si cela allait de soi, afin de remplacer Maurice, qui avait dû s'absenter durant quelques mois pour des problèmes de santé.

Ces belles semaines d'hiver et de printemps, alors que toute la famille était réunie à travailler ensemble au magasin restaient, encore aujourd'hui, comme une joyeuse éclaircie dans la vie de Roberte. Ces quelques mois qui avaient passé trop vite comptaient parmi ses plus beaux souvenirs.

Une première maternité que Laurette n'avait pu mener à terme avait amené une conclusion prématurée à l'entente qu'elle avait prise avec son père. La naissance du petit Simon avait ensuite clos définitivement cette époque de leur vie commune dans le magasin. Eugène n'était jamais revenu sur le sujet, malgré le fait que sa fille avait dû attendre quelques années avant de connaître la joie d'être mère.

Aujourd'hui, la jeune femme était l'heureuse maman de deux garçons, Simon, six ans, et Nicolas, deux ans. Un troisième bébé était en route, à la grande satisfaction de Roberte, qui adorait son rôle de grand-maman. La venue d'une seconde petite-fille la comblerait, même si elle savait pertinemment qu'un autre petit-fils serait accueilli avec tout autant d'amour. En résumé, et malgré les petits aléas inévitables de l'existence, Roberte considérait que la vie continuait d'être très douce à son égard.

En fait, ce qui l'enchantait un peu moins, c'était l'attitude de son mari vis-à-vis leur garçon depuis ces tout derniers mois.

— C'est plus vraiment de l'entêtement, son affaire, c'est de l'acharnement! grommela-t-elle tout en pelant machinalement quelques carottes.

Roberte ne comprenait pas. Elle avait l'intuition que son Eugène se sentait un peu coincé dans une situation désastreuse qu'il avait lui-même provoquée. Voilà pourquoi il se rebiffait, chaque fois qu'elle essayait d'en discuter avec lui. En fait, elle soupçonnait son mari d'avoir élaboré tout un scénario qui lui suggérait, à tort, que s'il choisissait d'entrouvrir la porte de la réconciliation, il perdrait la face devant sa famille. Probablement qu'à ses yeux, cette perspective semblait tout à fait intolérable. Et plus le temps passait, pire était son angoisse. Quoi d'autre pour justifier son entêtement, même si une telle appréhension serait non seulement déraisonnable, mais aussi passablement ridicule?

Parce que oui, Roberte avait bien tenté d'aborder le sujet, quand ils se retrouvaient seuls le dimanche, sachant que personne n'aurait pu le faire à sa place.

Malheureusement, les deux tentatives s'étaient soldées par des échecs, et une grosse déferlante de mauvaise d'humeur s'était ensuivie jusqu'au milieu de la semaine suivante. Roberte s'était donc dépêchée d'oublier la mission qu'elle s'était donnée. Rien ne la déstabilisait plus que la maussaderie de son mari, habituellement si tendre et si gentil à son égard. En revanche, quand il grognait et tempêtait, elle en perdait tous ses moyens. Dans le cas qui la préoccupait présentement, elle se disait, philosophe, que le temps finirait bien par arranger les choses.

Puis ce matin, Laurette lui avait rendu visite, et la vieille dame avait compris qu'elle ne pourrait indéfiniment se cacher la tête dans le sable pour attendre que l'orage finisse par passer sans intervenir.

— Notre fille a raison, ça a juste pas d'allure d'être buté à ce point-là, bougonna-t-elle, tout en manipulant l'économe.

Exaspérée, la vieille dame avait accéléré la cadence, et le cliquetis du couteau résonnait dans la cuisine.

— Pauvre Eugène ! Il peut toujours ben pas bouder son garçon jusque sur son lit de mort... Jamais j'aurais cru que mon vieux mari pouvait être aussi grincheux. Tête dure oui, mais pas rancunier à ce point-là ! Chose certaine, c'est pas agréable pour personne dans la famille... Pis moi, ben, ça commence à me taper sérieusement sur les nerfs !

Tout en chuchotant, Roberte songeait encore à la courte visite que leur fille lui avait faite, en fin d'avant-midi, à l'heure où elle savait que son père s'absentait pour effectuer les livraisons.

Roberte rinça les carottes tout en regardant par habitude par la fenêtre. Elle soupira bruyamment.

C'était une journée de février glaciale et venteuse. Le soleil ressemblait présentement à une grosse boule incandescente qui plongeait doucement sous l'horizon, au bout de la ruelle. Malgré sa présence brillante qui avait régné sur la ville durant toute la journée, l'astre du jour n'avait été qu'une illusion de chaleur, un pied de nez que l'hiver leur avait fait, se moquant des passants qui marchaient à pas rapides, le nez enfoui dans les foulards ou les mitaines parce qu'en réalité, il faisait un froid à pierre fendre !

Roberte frissonna.

Elle n'avait jamais aimé l'hiver, et si la chose était possible, elle l'aimait un peu moins à chaque année qui passait.

Bien involontairement, elle eut une pensée pas très maternelle envers Émilien. Si leur fils avait accepté de prendre la relève, aussi, elle aurait pu filer dans le Sud en même temps que les outardes en compagnie de son mari et...

Sans terminer sa réflexion, parce qu'elle la trouvait tout à fait décevante et profondément injuste à l'égard de son garçon, Roberte secoua vigoureusement la tête, et elle ramena aussitôt ses pensées à la visite de sa fille, tout en allumant le rond sous le chaudron des carottes.

Puis, elle s'attaqua aux pommes de terre.

Laurette l'avait rejointe au magasin, sur le coup de onze heures. La tuque enfoncée jusqu'aux yeux et le foulard enroulé par-dessus son menton, elle avait l'air d'une gamine. Les joues rougies et les yeux larmoyants, elle reniflait tous les deux mots.

— Satané hiver ! avait-elle lancé en guise de salutation.

— À qui le dis-tu ! lui avait aussitôt répondu Roberte.

La mère et la fille, qui s'entendaient à merveille, avaient alors échangé un sourire.

— Veux-tu ben me dire où sont les garçons? Toujours ben pas tout seuls chez vous!

— Ben non, voyons! Ils sont chez nous, oui, mais avec Jean-Michel. T'as ben dû entendre ça aux nouvelles d'à matin, que les écoles étaient fermées à cause du froid?

— Ben oui! Ça se peut-tu! Il faut qu'il fasse froid en cârosse pour qu'on pense à fermer les écoles!

— En effet. Et je te le confirme: c'est vraiment le cas. Malgré ça, comme mon mari avait décidé de prendre une semaine de congé pour finir de préparer la chambre du bébé, même si l'accouchement est pas pantoute prévu pour tout de suite, j'en ai profité pour venir te voir... Après ça, ça va être plus difficile pour Jean-Michel de s'absenter du travail.

— C'est vrai...

Le gendre de Roberte travaillait au Jardin botanique comme horticulteur. Dès la fin du mois de février, il commençait à planter les semis dans les grandes serres, et les jours de congé se faisaient plutôt rares pour lui.

— Mais quand même! Veux-tu ben me dire pourquoi t'es sortie par une journée pareille? Juste à y penser, j'en ai le frisson.

— Par obligation, imagine-toi donc!

— Ben là... J'ai hâte d'entendre tes explications, ma fille, parce que moi, je te répondrais qu'il y a pas un chat qui serait capable de m'obliger à sortir quand il fait aussi froid.

— En temps normal, moi non plus, mais c'est à cause d'Émilien que je voulais te parler. Comme je préférais le faire de vive voix, j'ai profité de la présence de Jean-Michel.

— Cârosse! Tu m'inquiètes! Il fallait absolument que tu fasses ça, drette-là? T'aurais pas pu attendre un autre jour?

— Pas vraiment, non! Pis tu vas vite comprendre pourquoi!

Tout en retirant ses mitaines, sa tuque et son foulard, Laurette avait expliqué à sa mère que son frère n'allait pas très bien.

— Comment ça, pas bien? avait lancé Roberte, tout de suite alarmée en interrompant sa fille. Il serait malade? Pourtant, je l'ai vu la semaine dernière, ton frère! On a même pris un café ensemble, chez eux. Pis d'après ce que j'ai vu pis entendu, tout allait pas pire pour lui.

— Émilien cache bien son jeu... Pis je te rassure tout de suite: non, il est pas malade, dans le sens d'une maladie grave. Mais pour le reste... Tu le connais comme moi, non? Mon frère a toujours été comme ça: plutôt renfermé quand vient le temps de montrer comment il se sent vraiment.

— Tant qu'à ça, t'as pas tort... Tel père tel fils. Il y a pas plus secret que ton père quand vient le temps de déclarer des sentiments... sauf avec moi, je dirais ben. Ton frère a probablement hérité ça de lui.

— Justement, en parlant de popa... C'est lui, le problème d'Émilien. Au point où il s'absente de plus en plus souvent de son travail, parce qu'il a pas le cœur à l'ouvrage... Tu t'es pas posé de questions, l'autre jour, quand tu l'as rencontré chez eux en plein milieu de la semaine ?

— Oui, un peu, avait approuvé Roberte avec hésitation. Mais Émilien m'avait dit qu'il venait de faire deux grosses semaines de ventes, pis que son patron lui avait offert de prendre une journée de congé. C'est pour ça qu'il en avait profité pour m'inviter à prendre un café.

— Ben t'aurais dû t'inquiéter un peu plus que ça, pis questionner Émilien, parce que c'était pas exactement la vérité. En fait, il voulait te voir, ça c'est vrai, mais c'était pour te parler.

— Me parler de quoi ?

— De notre père, voyons donc ! Il me semble que c'est pas trop dur à deviner, *fly bean* ! C'est de ça qu'on discute.

Sans tenir compte de la visible impatience de sa fille, Roberte avait continué à la questionner, car elle ne comprenait pas du tout ce que Laurette essayait de lui expliquer.

— Pourquoi est-ce que ton frère voudrait me parler d'Eugène ? avait-elle réussi à demander entre deux phrases. Ils se voient même plus.

— Ben justement. Il est là le problème ! La tête de cochon de popa fait en sorte que...

— Reste polie, Laurette ! Quoi qu'il ait pu dire ou faire, Eugène reste quand même ton père.

— D'accord, je retire mes mots. Mais t'avoueras avec moi qu'il a la tête dure pas à peu près ! Pis en ce moment, à cause de son vilain caractère, popa est en train de bousiller notre famille. Comment veux-tu, après ça, que je reste là, sans dire un mot et sans m'en mêler ?

— Bousiller la famille ? Tu y vas quand même un peu fort, ma fille ! À mon avis, il y a rien de « bousillé » pantoute, comme tu dis. C'est juste un gros malentendu qui, de toute façon, va finir par disparaître avec le temps. À mon avis, c'est juste temporaire.

— Ça, c'est toi qui le dis ! Moi, j'en doute un peu. Après quasiment huit mois de bouderie, j'suis plus sûre pantoute que popa a l'intention de revoir Émilien un jour.

— Ben voyons donc ! Qu'est-ce que tu vas penser là ?

Après cette protestation qui manquait un peu de conviction, Roberte était restée silencieuse, décontenancée. La situation semblait nettement plus compliquée et tendue que tout ce qu'elle avait pu imaginer. Un vent de tristesse lui avait traversé le cœur, à la pensée que son fils était malheureux comme les pierres et qu'il n'avait pas osé se confier à elle. Puis, ce fut un élan de colère qui avait fait débattre son cœur. Eugène n'avait pas le droit de faire souffrir leur fils comme il le faisait présentement.

— Vois-tu, moman, moi aussi, je lui en veux, à popa, avait poursuivi Laurette, la voix pleine de larmes. Pis beaucoup à part de ça ! Voir mon frère déprimer de plus en plus, ça me bouleverse.

— Ton frère serait déprimé ? Allons donc ! S'il y a quelqu'un de stable pis d'accommodant, c'est bien notre Émilien !

— En un sens, oui. Mais là, popa a dépassé les bornes ! Émilien se sent pas juste rejeté, il se sent ignoré. Pour lui, c'est comme si papa avait brusquement balayé du revers de la main toutes les années qu'il a passées ici, à travailler pour lui.

— J'ai comme l'impression que t'exagères quand même un peu. Si c'était aussi pire que tu le dis, ma pauvre Laurette, Émilien aurait réagi ben avant aujourd'hui. Personne a envie de rester malheureux aussi longtemps.

— Non, c'est vrai. Pis c'est justement ce qu'il voulait faire quand il t'a invitée à prendre un café. Il en peut plus, pis il voulait te le dire. Mais à la dernière minute, il a pas osé. Il te connaît suffisamment pour savoir que ça t'aurait fait de la peine. Beaucoup de peine. Pis ça, notre Émilien si bienveillant était pas capable de l'envisager. On le sait que pour toi, la famille est ce qu'il y a de plus important dans ta vie. Tu nous l'as appris quand on était encore tout petits. Toute notre enfance a été bercée par ces mots-là : la famille ! Pis t'avais raison. Aujourd'hui, Émilien pis moi, on agit exactement comme toi… Tu sais, moman, mon frère a beau avoir levé le nez sur le commerce, c'est pas un ingrat. Pis c'est surtout pas notre famille qu'il voulait renier en agissant comme ça.

— Je le sais très bien…

Un autre silence s'était glissé dans la pièce. Au loin, on entendait le murmure de deux voix masculines qui discutaient. Maurice devait être avec un client. Roberte avait secoué sa tête blanche, puis elle avait dévisagé sa fille.

— Moi, je le sais, oui. Mais on dirait que ton père le voit pas… Ton frère a toujours été quelqu'un de doux, de sensible, pis de ben discret… Au point où ça me paraît un peu trop gros, l'idée qu'il se soye décidé à te confier tout ça.

— C'est pas lui qui l'a fait, moman, c'est Gisèle, avait alors admis Laurette. Elle en peut plus de voir son mari abattu. Et tout ça, c'est à cause de popa. Parce qu'autrement, Émilien aime vraiment son nouveau travail chez le marchand de meubles. Mais comme il sent la rancœur de popa, c'est un peu à reculons qu'il entre à son boulot le matin. Gisèle m'a avoué qu'Émilien se sent coupable de vous avoir laissés tout seuls au magasin, et chaque fois qu'il y repense, il s'en veut et il se dit qu'il est pas à la bonne place.

— Ah oui? Tu vois, de ça non plus, Émilien a rien dit pantoute. Pauvre garçon… Ce que je comprends moins, par contre, c'est pourquoi il a refusé l'offre de ton père, s'il aime travailler comme vendeur. Vendre des meubles ou vendre un peu de tout, ça revient au même, non ?

— Pantoute...

La réponse de Laurette avait fusé sans la moindre hésitation.

— Comment je pourrais te dire ça... Je pense qu'Émilien avait besoin d'un peu d'air frais.

— Je te suis pas.

— Voyons, moman ! Ça faisait déjà plus de vingt-cinq ans que mon frère travaillait pour popa, dans un magasin qu'il connaissait par cœur, à voir toujours les mêmes clients. Il en a eu assez, c'est tout !

— Ouais... C'est vrai que ton frère a commencé à travailler quand il était encore un petit garçon. Cârosse ! Je le disais aussi, que douze ans, c'était trop jeune pour travailler.

— Il y a un peu de ça, oui. Mais *fly bean*, en même temps, c'est pas mal plus que ça ! Émilien a juste dit qu'il voulait plus travailler ici, il tourne pas le dos à sa famille pour autant. Je le sais pas si popa espère encore le retour de son fils en arrière du comptoir du magasin pour lui reparler, mais il est aussi bien d'oublier ça. Émilien reviendra jamais travailler ici...

— Voyons donc, Laurette ! À t'entendre parler, on dirait que ton frère a vécu l'enfer avec nous autres.

— L'enfer, non, mais je le comprends quand même. Moi aussi, j'ai travaillé ici, et popa est un patron très exigeant. Trop, même ! Je le sais pas si c'est parce qu'on est ses enfants, mais c'est lourd, par moments.

À ces mots, Roberte avait haussé les épaules.

— Ton père est comme ça, Laurette, avait-elle laissé tomber, sur un ton désabusé. Exigeant pour lui comme pour les autres, pis c'est pas à son âge qu'on va pouvoir le changer.

— Peut-être ben que non, mais moi, je comprends Émilien d'en avoir eu assez...

— Ouais... T'as peut-être pas tort.

— Pis là, c'est moi qui commence à en avoir plein le dos de nos pseudo-réunions de famille, comme si j'étais une fille unique ! Je pense que j'ai jamais passé un Noël aussi plate de toute ma vie !

— C'est vrai que c'était ben différent sans la famille de ton frère.

— Même mes deux garçons s'en sont rendu compte, pis ils sont encore ben petits, avait confessé Laurette. Ça fait trois ou quatre fois qu'on mange ensemble avec nos familles, Émilien pis moi, pis à chaque fois, Simon me demande pourquoi vous êtes pas là, popa pis toi. Que c'est tu veux que je réponde à une question comme celle-là ? Je peux toujours ben pas expliquer que c'est à cause de son grand-père qui fait la baboune ! Là c'est vrai que mon petit Simon comprendrait plus rien.

Et après une longue inspiration, la jeune femme avait lancé, tout de go :

— Penses-tu que tu pourrais parler à popa, toi? S'il te plaît, moman, dis oui! Je m'ennuie du bon vieux temps où on avait du plaisir tous ensemble!

Et Roberte avait dit oui.

Sans hésitation, puisque ses deux enfants étaient malheureux.

Elle en avait même fait une promesse solennelle, et c'est à cela qu'elle réfléchissait tout en préparant le souper.

Mais comment allait-elle réussir à parler à Eugène sans qu'il s'emporte? Pour l'instant, elle n'était certaine de rien.

— Sauf peut-être qu'en lui faisant miroiter la retraite, je devrais être capable d'arriver à mes fins, murmura la vieille dame, tout à fait consciente qu'elle allait probablement avoir droit à une tempête de tous les diables.

De celles qu'elle avait toujours cherché à éviter à tout prix.

Or, devant les imprécations et les colères, Roberte avait toujours été démunie. Les répliques pertinentes et les paroles cinglantes ne lui venaient que par après, lorsqu'elle se retrouvait seule et qu'il était trop tard pour impressionner qui que ce soit. Alors, depuis toujours, peut-être, Roberte évitait toutes les discussions où le ton risquait de monter.

Mais là, elle n'aurait pas le choix.

Toutefois, pour affronter Eugène, elle devrait être bien préparée, car elle savait pertinemment que tout ce qu'elle pourrait proposer ne serait qu'un pis-aller aux yeux de son mari. Il avait tant espéré léguer son commerce à son fils, cela faisait des années qu'il en rêvait ! Et Roberte admettait que ce souhait était légitime pour un être aussi entier qu'Eugène. Elle devrait donc commencer par se convaincre elle-même du bien-fondé de sa proposition, avant de chercher à convaincre son Eugène.

Elle avait une bonne santé, malgré les petits soucis causés par l'âge ; et même si elle aurait nettement préféré pouvoir arrêter de travailler au printemps dernier, elle avait encore suffisamment d'énergie pour voir à la tâche sans trop souffrir de ce changement de programme.

Du moins, pour un petit moment encore !

Cela lui laisserait le temps de faire le deuil de tout ce qu'elle avait connu au fil des années. Le temps de laisser partir l'inutile pour ne garder que l'essentiel à travers une foule de merveilleux souvenirs.

Roberte regarda longuement autour d'elle, le cœur tout de même un peu triste. Cette maison, elle l'avait choisie avec Eugène, et…

— Non, j'ai rien choisi pantoute, reconnut-elle à mi-voix, un brin décontenancée qu'une telle vérité se soit imposée à elle. Mais j'avoue que j'ai bien aimé ce que mon mari avait choisi pour nous deux, par exemple… C'est fou, mais quand j'y pense comme il faut, je me rends compte que j'ai pas choisi grand-chose toute seule. Pour la maison, aussi, je l'avais laissé décider sans dire quoi que ce soit. Il est peut-être là, le vrai problème… Si j'avais donné mon avis plus souvent, tenu mon bout régulièrement, peut-être ben qu'Eugène serait moins autoritaire... Ouais, ça se pourrait bien que j'aye raison, mais comme je pourrai jamais en être vraiment certaine, j'suis aussi bien d'arrêter d'y penser tusuite. Comme ça, j'aurai pas de regrets inutiles. Une chose est sûre, par contre! Je pourrai jamais partir d'ici avec le sourire aux lèvres... Jamais!

Car depuis la visite de sa fille, Roberte avait compris que s'ils voulaient prendre leur retraite, Eugène et elle, la vente du commerce serait l'unique solution.

En ce moment, bien froidement, Roberte le reconnaissait, même si cela l'angoissait un peu.

La vieille dame poussa un long soupir de déception, car malgré tout, elle aussi avait continué d'entretenir le fragile espoir qu'Émilien reviendrait sur sa décision et reprendrait sa place au sein de l'entreprise.

Ce vœu pieux était bel et bien mort, emporté par les confidences, la tristesse et les attentes de sa fille.

Voilà pourquoi, tant que son Eugène serait à la hauteur du travail exigé par leur magasin, elle ne dirait rien d'une éventuelle vente de leur commerce. C'était là une perspective que Roberte aurait à accepter elle-même avant d'aborder le sujet avec son mari. Elle s'obligerait à y penser régulièrement, de plus en plus souvent. Elle dresserait la liste de tous les avantages qu'ils en tireraient, et elle les apprendrait par cœur, car sa mémoire se faisait de plus en plus capricieuse, et elle ne pouvait plus compter sur sa fidélité comme auparavant.

Oui, malgré le risque d'une discussion qui serait fort probablement houleuse, Roberte allait se préparer. Connaissant son Eugène, elle ne se faisait aucune illusion sur le sujet : le moment serait pénible à vivre.

Mais là encore, elle ferait face à la musique, en temps et lieu.

En attendant, elle irait voir Émilien pour qu'il comprenne qu'elle ne lui en voulait pas le moins du monde. Elle lui dirait que son père allait finir par comprendre qu'il était profondément injuste à son égard, et elle lui promettrait, à lui aussi, qu'elle ferait tout en son pouvoir pour que leur vie familiale retrouve ses bases habituelles le plus rapidement possible afin de retrouver leur vie d'avant, basée sur le respect et la bonne entente.

Roberte retira du feu le chaudron des carottes et elle le déposa sur un sous-plat, sur le comptoir. Que dirait Eugène s'il fallait qu'elle les oublie comme l'autre jour, et qu'encore une fois, ils soient obligés de jeter le chaudron aux ordures, tellement il serait abîmé par les carottes calcinées ?

Roberte préféra ne pas y penser !

Soucieux, Eugène hausserait sûrement le ton, avec raison, puis il la suivrait comme un petit chien de poche durant plusieurs jours. Elle n'avait surtout pas besoin de cela présentement. Non seulement cette attitude l'agaçait prodigieusement – qui n'oublie jamais rien, n'est-ce pas? –, mais cela risquait de provoquer de l'inquiétude chez son mari. Elle savait que ce souci découlait d'une bonne intention et qu'il était enrobé d'amour, mais franchement, c'était tout de même plutôt agaçant. Puis, quand Eugène était irrité, anxieux ou fatigué, inutile d'espérer avoir une discussion franche et éclairée avec lui.

Pour l'instant, la seule chose qui la retenait encore, c'était la perspective d'être obligée de déménager.

— Une semaine, décréta-t-elle, tout en vidant l'eau des pommes de terre dans l'évier. Je me donne une semaine pour me faire à l'idée que je peux être heureuse ailleurs qu'ici, pis je parle à Eugène!

Sur ce, elle déposa cette seconde casserole sur un autre sous-plat, avant de sortir le beurre et le lait pour préparer une purée onctueuse comme son mari les aimait. Ensuite, elle ajouterait une pincée de thym sur les carottes, ainsi qu'une cuillerée de crème, quelques grains de sucre et un peu de sel. Avec une galette de bœuf haché, ce serait un excellent repas.

Un repas qu'Eugène allait apprécier.

À cette pensée, Roberte esquissa un sourire malicieux. Durant la prochaine semaine, le cher homme allait se sentir comme un coq en pâte! Elle se promettait bien de le gâter comme cela n'était pas arrivé souvent dans leur vie à deux!

Et quand Roberte se rendrait compte que le fruit était mûr, elle n'aurait plus qu'à tendre la main pour le cueillir.

* * *

Deux jours plus tard, au matin de la Saint-Valentin, Rita se leva de très bonne humeur. Non seulement le froid glacial qui givrait les vitres de sa fenêtre depuis plusieurs jours avait-il disparu durant la nuit, ce qui laissait présager qu'il faisait nettement plus doux, mais la veille, en fin d'après-midi, Mado avait promis de venir la seconder pour le premier repas de la journée, malgré le fait que de son côté, elle avait un horaire personnel plutôt rempli.

— Voyons donc, Rita ! Quand est-ce que je t'ai laissée tomber, hein ?

La patronne du casse-croûte avait fait semblant de chercher.

— Jamais, avait-elle finalement concédé, tout en faisant un clin d'œil complice à sa serveuse de toujours. C'est vrai que t'as toujours été là, dans les bons comme dans les mauvais moments. Ciboulette ! T'as même appris à cuisiner pour me dépanner. C'est tout dire !

— C'est ben ce que je pensais, aussi... Pis je vois pas ce qu'il y aurait de changé aujourd'hui. Amie un jour, amie toujours... J'sais pas trop où c'est que j'ai déjà entendu quelque chose qui ressemblait à ça, mais dans mon cas, c'est vrai en soda ! Demain, j'vas être là jusqu'à midi, tu peux compter sur moi.

En effet, en ce jour des amoureux, la salle à manger du casse-croûte faisait toujours salle comble pour le premier repas de la journée. D'autant plus que cette année, la fête tombait un samedi ! Rita s'attendait donc à faire deux et peut-être même trois services.

La plupart du temps, c'étaient les couples de personnes âgées qui venaient célébrer chez elle tout au long de l'avant-midi. Plusieurs prolongeaient souvent leur petit plaisir jusqu'à l'heure du dîner, buvant café sur café. Comme ils se connaissaient à peu près tous, la pièce résonnait de joyeuses conversations auxquelles Rita se mêlait avec plaisir.

Ensuite, il y avait toujours un petit creux de vague.

Mado en profiterait alors pour filer chez elle, puisqu'elle avait un souper à préparer afin de l'emporter plus tard chez les Lamoureux, car oui, la glace était enfin brisée entre les deux femmes qui avaient le plus d'importance aux yeux du pharmacien. Chaque fois qu'il venait faire son tour au casse-croûte, Rita ne pouvait s'empêcher de penser que Valentin Lamoureux semblait avoir rajeuni de dix ans ! Cet éclat de jeunesse qui pétillait dans ses yeux faisait vraiment plaisir à voir.

Mais le changement de statut des deux amoureux, passant de clandestin à officiel, ne s'était pas fait sans quelques grincements de dents. Ce qui était à prévoir !

En revanche, si la porte s'était entrouverte, Mado ne pouvait encore prétendre qu'elle était vraiment la bienvenue chez Adrienne Lamoureux. Certes, la vieille dame tolérerait sa présence de temps en temps. Il n'en restait pas moins que leur relation n'était qu'un échange poli sur les banalités du quotidien, et encore, pas aussi souvent que Mado l'aurait souhaité ! Toutefois, la serveuse se disait qu'il faut un début à tout, et que ce qu'elle vivait présentement avec Valentin valait cent fois mieux que d'être obligée de se rencontrer à la sauvette. Chaque fois qu'elle repensait à ces dernières années, Mado en frissonnait de consternation. Voir que cela avait été normal, à leur âge, d'être obligés de se fréquenter en cachette !

Quoi qu'il en soit, ce temps était désormais révolu, et pour une femme telle que Mado, d'abord et avant tout pragmatique, c'était un premier pas de fait. Elle estimait que le reste devrait suivre sans trop de difficulté.

Et ce « reste » était pour elle un synonyme du mot « mariage ».

Dans cette visée, depuis la nuit du réveillon où Mado avait cru sentir une forme d'acceptation, elle ne voulait surtout pas rater une seule occasion de rencontrer celle qui serait sa belle-mère un jour. À moins que celle-ci ne passe l'arme à gauche avant, ce qu'une Mado au grand cœur ne souhaitait pas nécessairement.

— Au réveillon, c'est ma bûche au chocolat qui a fait toute la différence, avait-elle expliqué à Rita, au lendemain de Noël, sur un ton on ne peut plus sérieux.

Les deux femmes étaient en train de remettre la cuisine en état de marche, après une fermeture de plus de vingt-quatre heures.

— Ciboulette, Mado ! Comment veux-tu qu'un simple gâteau, même ben bon, fasse la différence ? avait donc demandé Rita, sur un ton dubitatif, tout en mettant de l'eau dans la machine à café. Tu dois te tromper !

— Non, je me trompe pas. Pis mon gâteau était... comment dire... Il était spectaculaire, tu sauras ! avait alors répondu la serveuse, avec une certaine aigreur dans la voix, voyant que sa patronne ne la croyait pas. Je te jure que c'est après que madame Lamoureux a pris une couple de bouchées de ma bûche de Noël que j'ai vu dans ses yeux que moi pis mon gâteau, on venait tous les deux de compter des points. J'suis pas sûre pantoute que c'était de bon cœur, par exemple. Mais elle avait changé d'opinion sur moi, ça c'est certain, parce que la mère de Valentin me regardait plus de la même manière. Ça m'a un peu soulagée, parce que la veillée avait ben mal commencé. Soda ! Moi qui avais fourni des gros efforts pour avoir un beau dessert, j'avoue que le début de la soirée m'avait ben gros découragée.

— Je te suis pas, Mado.

— Soda, Rita ! Ça m'avait pris trois gâteaux roulés pour en réussir un qui avait de l'allure. Quasiment deux douzaines d'œufs, toi ! Pis trois heures de travail ! Ma cuisine avait l'air d'un vrai champ de bataille, mais ça en valait la peine, parce que madame Lamoureux a daigné me féliciter pour la grande qualité de ma pâtisserie... Ouais, c'est de même qu'elle a dit ça. Pis tusuite après, on a commencé à jaser ensemble, elle pis moi.

— Pas avant ?

Sur cette question, Rita avait alors soupiré, avant de poursuivre.

— Je comprends pas ce que t'essayes de m'expliquer, ma pauvre Mado… Madame Lamoureux t'a pas parlé avant le dessert ?

— Pas un mot. Quand elle avait de quoi à me demander, elle passait par son garçon.

— Comment ça, passer par son garçon ? Ciboulette, Mado ! Viens pas me dire qu'elle était pas capable de s'adresser directement à toi ? Ça se peut pas, voyons donc !

— Oh que oui, ça se peut ! Aussi vrai que j'suis là devant toi, madame Lamoureux m'a pas dit un traître mot… jusqu'au moment du dessert ! T'aurais dû voir ça, toi, quand j'suis arrivée chez elle ! C'est pas mêlant, elle avait le regard mauvais quand elle m'a vu la « bette » dans le cadre de la porte du salon, au point où je me suis sentie ben mal à l'aise. Pourtant, j'avais mis ma plus belle robe pis je m'étais maquillée soigneusement. À croire que c'était complètement inutile ! La seule envie que j'avais à ce moment-là, c'était de prendre mes jambes à mon cou, pour foncer jusque chez nous, enfiler ma jaquette en « flanellette », pis fêter Noël avec un bon chocolat chaud, pis une montagne de biscuits que j'avais faits moi-même.

— Ciboulette ! Elle avait l'air bête à ce point-là ?

— Hum, hum… Pis j'ai pas fini !

Mado avait fait une courte pause avant de poursuivre. Visiblement, elle rassemblait ses idées pour ne rien oublier.

Puis, elle s'était lancée.

— Toujours est-il que madame Lamoureux attendait dans le salon que son fils revienne de la messe de minuit. Sa chaise roulante était proche de la cheminée, pis elle avait les jambes emmitouflées dans une couverte de laine à carreaux. Une vraie image, comme celles qu'on voit des fois dans les livres qui racontent des histoires de l'ancien temps.

Sur ce, la serveuse avait levé les yeux vers l'horloge qui surmontait le long comptoir, et elle avait esquissé un sourire.

— On a quelques minutes devant nous, avait-elle constaté.

Elle avait alors jeté sa gomme dans la poubelle près d'elle.

— Ça sent trop bon ! Je nous sers chacune un grand café, pis j'vas toute te raconter ma veillée !

La soirée avait commencé par une messe de minuit où Valentin lui avait tenu la main tout au long de la cérémonie. Les regards qu'ils avaient échangés n'avaient rien à envier à ceux de deux jeunots transis d'amour.

— C'est pas mêlant, le temps d'une messe, j'ai vraiment eu l'impression d'avoir encore dix-huit ans !

C'est au moment où Valentin et elle étaient entrés dans l'opulente maison des Lamoureux que l'atmosphère était devenue tendue.

— Pourtant, Valentin m'avait juré ben dur qu'il avait «très bien préparé» sa mère à me rencontrer.

Comme le pharmacien l'avait raconté, cela faisait un bon bout de temps qu'il plaidait sa cause, pour finalement en arriver, quelques jours auparavant, à prévenir sa mère que son amie Mado serait de leurs festivités, cette année.

— Que vous disiez non, mère, ne changera rien à nos projets, sinon que j'irais festoyer chez elle.

— Tu m'abandonnerais?

— Nullement... Vous le savez très bien que je serai toujours là pour vous, ne faites pas semblant d'en douter. Toutefois, si vous refusez que Mado vienne ici, c'est moi qui irai chez elle pour le réveillon. Je serais tout simplement absent pour quelques heures. Ce n'est pas précisément ce que j'appelle un abandon!

— Ça, c'est toi qui le dis, mon pauvre garçon. Au simple ton que tu emploies, Valentin, et aux mots que tu utilises avec moi, ta propre mère, il est clair comme de l'eau de roche que cette femme a une très mauvaise influence sur toi.

— Pas du tout! Mademoiselle Champagne est une femme de cœur, toujours de bonne humeur, et j'apprécie sa présence dans ma vie. Vous allez devoir vous y faire. Mais je ne vous impose rien. C'est à vous de choisir, mère!

Le ton était un peu brusque et assurément très décidé. Ce qui, en soi, dépeignait un Valentin passablement différent que celui qu'Adrienne avait toujours connu. Ce que la vieille dame ne savait pas, c'est que depuis le soir où son fils l'avait trouvée inanimée sur le parquet de leur cuisine, et que les médecins par la suite n'avaient détecté aucune cause à ce soudain malaise, le pharmacien entretenait le doute sur le fait que sa très chère maman lui avait peut-être joué la comédie.

Mais comment le prouver?

— À moi de choisir? s'était exclamée Adrienne. Quelle baliverne! Que veux-tu que je fasse pour t'empêcher de la rencontrer? Je suis clouée à ce fauteuil maudit! Aussi bien passer la nuit de Noël en sa grossière compagnie que d'être condamnée à rester seule.

Voilà tout ce que Valentin avait raconté à Mado pour que celle-ci ne tombe pas des nues quand elle entrerait chez lui. Il l'avait prévenue que l'accueil risquait d'être un peu froid, sinon glacial. Il lui avait aussi demandé de ne pas porter sa bague de fiançailles. Il préférait attendre encore un peu avant d'officialiser leur engagement auprès de sa mère.

Et c'était ce que la serveuse avait répété à ce moment-là à Rita, qui l'avait écoutée sans intervenir, les yeux écarquillés d'étonnement.

— Soda! Tout ça pour te dire que j'ai rarement vu un air bête comme celui-là, avait donc déclaré Mado. Elle m'a regardée comme si j'étais une des sept plaies d'Égypte. Il y avait tellement de mépris dans son regard que moi, Mado Champagne, la reine des réparties, j'en suis restée muette. J'étais comme changée en statue de glace ! Ça se peut-tu ? Au point que j'en ai frissonné. Mais comme on arrivait de dehors, ça a eu l'air quasiment normal. Ensuite, la vieille pas fine s'est retournée vers Valentin pour lui demander de la conduire à la salle à manger... Pas de bonjour pour moi, pas d'invitation à la suivre, pas de signe de tête, rien ! J'ai eu droit à un gros « rien pantoute », Rita. Pareil que si j'avais pas été là.

— Ciboulette ! Tu parles d'une affaire.

Par la suite, Mado avait expliqué que son amoureux lui avait glissé à l'oreille de l'attendre au salon. Il viendrait la chercher bientôt.

— On a sûrement pas la même notion du mot « bientôt », Valentin pis moi, parce que j'ai eu le temps de faire l'inventaire au grand complet de leur salon avant qu'il revienne... Laisse-moi te dire qu'il y a plus de richesses dans cette seule pièce-là qu'on en aura jamais dans toute notre vie, toi pis moi.

— Tant que ça ?

— C'est comme je te dis, pis encore plus !

Le repas avait été à l'avenant de la réception distante que la vieille dame avait réservée à Mado au retour de l'église. Dans une pièce aussi vaste que le salon, madame Lamoureux était assise à la place d'honneur, au bout d'une immense table recouverte d'une nappe immaculée et sans faux plis. Après un court moment, Mado avait compris que la vieille femme attendait que son fils serve le repas qu'il avait acheté le matin même, dans un grand restaurant, parce que sur un petit sourire contrit, Valentin s'était retiré à la cuisine.

— Mais avant, il m'a gentiment aidée à m'asseoir à ma place. Malgré la face de « beu » de sa mère, Valentin était toujours aussi *sweet* avec moi. Mais dans l'ensemble, c'était tellement frette comme atmosphère, Rita, que j'ai même pas osé demander à mon fiancé s'il avait besoin de mon aide. Faut-tu que j'aye été dans mes petits souliers, pas rien qu'un peu, pour le laisser faire le service tout seul, quand c'est mon métier à moi !

— Disons que ça te ressemble pas vraiment de rien faire. J'en reviens juste pas.

— Ben moi non plus, j'en revenais pas. C'était tellement différent de tout ce que j'ai connu dans ma vie, de tout ce que j'avais espéré de cette soirée-là, que je me suis demandé ce que je faisais là. Soda que j'étais mal à l'aise ! C'est pas des farces, Rita, leur vaisselle a une bordure toute en or, les verres sont tellement minces que j'avais peur de les casser en buvant dedans, pis les ustensiles sont en argent ben pesant, avait alors expliqué Mado. En plus, il y en avait tellement d'enlignés des deux bords de l'assiette, que je savais pas par quel bout commencer. Oh ! Je savais que ça existait, des belles tables de même, je l'ai déjà vu dans les films, pis j'suis quand même pas si niaiseuse que ça, mais c'était ben la première fois que j'allais manger dans de la belle vaisselle comme celle-là… Ouais, c'était ben impressionnant, tout ça ! Même les grands restaurants où Valentin m'amène des fois ont pas des assiettes aussi belles que celles de sa mère… Mais laisse-moi te dire que j'ai eu la preuve que c'est pas la richesse qui rend le monde gentil ou poli, par exemple, avait-elle ajouté avec humeur.

À ce souvenir, Mado avait secoué la tête dans un grand geste de négation.

— Imagine-toi donc, Rita, que même si elle pis moi, on était assises autour de la même table, pas vraiment loin l'une de l'autre, la mère de Valentin a continué de m'ignorer comme si j'étais une potiche. Tout le temps que Valentin a été dans la cuisine, elle a joué avec ses bagues, en regardant drette devant elle, pour être ben certaine de pas croiser mon regard. Puis quand Valentin a été là, elle passait par lui quand elle voulait me dire quelque chose, comme je te l'ai expliqué tantôt… « Aurais-tu l'obligeance de demander à cette dame de me passer le sel, cher Valentin ? », avait alors parodié Mado.

Puis, elle avait poussé un profond soupir.

— Ça se peut-tu être « pognée » par en dedans à ce point-là ? Une chance que j'aime vraiment Valentin, parce que durant le repas, j'avais encore plus envie de m'en aller, mais pas avant d'avoir lancé une bordée de bêtises à… à sa mère. J'vas rester ben élevée, pis je dirai pas comment moi, dans ma tête, j'ai appelé la mère de Valentin, ce soir-là…

Heureusement, la bûche au chocolat recouverte de crème moka avait été le point tournant de ce repas bien mal entamé.

— Il faut dire, sans me vanter, qu'il était pas mal beau, mon gâteau. Pis bon en soda ! J'avais acheté trois champignons en meringue à la pâtisserie Limoges pour le décorer, pis j'avais planté la petite hache en bois rouge que ma mère utilisait quand j'étais jeune. À partir de là, on dirait que j'ai arrêté d'être transparente comme un fantôme, pis madame Lamoureux s'est enfin décidée à me parler. Elle a pas dit grand-chose de brillant, à part parler du temps de pôle Nord qu'on connaît cet hiver, mais c'était déjà ça de pris, pis j'ai approuvé tout ce qu'elle m'a dit, en tournant ma langue sept fois dans ma bouche avant de l'ouvrir, comme ma mère m'a toujours conseillé de faire. C'était vraiment pas le temps de gaffer en disant pas les bons mots... J'vas m'en rappeler longtemps de ce réveillon-là... Ouais, jusqu'à ma mort, je crois ben !

Et voilà que ce soir, en ce jour de la Saint-Valentin, Mado allait retourner manger chez son fiancé. Elle avait bien l'intention d'en mettre plein la vue à celle qu'elle se permettait d'appeler maintenant sa future belle-mère, puisque les présentations avaient été faites dans les règles de l'art, et que, de toute évidence pour Mado, Valentin et elle se dirigeaient tout droit vers l'église d'une quelconque paroisse.

Voilà pourquoi, depuis la période des Fêtes, la serveuse était d'une humeur resplendissante.

— Tu vas voir, Rita, que j'vas finir par l'amadouer, la vieille malcommode ! avait déclaré Mado, la veille au soir, avant de quitter le casse-croûte. J'vas me rendre tellement indispensable qu'elle va accepter l'idée d'un mariage sans trop rouspéter. Pour ça, elle va manger comme au restaurant, à toutes les fois que j'vas être invitée à partager un repas avec elle, je te dis rien que ça ! Dans le fond, j'ai un peu pitié d'elle... Pauvre madame ! Ça doit pas être drôle pantoute de pas pouvoir se déplacer à sa guise. Pis là-dessus, si tu veux mon avis, je pense que Valentin doit se tromper d'un bout à l'autre quand il dit que sa mère fait peut-être semblant d'être paralysée des jambes. Voyons donc ! Voir que quelqu'un peut avoir envie de faire ça. Parce qu'à part chialer sur le monde, pis critiquer sur à peu près tout, il lui reste pas grand-chose pour se désennuyer. Mais j'suis d'accord avec lui, par contre, pour dire que le bon manger reste un de ses petits plaisirs dans la vie. La nuit du réveillon, j'ai vite constaté qu'elle avait bonne fourchette, la mère de Valentin. Pis mon fiancé m'a même dit qu'elle aimait ben gros la cuisine française. Quand elle pouvait encore marcher comme toi pis moi, ils allaient souvent au restaurant, Valentin pis elle. Ça fait que regarde-moi ben aller, Rita Bellehumeur ! Je me suis lancée dans la grande cuisine de France...

— Toi, ça ?

— Ouais, madame ! Même m'sieur Romano en reviendra pas ! La semaine passée, je me suis acheté un livre de recettes qui vient d'un grand chef de Paris que je me rappelle plus le nom. J'ai trouvé mon livre un peu plate, parce qu'il y a toutes sortes de mesures que je connais pas, mais tant pis ! Je me suis servi de ma jugeote, pis j'ai essayé le bœuf bourguignon. Je trouvais que ça sonnait en masse français, parce que d'abord et avant tout, c'est à madame Lamoureux que je veux faire plaisir. C'est un peu cher à préparer, vu qu'on doit mettre toute une bouteille de vin dans la recette, pis que ça prend une tonne de petits champignons frais, des lardons, que je dois demander au boucher en petites bouchées ben égales, pis ben des cubes de viande de « première qualité », comme c'est écrit, mais le résultat est plus que bon ! C'est ça que j'vas amener demain, avec des petites patates que j'vas faire rôtir une fois arrivée chez Valentin. J'vas aussi avoir une soupe que mon livre appelle un potage... euh... crépi ? Non, c'est pas de même que j'ai lu ça. C'est plutôt écrit un potage crécelle... ouais, je pense que c'est ça le nom de cette sorte de soupe-là. En tout cas, ça sonne comme ça, pis ça se fait avec des carottes, du bouillon de poulet, qu'eux autres appellent du bouillon de volaille, pis de la crème épaisse. Pour tester la recette, il a fallu que je m'achète un *blender*, mais Léonie avait ça dans son magasin, pis elle m'a fait un bon prix. Ça en valait la peine, parce que c'est vraiment une bonne soupe. Pis en plus, le *blender* est rouge. Tu devrais voir ça, toi ! Il *fitte* vraiment pas pire sur mon comptoir de cuisine.

Tout étourdie par le verbiage de Mado, Rita en était restée sans mot.

— Eh ben...

— Si ça te tente, j'vas te garder une portion de ma soupe. Tu vas voir comment c'est *smooth*... Ça coule dans la gorge comme un p'tit velours... Ben entendu, j'vas faire un gâteau au chocolat comme dessert, parce que c'est avec ça que j'ai attiré l'attention de madame Lamoureux. Je me suis dit que c'est comme ça que j'vas finir par gagner ses faveurs : en la flattant dans le sens du poil, pis en la gâtant un peu. Je me suis donnée jusqu'à l'été pour arriver à la convaincre que la meilleure chose qui pourrait lui arriver par les temps qui courent, c'est que je m'en vienne demeurer dans la même maison qu'elle. Ouais... Pis je te jure que j'vas réussir.

Jamais Mado n'avait eu l'air aussi déterminé qu'en prononçant ces derniers mots.

Ce fut sur le souvenir de cette conversation qui avait eu lieu la veille que Rita sauta en bas de son lit. Aussitôt debout, elle se dépêcha de faire un brin de toilette avant de revêtir sa jupe noire et son chemisier rouge, ce qu'elle considérait comme une tenue classique et qu'elle portait chaque année pour souligner dignement la Saint-Valentin. Puis elle déposa, derrière le lobe de ses oreilles, quelques gouttes de son parfum, *Fleur de Rocaille*, que Mario avait eu la gentillesse de lui offrir pour Noël, alors qu'elle fêtait le réveillon chez lui.

Mario !

Depuis quelque temps, Rita avait le cœur en joie à la simple mention du prénom de son aimable voisin.

Sans trop savoir où cela la mènerait, la patronne du casse-croûte avait consenti à laisser l'amour envahir son cœur lentement, sans lui mettre les barrières habituelles, celles qui lui venaient spontanément, un peu comme un réflexe, chaque fois qu'elle avait rencontré un homme qui aurait pu remplacer son mari, décédé trop jeune. Les prétendants n'avaient pas été nombreux à lui déclarer leur flamme, mais chaque fois, elle les avait éconduits gentiment, même ce charmant voyageur de commerce qui venait manger chez elle chaque fois qu'il était de passage dans le quartier.

Cela faisait des années, maintenant, qu'elle ne l'avait pas revu.

Avec Mario, la relation avait été bien différente de tout ce que Rita avait connu, et ce, dès les débuts. Le ton était si amical, si naturel, qu'elle s'était laissé prendre au jeu du bon voisinage.

Et tout doucement, leur fréquentation avait pris un tournant qu'elle n'avait pas vu venir. Aujourd'hui, elle reconnaissait que la présence de Mario auprès d'elle était un beau cadeau de la vie.

Pour une seconde fois en plus de vingt ans, Rita se sentait amoureuse de quelqu'un.

Mario ne remplacerait jamais son Rémi, un ami d'enfance devenu son mari alors qu'elle n'était encore qu'une toute jeune femme. Rita en était consciente. Mais l'émotion qu'elle ressentait aujourd'hui ressemblait étrangement à celle d'hier, et la patronne du casse-croûte avait envie de se fier à son intuition, qui lui suggérait que Mario aussi était un homme digne de sa confiance.

Ne restait plus qu'à savoir si cette attirance était partagée.

Tout en mettant le café à percoler, Rita repassa mentalement tout ce qu'il y aurait à faire durant cette journée un peu spéciale.

Un avant-midi chargé l'attendait, bien sûr, avec tous ces couples de personnes âgées qui envahiraient bruyamment son restaurant. Et le tout serait suivi d'une heure de souper tout aussi éreintante, car à ce moment-là, ce seraient les jeunes familles du quartier qui occuperaient les lieux. Les couples, eux, préféraient les restaurants un peu plus huppés, ceux qui arboraient des nappes blanches sur chacune de leurs tables. Mais comme Mario avait promis de venir l'aider, l'heure du souper devrait passer rondement, et par la suite, son voisin viendrait manger chez elle, à l'étage. Une première dans leurs récentes habitudes de se voir régulièrement.

— Voyez-vous, m'sieur Romano, je me suis dit que pour une fois, vu que c'est la Saint-Valentin, il était pas question de manger de la pizza sur le bout du comptoir, avait-elle déclaré au chef. J'aimerais vraiment ça offrir quelque chose de différent à Mario, pour le remercier de toute l'aide qu'il m'apporte régulièrement.

Alors, hier, avant de quitter le restaurant, le *signore* lui avait préparé des escalopes de veau, et deux généreuses portions de spaghetti à la bolognaise pour les accompagner. Rita n'aurait qu'à réchauffer le tout dans le fourneau de sa cuisine durant une quinzaine de minutes, ce qui était à la portée de cette femme qui détestait cuisiner et ne faisait aucun effort pour apprivoiser l'art culinaire.

— Avec la bouteille *dé* chianti que j'ai laissée dans *lé* garde-manger pour vous, *cé séra perfecto* !

— Merci du fond du cœur, m'sieur Romano ! Je le dirai jamais assez : vous êtes vraiment dépareillé.

Ces quelques mots avaient fait rougir le chef.

— Et pour la clientèle, il y a un peu *dé* tout ! s'était-il hâté d'ajouter pour faire diversion. Vous *né* devriez manquer *dé* rien... Toutefois, *madonna mia*, si ça tournait mal, ou *qué* vous *né* saviez *plous* où mettre la tête, *né* vous gênez surtout pas *dé mé* téléphoner ! *Jé* reste *dé* toute façon à la *casa*, toute la journée avec ma belle Maria.

— Qu'est-ce que je deviendrais sans vous ?

Le chef avait soulevé une épaule avec embarras.

— *Jé* vous connais bien, allez ! Vous auriez trouvé quelqu'un d'autre *qué* moi. *Jé né souis* pas *lé* seul à faire *dé* la bonne cuisine italienne, dans cette ville... Pensez à ma fille Anna !

— C'est vrai. Mais est-ce que j'aurais trouvé quelqu'un d'aussi gentil, d'aussi dévoué que vous ? J'en doute.

Le chef était parti la tête haute, tout en marmonnant un merci confus. Autant il aimait que l'on apprécie sa cuisine, autant Gepetto Romano rougissait sous les compliments. Mais comme le disait Mado : cela faisait partie de son charme italien !

Pendant que le café passait, Rita s'emmitoufla dans la veste de laine bouillie qu'elle gardait en permanence accrochée au mur de la cuisine du casse-croûte, du mois d'octobre au mois de mai. C'était amplement suffisant pour aller frapper à la porte d'à côté, même par les plus grands froids de l'hiver.

Ensuite, elle prépara deux tasses de café. Noir pour elle et avec un nuage de crème pour Mario, puis elle sortit en refermant derrière elle. Le temps d'acheter le pain de la journée, de boire ce premier café en compagnie de son voisin, puis elle reviendrait préparer la pâte à crêpes, son unique spécialité, après avoir mis plusieurs livres de bacon à grésiller sur la grande plaque d'acier. Ensuite, elle enlèverait la pancarte annonçant que le restaurant était fermé, signifiant ainsi aux passants qu'elle était prête à les recevoir.

Avec un peu de chance, Mado arriverait au même instant.

Les deux tasses de café retenues par l'anse avec les doigts d'une main, Rita se dirigea vers la boulangerie à pas pressés, mais prudents. Comme elle allait toquer contre la vitrine, comme elle le faisait chaque matin pour annoncer qu'elle était arrivée, afin que

Mario vienne lui ouvrir, elle sentit que quelque chose n'allait pas.

Curieusement, la boulangerie était toujours plongée dans l'obscurité.

Mais que faisait donc son voisin, ce matin ?

Serait-il malade ?

Ou aurait-il passé tout droit, bien simplement ? Si c'était le cas, ce serait une première depuis qu'ils se fréquentaient un peu plus assidûment. Rita recula d'un pas et elle jeta un coup d'œil aux fenêtres du premier étage.

Là non plus, il n'y avait aucune lumière allumée.

Un peu décontenancée, elle fit les derniers pas qui la menèrent devant la porte close.

Une note y était affichée.

Mario avait écrit sur un bout de papier blanc que la boulangerie serait fermée jusqu'à nouvel ordre, pour des raisons personnelles. Puis, il s'excusait de l'inconvénient occasionné, avant de parapher le court message.

Déçue et inquiète, la patronne du casse-croûte rebroussa chemin.

Ce fut au moment où elle vidait la tasse de café de Mario dans l'évier que Mado arriva.

— Hé ! Que c'est tu fais là, toi ? T'as raté le café, à matin ?

— Ciboulette, Mado ! Mon café est toujours bon, pis tu le sais !

— Pourquoi tu le jettes, d'abord ?

— Parce que c'était celui de Mario. Il est pas chez lui.

— Ben voyons donc... Comment ça?

Tout en parlant, Mado enlevait ses couvre-chaussures doublés.

— Curieux qu'il soye parti comme ça, nota-t-elle... C'est pas son genre. Pis le pain, lui? Est-ce qu'il t'a laissé tes pains comme d'habitude?

— Ben non! J'viens de le dire: il est pas là. Ni à la boulangerie ni chez eux.

— T'as vérifié?

— Pas besoin, il avait laissé une note dans la vitre de sa porte. Il est absent pour des raisons personnelles.

Mado accusa le coup en fronçant les sourcils.

— Quelles sortes de raisons personnelles?

— Aucune idée... Hier, quand je suis allée lui porter son café du matin pis prendre mes pains, il m'a pourtant rien dit de spécial. Comme tous les vendredis que le Bon Dieu amène, il s'est offert à venir m'aider sur l'heure du souper d'aujourd'hui, pis c'est là que je lui ai proposé qu'on mange ensemble.

— C'est vrai, tu m'en avais parlé... Coudonc, va peut-être falloir que t'appelles le chef Romano en renfort, à la fin de l'après-midi, parce que moi, pis c'est pas de la mauvaise volonté de ma part, comprends-moi ben, mais je peux vraiment pas rester.

— Je sais tout ça, Mado! Déjà que je te trouve ben fine d'être ici à matin... N'empêche que ça tombe mal en ciboulette! En plein le jour de la Saint-Valentin.

— Ce qui veut dire qu'on va avoir pas mal plus de monde que pour un samedi ordinaire.

— Comme si je le savais pas ! Veux-tu ben me dire ce qui a pris à Mario de me laisser tomber comme ça, sans au moins me prévenir ?

— Comme on le connaît, c'est sûr qu'il doit avoir une bonne raison... Peut-être une mort subite dans sa famille ?

— Tu crois ? Tu vois, j'y avais pas pensé, rapport qu'il me parle jamais de sa famille. Peut-être ben, oui, que t'as raison. C'est rare quelqu'un qui a aucune parenté.

— En tous les cas, c'est sûrement pas pour t'embêter qu'il a fait ça, parce que c'est vraiment un homme gentil pis ben attentionné. C'est pas pantoute son genre de filer en douce comme ça sans avoir une soda de bonne excuse.

— Ouais... N'empêche que je me pose des questions... Pis que j'suis un peu inquiète. Je me connais, ça va venir gâcher toute ma journée.

— Ben non ! T'auras pas le temps de t'inquiéter, ma pauvre toi ! De toute façon, la plupart du temps, on s'en fait toujours pour rien. Malheureusement, on s'en rend compte juste plus tard, après s'être fait du sang de punaise durant des heures... Non, pour astheure, l'important, c'est d'aller chercher du pain à l'épicerie pour le déjeuner. Je peux m'en occuper si tu...

— Non, Mado, tu peux pas aller à l'épicerie.

— Comment ça ?

— Parce qu'à six heures et demie, le samedi, l'épicerie est pas encore ouverte. Ça ouvre juste à huit heures.

— Soda, t'as ben raison ! Mais qu'est-ce qu'on va faire, d'abord ? S'il y a un repas de la journée où on a besoin de pain, c'est ben le déjeuner.

— Inquiète-toi pas, je sais où en trouver, du pain. Toi, tu restes ici pour recevoir nos premiers clients. Pis moi, j'vas aller frapper à la porte d'Eugène Méthot.

— Parce qu'il est ouvert d'aussi bonne heure que ça, lui ?

— Ben non, son magasin ouvre seulement à sept heures et demie. Mais je sais que sa femme pis lui, ils ont l'habitude de boire un café ensemble avant d'ouvrir leur porte. C'est madame Méthot qui m'a déjà raconté ça. Elle est tellement gentille, cette femme-là ! Sachant ça, pis juste pour une fois, j'vas me permettre d'aller frapper à la porte d'en arrière, celle qui donne dans leur cuisine. Pis j'vas leur demander s'ils auraient pas quatre pains tranchés à nous fournir. En m'excusant pour le dérangement, comme de raison.

— T'es sûre qu'on va avoir assez de quatre pains ?

— Avec les deux qu'il nous reste d'hier, ça devrait suffire... Ouais, c'est ça qu'on va faire.

Tout en parlant, Rita déplaça son chandail pour mettre la main sur un manteau qu'elle gardait toujours à sa disposition dans la cuisine, parce que les sorties imprévues ne se faisaient pas uniquement chez son voisin !

— Toi, Mado, tu t'occupes du bacon que j'ai mis sur la plaque, demanda-t-elle en enfonçant une tuque sur sa tête. Il faudrait donc pas qu'il brûle parce qu'il nous en reste pas d'autre de décongelé, pis à matin, le monde va vouloir des repas plus *fancys*. Ensuite, tu pourrais sortir trois ou quatre oranges, pis des tomates pour les trancher... Pas trop épaisses, les tranches d'orange, ça m'a coûté la peau des fesses, quand j'ai fait l'épicerie. Place aussi pour moi deux douzaines d'œufs dans le gros bol en faïence pour les faire tempérer... Des fois qu'on nous demanderait des œufs brouillés ou des omelettes, pis j'ai ma pâte à crêpes à faire. Bon ben, je pense que c'est tout ! Je file chez les Méthot, pis je reviens dans une vingtaine de minutes. Ah oui ! Prépare donc un autre pot de café, on va sûrement en avoir besoin... En tout cas, moi, j'vas en vouloir un quand j'vas revenir !

Le fait d'être pressée par le temps et de retrouver un restaurant presque bondé à son retour fit en sorte que Rita n'eut pas le loisir de trop se questionner sur l'absence de Mario. Ni de s'en désoler.

Mado avait bien raison !

Rita enleva rapidement bottes et manteau, et elle se retroussa les manches, au propre comme au figuré.

L'avant-midi passa en coup de vent, et ce fut au moment de son départ que Mado annonça à sa patronne qu'elle s'était donné la permission de téléphoner au chef Romano.

— Soda ! J'ai pris sur moi d'appeler m'sieur Romano. À voir le monde qui est passé ici pour déjeuner, c'est comme rien que ça va être ben plein pour le souper aussi. C'est ça, quand un jour de fête tombe le samedi !

Rita ne riposta pas. Effectivement, elle n'y arriverait pas toute seule.

— M'sieur Romano m'a promis d'être ici pour quatre heures. Pis si j'ai ben compris, sa femme aussi devrait être là. À trois, vous allez sûrement vous en sortir.

Sur le ton que Mado avait employé, on pouvait se demander qui elle cherchait à rassurer ainsi : sa patronne ou elle-même ?

— Bon ben... Astheure, j'ai vraiment plus le choix : il faut que je parte tusuite, si je veux avoir le temps de glacer mon gâteau, de préparer ma soupe, pis de prendre une douche. J'aime autant pas savoir le genre de face que madame Lamoureux me ferait si j'arrivais chez elle avec une odeur de parfum aux oignons frits !

— T'es drôle, Mado !

— J'veux pas pantoute faire ma drôle, Rita ! J'suis plutôt sur le gros nerf... Bon ! Là c'est vrai, je pars. Valentin a dit qu'il passerait me prendre à quatre heures précises. Ça va être juste parfait pour que je puisse finir mes derniers préparatifs dans la cuisine de sa mère... C'est ben pratique que mon fiancé aye engagé un autre pharmacien. Ça nous permet d'avoir des horaires plus accommodants… Là-dessus, bonne fin de journée, Rita. On se revoit demain matin.

L'instant d'après, Mado refermait la porte du casse-croûte derrière elle.

Essayant de marcher le plus rapidement possible avec ses talons hauts à l'intérieur de ses bottes, parce qu'en ce jour de fête, la serveuse avait voulu être en beauté pour les clients, elle tempêta à chaque plaque de neige durcie un peu glissante ; elle frissonna à un feu rouge qui lui sembla plus long qu'à l'accoutumée ; et elle fulmina après une bande de gamins qui la bousculèrent lorsqu'ils passèrent près d'elle en courant.

Malgré cela, Mado s'en était fait pour rien, puisqu'elle était prête à trois heures et demie. Sachant que l'odeur de cigarettes imprégnée dans les vêtements incommodait à la fois la mère et le fils Lamoureux, Mado tourna en rond dans son petit logement, se refusant le plaisir de fumer pour passer le temps.

La demi-heure lui parut interminable.

En revanche, comme ce serait la troisième fois qu'elle se présenterait chez la mère de Valentin, elle savait qu'elle aurait droit au moins à une salutation à son arrivée, et que durant le repas, la conversation serait plus facile. Banale, superficielle et insignifiante, mais plus facile.

Quoi qu'il en soit, elle espérait, à tout le moins, quelques félicitations sur les plats qu'elle avait préparés avec beaucoup de soin.

— Il faudrait que la belle-mère soye capricieuse rare pour pas aimer ça… C'est de la grande cuisine que j'ai préparée là.

Quand Valentin se présenta, Mado ne tenait plus en place.

— Enfin, te v'là !

Mado enfilait déjà son manteau.

— Vite, Valentin, il faut se dépêcher ! J'ai pas complètement fini de préparer mon souper, pis j'vas avoir besoin d'une bonne demi-heure dans votre cuisine… Surtout, touche pas à la cloche à gâteau ! Si jamais il était pour arriver un accident à mon dessert, j'aime autant que ça soye moi qui le fasse.

— Ah bon, rétorqua Valentin, visiblement amusé. Où serait la différence entre un gâchis que je pourrais peut-être faire, et ce, je dis bien « peut-être », ou celui que toi, tu ferais ?

— Soda, Valentin ! Il me semble que c'est facile à comprendre… En fait de gâchis, t'as ben raison, ça devrait se ressembler. Un gâteau qui tombe à terre, c'est un gâteau qui tombe à terre, pis ça doit faire ben des miettes ! Par contre, j'suis à peu près certaine que t'aimerais vraiment pas les bêtises que je te lancerais par la tête si jamais c'était toi qui échappais mon beau gâteau. Je me suis tellement forcée, pis il est tellement beau ! Ça fait que j'aime autant pas prendre de chance. Bon, on a tout ce qu'il nous faut. Astheure, « déguédine », mon Valentin, j'ai pas de temps à perdre !

Comme si elle souscrivait à une mise en scène écrite à l'avance, Adrienne Lamoureux était encore une fois au salon lorsque Mado arriva. Assise devant la flamme, elle détourna la tête à demi quand elle entendit la porte d'entrée se refermer.

« Trois en trois, songea la serveuse en s'arrêtant un bref instant pour saluer la vieille dame. À croire que cette femme-là vit toute sa vie dans son salon. »

— Bonsoir, madame Lamoureux, lança-t-elle néanmoins, sur un ton pressé. C'est pas que je veux faire ma mal élevée, mais mon souper est pas tout à fait prêt. Vous allez devoir m'excuser parce que je m'en vas direct dans votre cuisine, mais c'est pour la bonne cause ! Vous allez voir que mon souper est pas piqué des vers pantoute ! Pas besoin de m'accompagner, je commence à connaître les airs de votre grande maison. En plus, Valentin me l'a fait visiter au grand complet la dernière fois que j'suis venue vous voir... On se reprendra pour jaser durant le souper.

Une crispation des mâchoires de la vieille dame exprima aussitôt son déplaisir devant une salutation aussi cavalière, qu'elle qualifia elle-même d'irrespectueuse. Madame Lamoureux reporta les yeux sur les flammes déclinantes en soupirant, sans rendre la salutation.

Ce soir, selon une habitude prise des décennies auparavant, elle aurait préféré être seule avec son fils. Alors, en ce moment, elle n'était pas tellement encline à faire de belles façons à cette Mado, qu'elle n'appréciait que fort peu. En fait, pour être honnête,

Adrienne Lamoureux s'avouait à elle-même que les quelques paroles gentilles qu'elle arrivait difficilement à prononcer n'étaient en fait qu'une autre façon de prouver à son garçon qu'elle tenait à lui plus que tout au monde.

N'empêche qu'elle ne comprendrait probablement jamais quelle mouche l'avait piqué pour le rendre aveugle à ce point… Cette femme était d'une médiocrité navrante !

Oui, quelle drôle d'idée il avait eue de s'amouracher d'une serveuse un peu vulgaire et sans éducation. Tous les soirs, Adrienne priait pour que le Ciel lui rende son bon sens et que son fils comprenne que toute cette mascarade n'était qu'une erreur.

Les bras encombrés de boîtes et l'anse d'un lourd panier d'osier pendue à son poignet droit, Valentin jeta à son tour un rapide coup d'œil dans le salon. Se heurtant au dos de sa mère, aussi immobile qu'une statue de marbre, il suivit Mado sans dire un mot.

En moins de vingt minutes, la maison commença à embaumer le repas mis à réchauffer, chatouillant au passage les narines d'un peu tout le monde.

Adoucie par le doigt de porto que Valentin lui avait servi, Adrienne profitait de ces quelques instants d'intimité qui leur seraient alloués en cette soirée de la Saint-Valentin, tout en espérant que Mado prendrait le plus de temps possible à la cuisine.

— Au moins, elle sait cuisiner, déclara Adrienne Lamoureux, en accord avec cette dernière pensée, les yeux toujours rivés sur le foyer.

— N'est-ce pas ! Et selon moi, c'est un atout non négligeable.

— Si tu le dis.

— Allons, mère ! Ne faites pas la tête... Mado s'est surpassée, rien de moins, et c'est en grande partie pour vous.

À ces mots, cette dernière tourna la tête pour vérifier que son fils ne se moquait pas d'elle. De toute évidence, ce n'était pas le cas. Elle en fut étonnée. Pourquoi une quasi-étrangère pouvait-elle avoir envie de faire plaisir à une femme qui lui parlait du bout des lèvres ?

La vieille dame esquissa une moue de scepticisme. Valentin devait sûrement exagérer.

— Tu dis vraiment que c'est pour moi que cette femme s'est donné tout ce mal ? demanda-t-elle néanmoins.

— Premièrement, cette femme, comme tu dis, elle a un nom, et c'est Mado... ou Madeleine, mais personne ne l'interpelle ainsi. Et pour donner suite à votre question remplie de doute, oui, c'est Mado elle-même qui m'a demandé ce que vous aimiez manger. Alors je lui ai répondu que c'était la cuisine française. À partir de là, elle a planifié un menu en fonction de vos préférences, voilà tout.

— Eh bien ! Qui l'eût cru !

— Quand je vous dis que mon amie est une femme de cœur, cela signifie aussi qu'elle est généreuse de son temps et de sa personne. C'est naturel chez elle d'avoir régulièrement de ces petites attentions pour les gens autour d'elle. À l'image de ce qu'elle vous a préparé ce soir. Mado a aussi mentionné qu'elle trouvait profondément triste de vous savoir seule durant de longues heures, presque tous les jours, quand je suis à mon travail.

Ne sachant comment prendre cette révélation, Adrienne haussa les épaules, interdite.

— Ah bon... Mado Champagne se soucie de mon confort? Alors, grand bien lui fasse... Et que mangeons-nous?

— Cela devrait vous plaire, car c'est un plat que vous aimez beaucoup: le bœuf bourguignon.

— Ta... Ton amie connaît le bœuf bourguignon? J'avoue que cela me surprend quand même un peu...

— Pourquoi?

— Ne travaille-t-elle pas dans un casse-croûte?

— Oui, pourquoi?

— Il me semblait aussi... Selon moi, ce n'est pas le genre de mets habituellement servi dans une simple gargote de quartier.

— Premièrement, la nourriture que l'on sert chez madame Rita est excellente. Et deuxièmement, qu'est-ce que ça change au fait que Mado puisse connaître autre chose que ce qu'elle sert habituellement?

— Comme ça...

Malgré le ton légèrement condescendant employé par sa mère, Valentin crut voir une étincelle de gourmandise traverser son regard. Il n'en restait pas moins que sans le savoir, Mado avait choisi l'un des plats préférés de sa mère, et avec un peu de chance, cela devrait aider à entamer une conversation autre que celle sur la météo d'un hiver particulièrement capricieux, ce qui avait été la base de leurs échanges précédemment.

— Et si nous passions à la table ? suggéra Valentin, avec suffisamment d'onctuosité dans la voix pour plaire à sa mère. Le temps de vous installer confortablement à votre place habituelle, et je vais descendre à la cave nous choisir un bon vin de Bourgogne ! Pour célébrer la Saint-Valentin, ce sera peut-être différent de ce que nous connaissons, vous et moi, j'en conviens, mais je suis certain que ce sera tout aussi agréable.

Et se levant, Valentin vint se placer derrière le fauteuil roulant, puis d'une pression de la main sur l'épaule de sa mère, il créa un moment de cette intimité entre eux que la vieille dame craignait tellement de perdre.

Rassurée, Adrienne se laissa mener jusqu'à la salle à manger.

Le repas fut, sans contredit, à la hauteur des attentes de Mado, qui prit bonne note que le bœuf bourguignon était encore meilleur réchauffé. Tant mieux ! Elle avait réellement craint que son repas soit raté !

Quant à la soupe – Oh, un potage Crécy ! avait joyeusement constaté madame Lamoureux –, elle avait débuté le repas de belle façon et contribué à sa façon à délier les langues.

Cependant, le dessert resterait dans sa mémoire comme l'apothéose de ce premier repas cuisiné pour la mère de Valentin !

Imaginez un gâteau qu'elle avait décidé de cuire dans un moule tubulaire ! Mado l'avait recouvert d'une glace au beurre onctueuse à souhait, à laquelle elle avait ajouté quelques gouttes de colorant alimentaire pour la teinter d'un rose tendre, tout à fait de circonstance. Ainsi garni, le gâteau était joli, et il aurait pu aisément satisfaire les plus difficiles.

Mais pas Mado.

En feuilletant ses quelques livres de recettes, elle s'était arrêtée sur l'image en noir et blanc d'un gâteau de mariage, orné de boutons de roses blanches. Le temps de se dire que les fleurs devaient probablement être en sucre et non réelles, puis elle avait haussé les épaules sur cette constatation. Qu'importe le choix des fleurs, puisque l'ensemble était appétissant et plutôt spectaculaire ? Elle s'était aussi permis de rêver un peu, d'espérer qu'un jour, Valentin et elle couperaient la première part d'un gâteau semblable, selon les traditions établies, et c'est à ce moment que l'idée avait jailli.

Pourquoi attendre le mariage pour s'offrir une telle merveille ?

Cependant, pas question pour elle de confectionner des fleurs en sucre. Elle n'y connaissait rien et elle n'avait pas le temps de s'y mettre.

En revanche, quelques fleurs fraîches étaient tout à fait à sa portée !

Et c'est ce qu'elle avait fait.

Après mûre réflexion, Mado avait choisi d'insérer un petit verre à liqueur fine rempli d'un peu d'eau fraîche dans le creux du gâteau, et elle y avait déposé quelques roses miniatures d'un rouge vif et deux branches de fougère, qu'elle avait achetées la veille au soir, en retournant chez elle.

Le résultat était tout simplement magnifique.

En admiration devant sa réussite, Mado s'était juré de cuisiner elle-même son gâteau de mariage…

À moins que la jeune Anna soit de retour, bien entendu, car après tout, elle était justement partie en Italie pour apprendre à devenir une cheffe pâtissière.

Mais curieusement, plus les jours passaient, pour se transformer d'abord en semaines, puis en mois, et moins la serveuse gardait l'espoir de revoir la jeune cuisinière devant les fourneaux du casse-croûte.

Tout cela pour dire qu'au moment où Mado revint de la cuisine des Lamoureux, portant fièrement devant elle l'impressionnant dessert, son visage était cramoisi de fierté, du même rouge éclatant que les roses.

Valentin se dit alors qu'il n'avait jamais trouvé Mado aussi jolie qu'à ce moment-là et qu'il allait mettre de la pression pour que le mariage se fasse rapidement.

Et Adrienne, tout de même impressionnée, offrit son premier sourire sincère à l'amie de cœur de son fils.

Chapitre 7

« One, two, three
Turn it up
Big wheels keep on turnin'
Carry me home to see my kin
Singin' songs about the south-land
I miss Alabama once again and I think
it's a sin, yes
Well I heard Mister Young sing about her
Well I heard ol' Neil put her down
Well I hope Neil Young will remember
A southern man don't need him around anyhow
Sweet home Alabama
Where the skies are so blue
Sweet home Alabama
Lord I'm comin' home to you »

~

Sweet home Alabama, Gary Robert Rossington /
Edward C. King / Ronnie Vanzant

Interprété par Lynyrd Skynyrd, 1974

Le vendredi 27 mars 1970, dans la quincaillerie Picard, en compagnie d'Arthur et de son grand-père

Dire que Joseph-Arthur n'avait pas le cœur à l'ouvrage, aujourd'hui, serait un pâle aperçu de ce qu'il ressentait. Pour l'instant, en ce début d'après-midi ensoleillé, mais encore un peu froid pour la saison, il faisait les cent pas dans le département cuisine de la quincaillerie, en remplacement de sa mère, qui était partie avec son mari pour assister aux offices du Vendredi saint.

Quant à Joseph-Alfred, tout guilleret, il se tenait derrière la caisse, où il semblait régner sur son magasin, tel un roi en son royaume. Chaque fois qu'Arthur revenait sur ses pas, il apercevait son grand-père du coin de l'œil, et il ne pouvait s'empêcher de penser qu'un jour, ce serait lui, le vieil homme tout usé par la vie, assis au comptoir d'une quincaillerie de quartier, à attendre que le temps passe, ou que les clients entrent.

À son âge encore tendre, selon ce qu'en disait Joseph-Alfred, il y avait dans cette image de quoi donner froid dans le dos. D'autant plus qu'en ce moment, le jeune homme avait le moral à zéro.

En effet, la veille en fin de soirée, épuisé par de très longues heures de travail, Arthur était monté à l'appartement, bien déterminé à se coucher tôt après son habituel détour par la cuisine de sa mère pour faire une razzia en règle dans le frigo. Cette vieille habitude de prendre une collation avant de dormir datait du début de son adolescence, et elle continuait à lui coller à la peau. Malgré ses vingt ans bien sonnés, Arthur, à l'instar de son grand-père, mangeait toujours comme un ogre, à la pleine et entière satisfaction de Léonie, qui adorait être obligée de cuisiner.

— Une chance que je vous ai, tous les deux, disait-elle régulièrement sur un ton affectueux, sinon, les journées me paraîtraient longues en Cheez Whiz ! Avec mon J.A. qui mange comme un moineau…

Alors, tant le grand-père que le petit-fils ne se gênaient surtout pas pour s'approprier les restes d'un repas, un morceau de tarte ou de gâteau oublié sur le comptoir, quand ce n'était pas une boîte de biscuits à peine entamée.

Pourtant, la veille, une lettre arrivée durant la journée et déposée sur sa table de chevet par sa mère ou son grand-père était venue bouleverser les plans du jeune homme quant à son goûter de fin de soirée. En apercevant l'enveloppe bleutée du service postal par avion, son cœur avait battu un grand coup, sachant que la missive devait venir d'Anna.

Enfin !

Cela faisait des semaines qu'il espérait cette lettre. Toutefois, malgré son impatience, Arthur n'avait pas décacheté l'enveloppe tout de suite.

En fait, depuis qu'il était tout petit, c'était dans la nature du jeune Picard de faire durer le plaisir, comme se plaisait à le proclamer son grand-père, en lui faisant un petit clin d'œil de connivence. Le gamin qu'il était à cette époque ne comprenait pas nécessairement ce que cela voulait dire, mais bon! Comme ils s'entendaient à merveille, son grand-papa et lui, Arthur se disait que c'était comme une sorte de secret entre eux dont il comprendrait le sens plus tard. Il n'en demeurait pas moins qu'un bonbon enveloppé, un livre neuf ou de nouveaux vêtements restaient parfois de longues journées sur son bureau avant qu'il décide de les faire siens. Quand l'une de ces petites surprises traversait le cours tranquille de son existence d'enfant, à la minute où Arthur revenait de jouer ou rentrait chez lui après les heures de classe, il se rendait directement dans sa chambre, sans saluer qui que ce soit.

Puis, il s'arrêtait dans l'embrasure de la porte.

De voir que l'objet de ses convoitises était toujours là, à l'attendre, lui semblait-il, suffisait à le combler d'un bonheur qu'il n'avait jamais réussi à faire comprendre à ses parents. Seul son grand-père avait deviné ce qu'il ressentait, sans qu'il ait besoin d'utiliser des mots pour l'expliquer.

— Tu es un sage, Joseph-Arthur, lui avait dit un jour Joseph-Alfred quand, par la porte entrouverte, il avait aperçu son petit-fils qui passait un doigt tout léger sur la couverture lustrée d'un livre de Bob Morane qu'il n'avait pas encore lu, et qui reposait sur sa table de travail, sans pour autant céder à la tentation de le feuilleter.

Le gamin s'était retourné vivement vers ce vieux monsieur taquin qu'il aimait tendrement.

— Je le sais que j'suis pas tannant, avait-il répliqué du tac au tac. Maman passe son temps à dire que je suis sage.

— Oh, je vois ce que tu as compris… Mais ce n'est pas du tout ce que je voulais exprimer. Tout le monde qui te connaît sait fort bien que tu es un gentil garçon. Obéissant et raisonnable, en plus. Mais moi, vois-tu, ce n'est pas à ce genre de sagesse-là que je faisais allusion.

— Ah non ? C'est quoi d'abord que vous voulez dire, grand-père ?

— Ce que je veux dire par là, c'est que tu as une vieille âme, mon garçon.

À ces mots, le jeune Arthur avait eu le réflexe de regarder sa poitrine, comme on le fait parfois lorsque l'on parle de l'âme, comme si celle-ci se devait de passer par le cœur.

— Pourquoi mon âme est vieille si moi je suis encore un jeune ? avait-il demandé, perplexe. Elle est à quelqu'un d'autre, mon âme ?

— Mais non ! Tout le monde a son âme personnelle.

— Bibitte à poils, grand-père ! C'est donc ben compliqué, ce que vous essayez de me dire.

À ces mots, le vieillard avait eu un sourire énigmatique.

— Mais non ce n'est pas compliqué, Joseph-Arthur. Je dirais même que c'est simple comme bonjour.

— Ah oui ? Ben dans ce cas-là, vous allez devoir m'expliquer tout ça, parce que moi, je ne comprends rien à rien à ce que vous dites.

— Je ne peux pas, parce que ça ne s'explique pas vraiment. C'est avec le temps que l'on finit par découvrir certaines vérités de la vie. Dire de quelqu'un qu'il a une vieille âme en fait partie. Tu vas voir, mon garçon ! Un jour, tu te souviendras de notre petite discussion et tu comprendras très bien ce que je cherchais à dire, parce qu'à ton tour, tu auras rencontré un gamin ou une gamine qui auront, eux aussi, une vieille âme comme la tienne.

— Ben là...

Au fil des années, Arthur avait souvent repensé à ces quelques mots. Et ce qui lui avait semblé aussi obscur qu'une nuit sans lune était devenu une sorte d'intuition, parce que son grand-père ne lui avait jamais menti. Alors, plus tard, quand il serait devenu un homme à son tour, il saisirait ce que le vieillard avait voulu lui dire un jour. Et en attendant, le petit garçon qu'il était continuerait à s'amuser en faisant durer le plaisir.

Voilà pourquoi, hier soir, le jeune homme s'était contenté dans un premier temps de déposer l'enveloppe sur son oreiller, la couvant d'un regard empli de convoitise. Puis il avait commencé à retirer ses vêtements de travail, tout en se rappelant cette brève discussion.

Les années ayant passé, il lui arrivait encore, à l'occasion, de se demander ce qu'était une vieille âme, et surtout, s'il en avait toujours une. En revanche, cela faisait longtemps qu'il avait compris ce que voulaient dire les mots «faire durer le plaisir».

En esquissant une moue amusée, et tout en fixant la lettre, Arthur avait alors pensé qu'il serait peut-être temps de reprendre cette conversation avec son grand-père, avant qu'il ne soit trop tard.

Puis, le jeune homme avait enfilé son pyjama.

Ensuite, il s'était allongé sur son lit, avant même de passer par la cuisine comme son estomac lui aurait sans doute conseillé de faire en temps normal. Mais la veille, l'appétit n'était pas sa priorité, pour la simple et bonne raison que cela faisait plus d'un mois que son amie Anna n'avait pas donné de ses nouvelles. Il était impatient de lire ce qu'elle avait de bon à lui raconter. Puis, à ce moment bien précis, Arthur n'avait nulle envie de faire durer ce qui n'aurait peut-être pas été un si grand plaisir que ça, en fin de compte, puisque d'une lettre à l'autre, il espérait en vain apprendre la date du retour de celle qu'il considérait comme sa fiancée. Malheureusement, depuis le départ de son amie, en juin dernier, chaque fois qu'Arthur avait replié les quelques feuilles d'une lettre d'Anna, il était amèrement déçu, sauf peut-être la fois où elle lui avait écrit qu'elle l'embrassait.

Serait-ce encore le cas?

Le cœur battant, il avait alors calé confortablement sa tête dans l'oreiller et il avait délicatement ouvert l'enveloppe.

Il avait déplié les trois feuilles de papier blanc très fin, et il avait reconnu aussitôt l'élégante écriture déliée de son amoureuse, agréable à lire et facile à déchiffrer. Il aurait tant aimé qu'elle soit là, à ses côtés, parce qu'alors, il aurait pu enfouir son visage dans les boucles sombres de ses longs cheveux et s'enivrer de leur odeur de parfum frais.

Esquissant un petit sourire ému, il s'était mis à lire.

Mon très cher Arthur,

Tout d'abord, mille excuses pour avoir été si longtemps sans t'écrire. Je suis impardonnable. Mais quand je vais te raconter ce qu'a été ma vie, ces dernières semaines, tu vas vite constater que c'est uniquement le temps qui m'a manqué. J'en suis franchement désolée.

Comme tu le sais, la fête de Pâques, on dit «Pasqua», ici, arrive très bientôt. J'ai donc appris à faire des œufs en chocolat très délicats avec juste ce qu'il faut de sucre pour qu'ils soient délicieux, et je les ai décorés de glace royale et de petits bonbons. Uniquement pour les clients de l'hôtel, il en fallait des centaines! Plus ceux que tante Rosita m'a demandé de confectionner pour elle, car elle en donne chaque année à tous ses neveux et nièces, et il y a aussi tous ceux que je veux offrir à mes amis. Finalement, j'y ai passé une bonne partie de mes soirées du mois de mars. Quand je montais à ma chambre, j'étais épuisée, incapable de prendre un crayon pour t'écrire. Encore une fois, je m'en excuse.

J'aurais bien aimé vous faire parvenir quelques œufs, à toi et à tous ceux de mes amis de Montréal à qui je pense souvent, mais Felice, mon patron, me l'a déconseillé. Il a déjà tenté l'expérience, et ses amis n'ont reçu que des copeaux de chocolat.

Dommage!

Tu aurais pu constater par toi-même à quel point ils sont beaux, mes œufs de Pâques. Bref, j'ai reçu suffisamment de compliments pour que cela me donne envie de suivre des cours en confiserie. Pourquoi pas? Cela ferait une corde de plus à mon arc. De plus, j'ai follement aimé travailler le chocolat.

Un autre projet à suivre!

Maintenant, il faut que je te parle de ce que je considère comme ayant été l'événement le plus important de ma vie, au cours des dernières semaines. Et ça n'a rien à voir avec la cuisine.

Je me suis fait une nouvelle amie!

Elle s'appelle Julia. En fait, c'est Maria Elena qui me l'a présentée, car elles partagent le même appartement, dans la banlieue de Rome. Elles vont à la même université, mais pas dans la même faculté. Toute cette mise en place pour te dire que je n'ai jamais rencontré quelqu'un avec qui j'ai autant de points communs. Jamais! Nous nous connaissons à peine, en fait, je l'ai rencontrée pour la première fois en janvier, et depuis, nous n'avons eu aucune dispute, ni la moindre discussion désagréable. Nous avons vite compris, elle et moi, que nous aimions les mêmes choses, la même musique et souvent les mêmes plats. Cela fait bien rire Maria Elena, qui nous appelle « les jumelles ». Car en plus de tout le reste, imagine-toi donc que Julia me ressemble beaucoup.

C'est fou, mais j'ai l'impression, par moments, qu'on se connaît depuis toujours, elle et moi. J'ai très hâte de te la présenter. Je crois que toi aussi, tu vas beaucoup l'aimer.

Comme je vais avoir une semaine de congé au début du mois de mai, je vais en profiter pour aller me reposer en Espagne. Alors, ne sois pas surpris si tu ne reçois qu'une carte postale dans quelques semaines. Encore une fois, je crains de manquer de temps pour les longues lettres.

Ce voyage, on va le faire à trois, Maria Elena, Julia et moi. On a toutes bien mérité ce petit séjour en Espagne, et tante Rosita est tout à fait d'accord avec notre projet. On va s'installer dans un petit hôtel sur la Costa del Sol, pour profiter de la plage et de la mer, dans la ville de Torremolinos. Promis, je vais prendre des tas de photos que je t'enverrai par la suite.

Voilà où en est ma vie de Romaine !

Dimanche, jour de Pâques, une grande fête familiale doit avoir lieu chez mes cousins, et j'ai promis à tante Rosita de l'aider à préparer tout ce qu'elle doit apporter pour le repas. Avec un peu de chance, nous allons pouvoir manger dans le jardin, à l'ombre des oliviers.

Je suis de plus en plus à l'aise en pâtisserie, et heureuse dans mon travail. Le chef Moretti est pleinement satisfait de mes progrès. Ce sont des mots qu'il emploie régulièrement! L'autre jour, je l'ai entendu me vanter auprès d'un de ses amis. Ce dernier est cuisinier en France et il était de passage à l'hôtel. Je me suis sentie rougir comme une tomate en entendant mon patron parler de moi en termes aussi élogieux!

Pour le reste, tout va bien. J'aime toujours autant l'Italie, les Italiens. Leurs habitudes de vie au quotidien me changent agréablement du rythme effréné des grandes villes comme Montréal.

Et c'est triste à dire, mais je ne m'ennuie pas du tout de la neige!

Salue tes parents pour moi, en particulier ton grand-papa que j'aime beaucoup.

Je t'embrasse,

Ton amie, Anna

P.-S. – Jusqu'à maintenant, je n'avais pas osé t'en parler, parce que je ne voulais pas te brusquer, mais devant ton silence qui perdure, je suis curieuse… As-tu commencé à écrire ton prochain roman? Ou peut-être l'as-tu déjà fini? Auquel cas, a-t-il été accepté par ton éditeur? J'ai vraiment, mais vraiment très hâte de savoir de quoi il va parler.

Arthur était resté longtemps à fixer les mots inscrits à l'encre noire jusqu'à ce que les lignes se couvrent d'un brouillard de déception. D'un geste las, il avait essuyé les larmes qui s'étaient mises à couler.

Le baiser qu'Anna lui avait envoyé, cette fois-ci, ressemblait à celui d'une bonne amie.

Puis, le jeune homme avait soigneusement replié les feuilles, les avait rangées dans l'enveloppe oblitérée à l'autre bout du monde, et il avait glissé le tout par-dessus la pile des quelque huit lettres qu'Anna lui avait fait parvenir, cachées tout au fond d'un tiroir de sa commode.

Ensuite, il s'était couché sans passer par la cuisine.

Après une nuit agitée, entrecoupée de longues périodes d'insomnie, Arthur ne savait plus très bien où il en était. Dans sa lettre, Anna ne parlait toujours pas de retour ni de possibilité de voyage afin qu'il puisse aller la visiter, et cela le troublait, le peinait grandement.

Pourtant, elle avait écrit en toutes lettres que dans un mois, elle serait en vacances.

Pourquoi, alors, ne lui avait-elle pas offert d'aller la rejoindre à Rome?

Arthur ne comprenait pas. Si Anna le lui avait demandé, il aurait traversé l'océan à la nage, s'il le fallait, pour retrouver la femme qu'il aimait.

Malheureusement, l'envie de profiter d'une toute petite semaine de repos avec celui qui normalement devrait partager sa vie dans un avenir plus ou moins lointain ne semblait pas être à l'ordre du jour dans l'agenda d'Anna.

C'est pour cette raison qu'en ce Vendredi saint, Arthur avait l'impression que cette dernière lettre était celle d'une amie, très chère, certes, et qui aurait probablement toujours un peu d'affection pour lui, mais qui, en même temps, était en train de s'éloigner lentement de tous ces projets de vie qu'ils avaient élaborés ensemble.

De plus, Anna n'avait-elle pas écrit qu'elle venait de rencontrer une personne avec qui elle avait beaucoup d'affinités ? Celle qu'elle voyait comme son âme sœur, rien de moins ? Et Arthur n'avait pas du tout l'impression d'exagérer en pensant ainsi. Il connaissait suffisamment son amie pour savoir lire entre les lignes.

Or, Arthur avait toujours osé croire que c'était lui, son meilleur ami… À défaut d'entendre Anna lui dire qu'il était son amour.

À cette pensée, le jeune homme poussa un long et bruyant soupir, avant de pivoter sur lui-même pour revenir vers la large fenêtre qui donnait sur la rue, quasi déserte en ce vendredi.

— Qu'est-ce qui se passe, Joseph-Arthur ? lança alors Joseph-Alfred, qui suivait des yeux son petit-fils depuis un bon moment déjà. Je te regarde marcher comme un ours en cage depuis tout à l'heure, et je me dis que tu as l'air absent, ou soucieux. Serait-ce que l'idée d'un nouveau roman te turlupine ?

Ainsi interpellé, le jeune homme sursauta, avant d'arrêter brusquement de marcher. Cependant, le dernier mot employé par le vieil homme lui arracha un pâle sourire. Il leva lentement les yeux vers le vieux monsieur qui le dévisageait en souriant.

— Vous sortez vos mots du dimanche, grand-père ?

Tout en parlant, Arthur s'approcha du vieillard, tandis que ce dernier haussait les épaules sans se départir de son sourire édenté, très particulier.

— Mais non ! Nous ne sommes que vendredi.

— Décidément, vous êtes en grande forme, cet après-midi !

— Il le faut bien, puisque toi, tu erres comme une âme en peine.

Arthur poussa un soupir d'agacement. Il ne se savait pas observé comme un microbe sous une loupe. Brusquement, cela l'irrita.

— Une âme en peine ? Quand même, grand-père ! Il me semble que vous exagérez un peu, non ?

— Pas du tout... Je ne suis pas né de la dernière pluie, tu sais... J'ai appris à déchiffrer ces choses-là... Serait-ce la lettre que tu as reçue hier qui te donne cet air de chien battu ?

À ces mots, Arthur comprit qu'il n'y échapperait pas, et qu'un questionnaire en règle suivrait. Il ferma les yeux, peu disposé à décortiquer la dernière lettre de son amie.

Même avec son grand-père !

À vrai dire, Joseph-Alfred Picard, qui n'avait pas son pareil pour détecter les moindres changements d'humeur chez les gens, venait de mettre le doigt sur le bobo d'Arthur. Ce dernier grimaça. Puis, incapable de se retenir, il poussa un second soupir, long et contrarié, avant de lancer un regard furibond en direction du vieil homme.

— Sapristi, grand-père ! Si j'avais eu besoin de quelqu'un pour me remonter le moral, ce n'est pas vers vous que je me serais tourné.

— Pourquoi dis-tu ça ?

— Quand on a l'air piteux, comme vous dites, on n'a surtout pas besoin de s'en faire passer la remarque ni de se faire poser des questions indiscrètes.

— C'est vrai. Tu as tout à fait raison… Je m'excuse.

Le vieil homme ravala son sourire.

— Il n'en reste pas moins que tu m'inquiètes.

— Bof ! Rien de plus ou de moins que d'habitude… Je trouve le temps long ! Il n'y a pas âme qui vive en ce moment, dans le magasin, et j'en connais l'inventaire par cœur ! Alors, je m'ennuie.

Le vieillard regarda autour de lui, et en guise d'assentiment, il secoua sa tête dégarnie où se dressaient bravement quelques mèches hirsutes.

— C'est vrai que c'est un peu tranquille en ce début d'après-midi, admit-il, en reportant les yeux sur son petit-fils. C'est la faute au Vendredi saint. C'était à prévoir que la quincaillerie se viderait pour quelques heures, puisque tout le monde est à l'église… Toutefois, il n'y a pas si longtemps, tu avais toujours un livre à portée de la main pour combler les temps morts d'une journée moins active.

— Pas envie de lecture, grommela Arthur. Et pour répondre à votre toute première question, non, ce n'est pas un prochain roman qui me trotte dans la tête. Je me demande même si je vais en écrire un deuxième. C'est vous dire à quel point je suis loin de me préoccuper d'écriture en ce moment.

Tout en parlant, Arthur s'était détourné, et il regardait présentement la façade de la maison voisine, plutôt laide avec ses briques couleur caramel et ses boiseries vert pomme.

— De toute façon, ajouta-t-il, les quelques fois où j'ai tenté de m'y mettre, j'ai eu l'impression que mon cerveau s'était transformé en un vide abyssal.

— Oh! Tu as le cerveau vide? s'affola alors Joseph-Alfred. C'est beaucoup plus grave que je le pensais...

Le vieil homme avait retrouvé son sourire en coin, et il avait l'air de beaucoup s'amuser. Quand son petit-fils ramena les yeux vers lui, il se heurta à un visage hilare. Alors, s'efforçant de rester poli, il lança:

— Je ne sais pas si c'est grave, mais avant que vous me le demandiez, je tiens à préciser que je ne veux pas le savoir pour l'instant.

— Message reçu! Je n'insisterai pas. Toutefois, ce que tu aimerais savoir, rétorqua d'emblée le vieux quincailler, ce serait la date de retour de ta dulcinée, n'est-ce pas?

Aucune question n'aurait pu être plus directe que celle-là, et Arthur se sentit rougir jusqu'à la racine des cheveux.

— En effet, répondit-il, la gorge nouée, tout en baissant les yeux.

Puis, dans un murmure rauque, il demanda :

— Comment faites-vous pour toujours tout deviner ?

— C'est très facile, Joseph-Arthur. Comme l'aurait dit Sherlock Holmes : élémentaire, mon cher Watson ! Blague à part, comme tu nous l'as souvent répété, tu espérais cette date depuis longtemps, et si Anna avait donné le moindre indice dans sa lettre d'hier, tu nous l'aurais sûrement annoncée… Non ! En fait, je crois que tu l'aurais claironnée, tellement tu aurais été content.

Puis, redevenu tout à fait sérieux, le vieil homme avait précisé :

— Il y a surtout que je t'aime, Joseph-Arthur. L'amour inconditionnel comme celui qu'un grand-père ressent pour son petit-fils est amplement suffisant pour faire pousser des antennes ultrasensibles au moindre changement d'humeur de la personne aimée. Et la tristesse, en particulier, a toujours eu beaucoup d'effet sur moi.

— Alors vous devez me trouver terriblement fatigant, depuis quelque temps.

— Comment ça ?

— Parce que j'ai l'impression qu'il n'y a pas eu grand-chose de positif dans ma vie, au cours des derniers mois… Ça me rend quelque peu mélancolique, je l'avoue, et je ne dois pas être vraiment agréable à côtoyer. Alors, vos antennes doivent se faire aller dans tous les sens. Ça doit être tout à fait épuisant !

— Et c'est toi qui affirmes candidement que tu as peur de ne pas pouvoir écrire un autre livre ? Basewell, Joseph-Arthur ! Écoute-toi parler ! Moi, au contraire, je dirais que ça fourmille là-dedans, déclara Joseph-Alfred, en pointant vers la tête d'Arthur un index jauni par l'usage abusif du tabac.

— Même pas ! Je ne fais que suggérer une suite logique à ce que vous-même, vous venez de me proposer en boutade.

— Nenni, Joseph-Arthur ! Mes propos ne sont ni une blague de mauvais goût ni une moquerie, comme tu sembles le croire. Ce n'était qu'une simple image pour te faire comprendre à quel point je tiens à toi. C'est depuis le jour où tu es né que je ne tolère pas de te voir triste. Ça me rend triste, moi aussi. Et plus je vieillis, pire c'est... Quelle chose curieuse, n'est-ce pas ?

— Laquelle ?

— Celle du grand âge ! On dirait bien que plus on avance en âge, et plus on développe notre émotivité. Au point où parfois, elle devient excessive, j'en conviens, mais je n'y peux rien... Il ne faut pas oublier que je devrais être mort depuis longtemps, tu sais, alors essaie de ne pas m'en vouloir pour...

— Premièrement, je ne vous en veux pas du tout, interrompit vivement Arthur. Et je ne vous en ai jamais voulu pour quoi que ce soit. Vous le savez très bien. Puis deuxièmement, je déteste quand vous parlez de la mort comme ça.

— Et pourquoi je n'en parlerais pas? Il n'y a rien de tabou là-dedans. C'est une des réalités de la vie, mon garçon. Pour moi comme pour toi, d'ailleurs!

— Je sais, mais quand même... Je ne suis pas pressé d'en arriver là... Et ça vaut pour vous aussi, croyez-moi!

— Bien d'accord avec ça... Moi non plus, je ne suis pas pressé de lever les pattes, sois-en assuré! Toutefois, dis-toi bien, Joseph-Arthur, que ce n'est pas la peur de mourir qui me fait parler ainsi, c'est plutôt un grand amour de la vie.

— C'est beau ce que vous venez de me dire là!

— C'est la vérité toute nue, mon garçon... Malheureusement, je ne suis pas le capitaine du navire, et quand celui-ci va décider que je suis arrivé à bon port, je n'aurai pas vraiment le choix de m'incliner et de quitter le bateau... Mais je n'en suis pas rendu là! Je suis vieux, je le concède, mais encore suffisamment en forme et pas trop ramolli de la cervelle pour oser espérer que le voyage n'est pas tout à fait terminé.

Le regard qu'Arthur posa alors sur son grand-père fut la plus éloquente des réponses.

— À voir tes yeux tout brillants, j'ose croire que tu m'as vraiment compris, et qu'entre nous, c'est une bonne chose de réglée, souligna le vieillard d'une voix légèrement chevrotante.

— Tout à fait d'accord!

On pouvait entendre le soulagement dans l'approbation de Joseph-Arthur.

— C'est tant mieux, parce qu'il y a des conversations nettement plus joviales que celle-là. Et maintenant, pour en revenir à ce qui nous préoccupe en ce moment, si tu lui offrais le cadeau d'une petite visite, à la belle Anna ?

— Qu'est-ce que vous voulez dire par là ? Que j'arrive sans prévenir, à l'improviste ?

— Pourquoi pas ?

Arthur esquissa une moue d'indécision.

— Si je savais que ma petite surprise pourrait lui faire plaisir, peut-être, oui, que j'irais à Rome... Toutefois, j'ai plutôt l'intuition que je tomberais dans sa vie comme un cheveu sur la soupe.

— Oh ! C'est surprenant, ce que tu me dis là... Es-tu bien certain de ce que tu avances ?

— Sans pouvoir dire un « oui » catégorique, après tout, je ne suis pas dans sa tête ni dans son cœur, mais je crois que ça ressemblerait à ça.

— Eh bien...Tu m'en vois franchement surpris... et peiné. Je l'aime bien, moi, cette jeune Anna Romano.

— Et moi donc !

— De plus, à la voir aller, j'avais la certitude qu'elle s'était bien adaptée au Québec et que ce voyage en Italie n'était... qu'un voyage d'études !

— Moi aussi, j'ai longtemps cru qu'elle avait adopté le Québec sans condition... Jusqu'à ce séjour dans sa famille qu'elle a fait avec ses parents, il y a de cela plusieurs mois. Avant ça, Anna ne m'avait jamais parlé d'une possibilité de retourner vivre en Italie. À son retour, cependant, ce n'était plus que l'Italie par-ci et Rome par-là ! À la bouche, elle n'avait plus que ses cousins et ses amis de là-bas, le climat et le soleil tellement plus agréables qu'ici !

— Anna aimerait l'Italie à ce point-là ?

— Et même plus, je dirais...

Pendant quelques instants, les deux hommes se perdirent dans leurs pensées respectives. Puis, poussé par un besoin irrépressible de partager ses inquiétudes qui se transformaient petit à petit en désillusions, Arthur reprit très sérieusement.

— Anna ne reviendrait pas, grand-père, que je n'en serais pas surpris du tout... Et comme moi, je n'ai pas du tout l'intention d'aller m'établir en Europe...

— À cause de la quincaillerie ?

Arthur hésita à peine avant de répondre.

— Entre autres choses, oui... Vous avez besoin de moi, ici.

— Oh, tu sais, si ce fichu commerce t'empêche de...

— Laissez-moi finir. Ce fichu magasin, comme vous dites, j'ai appris à l'aimer... Et j'y tiens. Mais il y a aussi que tout le reste de ma vie est ici, à Montréal, avec ma famille et mes amis. De toute façon, vous aviez entièrement raison : vendeur de clous est un métier honorable, et pour moi aussi, il continuera de mettre le pain sur notre table, ou sur la mienne et la vôtre, le jour où je partirai...

Ces derniers mots arrachèrent un sourire entendu au vieil homme.

— Mais voyez-vous ça ! Nous y voilà, après un très long détour...

Décontenancé, Arthur fronça les sourcils.

— De quoi parlez-vous, grand-père ?

— De ton désir de quitter le nid... Ce n'est pas la première fois que tu essaies de nous dire sans le dire que tu aimerais te retrouver seul. N'est-ce pas ?

— Mais je...

— Laisse-moi terminer. Ça fait quand même un petit moment que je m'en doute...

— Vraiment ?

— Oh ! Tu n'as pas été particulièrement clair, et je suis persuadé que tes parents n'y ont vu que du feu...

— Mais de quoi parlez-vous ? répéta Arthur, un brin décontenancé.

— De l'idée géniale d'avoir un ascenseur, Basewell ! Tu ne le sais peut-être pas, mais le jour où je suis descendu par le monte-charge jusqu'au magasin, j'ai eu l'impression de rajeunir d'au moins vingt ans.

— Pour ça, par contre, vous vous trompez ! C'était assez visible que vous étiez heureux.

— Alors tant mieux... C'est peut-être ton ascenseur qui m'a gardé en vie, allez donc savoir. Mais là où je veux en venir, c'est à l'empressement que tu as eu à offrir ta chambre pour installer l'ascenseur. C'est là que j'ai vu clair dans ton petit jeu...

— Vous aviez compris ça, vous, que pour moi, c'était une manière de prendre mon envolée sans faire de peine à qui que ce soit ?

— Eh oui ! Je suis un petit futé, tu sais !

Les deux hommes échangèrent un regard complice.

— Ne craignez pas, ça fait longtemps que je le sais... Mais l'ascenseur, c'était d'abord et avant tout pour vous permettre de retrouver une vie normale... Je me suis dit que si le projet prenait forme, ça ferait d'une pierre deux coups... Et en même temps, vous avez tout à fait raison : j'ai hâte d'être chez moi. On ne peut pas dire que notre logement déborde d'espace, n'est-ce pas ?

— En effet... Ça allait pour un papa seul avec son fiston, mais à quatre, avec toi qui n'es plus un gamin, je conçois que tu puisses te sentir à l'étroit.

— Ça ne vous fâche pas ?

— Pourquoi, Basewell, est-ce que je serais fâché pour une raison comme celle-là ? Veux-tu bien me le dire, toi ? Tu n'es responsable de rien, mon garçon. C'est la vie qui passe trop vite. Te voilà déjà devenu un beau grand jeune homme qui aspire à voler de ses propres ailes ! C'est tout à fait légitime, Joseph-Arthur.

— Je le sais bien... Mais moi, c'est avec Anna que j'espérais prendre mon envol.

Les mots avaient échappé à Arthur. Il dévisagea intensément son grand-père, avec une prière dans le regard, comme s'il souhaitait que d'un geste ou d'une parole, le vieil homme puisse raccommoder la situation.

— On en a si souvent discuté ensemble, et maintenant, je ne sais plus si elle va vouloir me suivre, murmura-t-il d'une voix étranglée. D'une certaine manière, c'est un peu ce qu'elle fait en ce moment, prendre son envol ! Mais elle le fait sans moi.

— Et ça te chagrine, n'est-ce pas ?

— Oui... Beaucoup.

— Alors dis-le-lui. Tu sais, Joseph-Arthur, il y a un dicton qui dit : loin des yeux, loin du cœur... Peut-être bien que ta belle Anna aurait tout simplement besoin de te revoir pour se faire rafraîchir la mémoire.

— Vous croyez ?

— Je ne suis certain de rien, mais à mon avis, ça vaudrait la peine d'essayer...

— Pis si c'est moi qui ai raison et qu'elle préfère m'oublier ?

— Alors tu en seras quitte pour avoir fait un voyage en Italie. Il y a pire que ça dans la vie, n'est-ce pas ? Selon moi, de toute façon, il y a certaines choses qui se disent uniquement les yeux dans les yeux. Et à ton retour, si jamais la réponse était décevante, tu ne te morfondras pas inutilement.

— Ça, c'est vous qui le dites !

— Non, mon garçon, ce n'est pas moi qui le dis, c'est l'expérience de la vie qui parle à travers moi.

Malgré la peine que tu en aurais, et crois-moi, ce ne serait pas facile, petit à petit, tu recommencerais à regarder devant toi, et non derrière…

Comme Arthur ne répondait pas, le patriarche des Picard respecta ce silence durant quelques minutes, puis, d'une voix posée, il ajouta :

— Je sais que cela peut te sembler extravagant, mais moi aussi, malgré mes allures de gringalet, j'ai connu des déceptions amoureuses… Pense un peu à la peine que j'ai pu avoir, le jour où ta grand-mère est décédée, me laissant seul avec un nouveau-né. J'étais dévasté, moi qui n'y connaissais strictement rien ! Oh, pendant un moment, la vie a été difficile ! J'en ai bavé, comme on dit. Puis, tranquillement, je me suis fait à ma nouvelle réalité. N'oublie jamais que c'est fort, la vie, Joseph-Arthur. C'est incroyablement plus fort qu'on serait porté à le croire !

* * *

Chez les Méthot, les repas plantureux et les friandises exceptionnelles se succédaient à un rythme cadencé, tous les deux ou trois jours, depuis maintenant plus d'un mois. Nul doute que c'était apprécié, parce qu'Eugène, agréablement surpris, en profitait allègrement. Mais au-delà d'une prise de poids visible qui n'avait sans doute pas grand-chose de salutaire pour un homme de son âge, toutes les gâteries imaginées par Roberte n'avaient pas vraiment pavé la voie à un dialogue sain et constructif. Quand on ajoutait que la vieille dame n'en pouvait plus de résister tant bien que mal au sucre à la crème et autres desserts affriolants, ça frôlait la catastrophe. Et c'était ce qu'elle venait d'admettre, devant ses enfants, manifestement découragée.

— Cârosse ! Toutes mes petites ruses ont absolument pas donné les résultats que j'espérais.

— C'est ben dommage !

— À qui le dis-tu, Laurette ! Pourtant, j'étais persuadée de réussir, quand je vous ai annoncé, un peu après la Saint-Valentin, que j'espérais arriver à mes fins en dodichant votre père. D'habitude, quand je le dorlote pis que je le gâte un peu, il est pas mal plus enclin à se ranger derrière moi, pis à dire comme moi. Mais pas cette fois-ci...

— Laisse-moi te dire que je trouve ça plate en calvinisse ! avait soupiré Émilien, qui était particulièrement meurtri de voir son père lui battre froid à ce point-là. J'sais ben qu'il est déçu de ma décision, mais...

— Mais il faudrait qu'il en revienne un peu ! s'était alors exclamée Laurette, coupant la parole à son frère.

Et Roberte s'était empressée de la seconder.

— J'suis ben d'accord avec toi, ma fille ! À force d'être gentille avec lui, j'imaginais qu'on aurait des conversations calmes, et surtout constructives, sur un sujet qui, après tout, me regarde autant que lui... Si ton père s'imagine qu'il est le seul à vouloir prendre sa retraite, il se met un doigt dans l'œil. Moi avec, j'aimerais ça me reposer de temps en temps. Je rêve d'installer un beau gros casse-tête à un bout de la table de la cuisine, parce que j'aurais tout mon temps pour le faire. Je pourrais m'y mettre à tous les jours, si j'en avais envie.

Un souhait tout à fait légitime dont Roberte avait souligné l'importance à ses yeux en poussant un soupir long et bruyant.

— Mais va surtout pas t'imaginer que c'est un reproche que je te fais, Émilien, s'était-elle dépêchée d'ajouter, en tournant la tête vers son fils, qui avait rougi. Ça a rien à voir avec ta décision... Tout ça pour dire que mes petites attentions à l'égard de votre père ont strictement rien donné, avait conclu Roberte, visiblement désappointée.

Ils étaient alors tous trois réunis autour de la table de la cuisine, chez Laurette, pour faire le point sur leur situation familiale.

— Non seulement votre père veut toujours pas entendre parler de la vente du magasin, et laissez-moi vous dire qu'il gronde fort quand j'essaie d'en discuter avec lui, mais il veut pas plus entendre parler de réunion familiale. «J'suis pas rendu là», qu'il m'a répondu l'autre jour, sur le petit ton net, frette, sec, qui m'enlève toute envie d'insister... C'est pas mêlant, Eugène était tellement cassant que j'suis à peu près certaine qu'il est convaincu de t'avoir à l'usure, mon pauvre Émilien... Vous savez ben de quoi je parle, quand votre père prend son petit air supérieur, un peu fendant, avec le nez en l'air de celui qui est certain de gagner.

— Oh que oui, on le connaît, ce petit air arrogant de popa ! avait déclaré Émilien. Mais moi, je te répondrais que pour une fois, il s'est ben trompé. Plus il s'entête, pis moins j'ai envie de retourner travailler pour lui. Calvinisse ! À le voir aussi « boqué », c'est plutôt le contraire qui s'est produit. L'autre jour, j'ai même dit à Gisèle que j'en suis arrivé à penser que j'ai pris une sacrée bonne décision en refusant d'acheter le magasin. Ça en est rendu au point où je me sens plus coupable pantoute de quoi que ce soit.

— Tant mieux, Émilien, j'suis ben contente d'entendre ça ! Dans un sens, ça me rassure. Il faudrait surtout pas que l'entêtement de ton père vienne gâcher ta vie, pis celle de ta famille par la même occasion. De toute façon, t'étais coupable de rien, mon pauvre garçon. T'as ben le droit de gérer ton existence à ta guise...

— C'est en plein ce que je pense, moi avec.

— Pis j'ai répété cette rengaine-là des dizaines de fois à ton père, mais il veut rien écouter... Va falloir que je change de tactique, on dirait ben... En tous les cas, j'vas couper dans les gâteries, ça c'est certain ! C'est pas bon pour sa santé, pis moi, ça me joue sur le caractère d'essayer de rester raisonnable pis de pas en manger avec exagération. En fin de compte, j'pense que j'vas faire exactement comme lui.

— Qu'est-ce que tu veux dire par là, moman ?

— Votre père veut faire sa tête dure pis continuer à t'ignorer, Émilien ? Ben tant pis pour lui. Moi, j'en ai jusque-là ! avait lancé la vieille dame en faisant un va-et-vient avec la main au-dessus de sa tête. Eugène Méthot va voir que moi avec, j'suis capable d'avoir le « boudin tenace » ! Pis voulez-vous que je vous dise de quoi, les enfants ?

Émilien et Laurette avaient alors échangé un regard complice.

— Quand ben même on te dirait non, moman, on sait que tu vas nous le dire pareil !

— C'est vrai... Pour vous rassurer, je rajoute aussi que j'suis loin d'être certaine que votre père va gagner sur moi à ce petit jeu-là.

Puis, Roberte avait enchaîné, en confiant ce qu'elle avait l'intention de faire.

— C'est la Semaine sainte qui commence, oui ou non ?

— Ouais... Mais qu'est-ce que ça change à...

— Ça change tout, Émilien, pis j'vas en profiter pour virer mon capot de bord ! Finis les nananes, pis les gâteaux glacés. Cette année, on va faire maigre et jeûne, chez les Méthot ! Avec du poisson en masse, comme dans le temps de mon enfance... C'est ma mère qui disait que le carême avait été inventé pour nous faire du bien en décrassant notre système digestif après un long hiver de tourtières, pis de ragoûts. Ben cette année, on va tester ses dires, pis voir si elle avait raison.

— Pas sûre, moi, que ça soit une si bonne idée que ça ! Si tu mets du poisson dans son assiette trop souvent, popa sera pas content.

— Pis ça ? J'ai essayé la douceur pis les cajoleries, ça a rien donné. Astheure, j'essaye de faire comme lui, pis j'vas tenir mon boutte. J'veux retrouver ma famille au grand complet autour de ma table, pis c'est exactement ce que j'vas obtenir, de gré ou de force, ou je m'appelle pas Roberte Méthot ! Regardez-moi ben aller ! J'ose espérer que votre père est assez intelligent pour comprendre que ce qui est bon pour lui peut l'être pour moi avec.

— Ce qui veut dire ?

— Pour l'instant, Eugène pense juste à lui, hein ?

— Ouais...

— Ben, j'vas faire pareil. On verra ben lequel des deux va plier en premier. J'ai l'air de rien, comme ça, mais vous allez voir que votre mère peut avoir la couenne dure quand c'est nécessaire. Ah oui ! J'ai ben pensé à mon affaire, pis c'est à partir de dimanche prochain qu'on recommence à avoir des repas en famille. On va fêter la fin du carême pis l'arrivée du printemps en organisant un gros dîner pour Pâques ! Qu'est-ce que vous diriez de ça ?

— Pourquoi pas !

— Avec un menu digne d'une cabane à sucre, il me semble que ça serait ben agréable, pis les enfants vont aimer ça ! Comme on est encore en mars, pis qu'il reste pas mal de neige dans le fond des cours, on devrait même être capables de se faire de la tire d'érable ! Il doit me rester au moins deux cannes de sirop de l'année passée. C'est en masse pour se sucrer le bec à s'en écœurer !

— Pis on ferait ça où ?

Roberte était restée songeuse un instant, puis elle s'était enquise :

— Si je te demandais de faire ça chez vous, Émilien, est-ce que ça dérangerait ben gros ta femme ? À cause de Laurette qui est enceinte jusqu'aux yeux, je me dis qu'on devrait la ménager un peu.

— Merci, c'est gentil d'y avoir pensé.

— C'est juste normal, ma fille. J'suis déjà passée par là, pis j'sais qu'on est moins d'adon, durant le dernier mois.

Sur ce, Roberte était revenue à son fils.

— Je fournirais tout, comme de raison. De la nappe en papier jusqu'au dessert, en passant par la soupe aux pois, le jambon pis les patates jaunes !

— À première vue, je dirais que ça devrait aller. N'empêche que je voudrais en glisser un mot à Gisèle avant de vous donner une réponse définitive. C'est quand même pas mal d'ouvrage, préparer une belle réception.

— Pis c'est juste normal que Gisèle aye son mot à dire, Émilien. Je m'attendais à une réponse comme celle-là. Tu pourras quand même préciser à ta femme que j'aurais préféré faire ça chez nous, comme de raison, mais je me verrais ben mal être obligée de mettre votre père à la porte pour vous recevoir tous les deux avec vos familles, si jamais il persistait à faire son cabochon.

— Ça se ferait pas, voyons... J'aime autant pas penser à ce que popa dirait, si tu lui disais de sortir de chez nous pour nous recevoir !

— C'est exactement ce que je pense, moi avec. Autant éviter les occasions de disputes. De toute façon, pis malgré sa mauvaise foi, Eugène est quand même chez lui, partout dans la maison, de la cave au grenier ! Ça fait que tu diras à ta femme que ça serait ben gros apprécié qu'elle accepte de me rendre ce petit service-là, pis que ça serait juste partie remise. L'an prochain, je m'occupe de nos repas en famille, comme je l'ai toujours fait. De tous nos repas ! Du réveillon de Noël jusqu'aux anniversaires de tout le monde. Mais pour en arriver là, va falloir que ton père montre un peu plus de bonne volonté.

— Pas de doute là-dessus !

— Voir que ça a du bon sens de s'acharner comme ça, avait répété Roberte pour la énième fois. J'en reviens toujours pas, de le voir s'entêter de même. C'est pas mêlant, si on fait rien, j'ai comme l'intuition que c'est pas demain que ça finirait.

— De la manière que t'en parles, on dirait même que tu penses que popa acceptera pas d'être avec nous autres dimanche prochain, avait alors souligné Émilien.

— C'est à ça que je m'attends, oui. ...

— Ben pourquoi faire ça chez nous, d'abord ? Là, c'est presque sûr qu'il voudra pas venir.

— Émilien a peut-être raison, moman… C'est à mon frère que popa en veut, pas à moi. Si on mange chez lui, il me semble que ça serait comme une pique de plus envers notre père, non ?

Sans répondre, la vieille dame avait esquissé une moue, indiquant par là qu'elle y avait pensé. Laurette avait donc repris.

— Si tu venais m'aider à préparer la maison, je devrais être capable de m'en sortir pas trop pire.

— Pis selon l'humeur de ton père, il va se mettre à t'en vouloir à toi aussi ? avait rétorqué Roberte. Il en est pas question. C'est ben assez difficile comme ça.

— *Fly bean* que c'est compliqué pis plate, tout ça ! J'sais plus trop quoi penser… T'es vraiment certaine que c'est une bonne idée de se retrouver en famille, sans que popa soye là ?

— Oh ! Je le sais pas plus que toi, ma fille. Va falloir l'essayer pour savoir si j'ai tort ou ben raison.

Tout en parlant, Roberte secouait sa belle tête blanche.

— Une chose est certaine, par exemple, c'est que moi, j'suis ben tannée de la situation de fous où on se retrouve, toute la famille. Une situation que votre père a lui-même provoquée, par-dessus le marché. C'est à lui d'en assumer les conséquences. Pas à nous autres, comme c'est le cas depuis proche un an.

— Ouais…

— De toute façon, quand on y pense comme il faut, si jamais votre père venait pas, ça serait pas tellement grave.

— Ah non?

— Non! Même que ça serait peut-être mieux comme ça. Dans le fond, l'important, c'est de faire comprendre à votre père qu'il est dans le tort. Pis je pense pas qu'il y a une manière de faire qui soye meilleure qu'une autre. Pour réussir ce tour de force, parce que ça en est vraiment un, il va falloir le pousser à boutte, j'vois rien d'autre. C'est pas fin, j'en conviens, mais lui non plus, il est pas tellement gentil. Si on laissait passer une autre occasion de se réunir, ça serait comme lui donner raison, pis on risquerait de continuer à tourner en rond sans aboutir à quoi que ce soit avant ben longtemps.

Sur ce, Roberte avait consulté ses enfants du regard.

— Pis, qu'est-ce que vous en pensez? Ça aurait-tu un peu d'allure, ce que je viens de dire là?

Devant cette interrogation, Émilien avait haussé les épaules.

— Si t'allais au bout de ta pensée, moman, je pourrais peut-être te répondre. Parce que là, j'vois pas pantoute où tu veux en venir.

— Ben voyons donc! Il me semble que c'est simple, mon garçon! Connaissant votre père, ça va l'achaler en cârosse de nous savoir tout le monde ensemble, en train de fêter, tandis que lui, il va être pogné à tourner en rond, tout seul dans la cuisine.

Ça devrait l'amener à réfléchir sur la dernière année qui vient de passer, pis à se rendre compte que s'il est malheureux ou choqué ben noir, c'est à lui que revient le blâme. Pas à nous autres, cârosse ! Voir qu'on boude son propre garçon pendant des mois ! Non, non, plus on en parle, pis plus j'ai l'intuition qu'on fait la bonne affaire... En tous les cas, j'suis sûre que ça va le faire réfléchir, pis selon moi, ça va être déjà un gros pas de fait dans la bonne direction.

— Si tu savais à quel point j'espère que t'as raison !

— Mais j'ai raison, ma belle fille ! De toute façon, j'suis pareille à vous deux, je m'ennuie de nos belles rencontres, tout le monde ensemble. Parti comme c'est là, surtout si c'est pour durer encore longtemps, nos petits-enfants vont garder des souvenirs ben tristes de leurs jeunes années. Pis tout ça à cause de la mauvaise volonté de leur grand-père... Il y a personne qui veut ça, pis quand Eugène va y penser comme il faut, lui non plus, il voudra pas ça... Bon, le repas, astheure ! Toi, Laurette, penses-tu que tu pourrais demander à ton mari de venir chercher le lunch chez nous, samedi en fin de journée ?

— Ça serait faisable, oui... Mais qu'est-ce que je réponds à popa s'il se rend compte qu'on est là, Jean-Michel pis moi, en train de charroyer des assiettes pis des bols ?

— Tu le verras pas, ton père, je m'en porte garante ! Vous passerez par la cuisine, sans faire de bruit, pis moi, j'vas m'arranger pour garder ton père à l'étage des vêtements, si jamais je voyais qu'il y a pas grand monde au magasin. T'auras juste à m'appeler au moment de votre départ pour que je puisse m'organiser. Pis pour que tu saches quoi emporter, j'vas garder l'étage du bas dans le frigidaire pour mettre tout ce que j'aurai préparé.

— Pis tu penses que popa se rendra pas compte que tu cuisines plus que d'habitude ?

— Pas vraiment non... Il aime ben manger ce que je prépare, il y a pas de doute là-dessus, pis il a ses petites demandes spéciales à l'occasion, mais c'est rare qu'il me surveille quand je fais la cuisine, ou qu'il vérifie de quoi dans le frigidaire. En autant que la pinte de lait est à sa place, ça lui suffit... Oublie pas qu'à la veille de Pâques, Eugène va passer le plus clair de son temps dans le magasin. Pis en plus, il fait encore assez froid pour que je puisse cacher certaines préparations dans le tambour... C'est là aussi que j'vas mettre les trois lapins en chocolat que j'ai achetés pour tes garçons, pis Virginie... Crains pas, Laurette, ton père se doutera de rien.

— Si tu le dis ! Pis c'est vrai que Pâques est de bonne heure, cette année... Bon ben, si c'est de même, quand est-ce que tu vas lui parler, à popa ?

— C'est tout ce qui me reste à décider... J'vas réfléchir à la question, pis je finirai ben par trouver le bon moment. On s'appelle cette semaine pour s'en reparler.

Et c'est ce qui avait été fait.

Au lendemain du dimanche des Rameaux, Roberte mettait en branle son plan numéro deux, au grand déplaisir d'Eugène, qui avait fait deux grands yeux ronds sous des sourcils froncés de contrariété à l'instant où il avait aperçu un morceau d'aiglefin dans son assiette.

— Du poisson? Un lundi soir, par-dessus le marché... en quel honneur? avait souligné le marchand, après avoir soupiré de mécontentement. Pourtant, tu le sais, Roberte, que j'aime pas tellement ça, du poisson.

— C'est sûr que j'sais ça, mon mari! Ça fait un bon gros paquet d'années que tu répètes la même rengaine chaque fois que je mets du poisson sur la table. Mais aujourd'hui, c'est pas pareil.

— Comment ça?

— C'est juste qu'on commence la Semaine sainte, pis pour une fois, j'ai décidé qu'on ferait maigre jusqu'à samedi prochain, comme dans le temps de notre enfance! Même le curé, en chaire, hier matin, nous a dit que les belles coutumes religieuses se perdaient de plus en plus, pis que c'était ben dommage... Tu dormais, durant le sermon, ou quoi?

— Pantoute! Pour qui tu me prends?

— Ben voyons donc! Jusqu'à nouvel ordre, je te prends pour Eugène Méthot, mon mari... J'ai jamais mis ça en doute une seule seconde.

Là-dessus, Roberte avait haussé les épaules avec une pointe de nonchalance dans le geste.

— Tu parles d'une drôle de question!

— Pis toi, tu parles d'une drôle d'idée de manger du poisson, un lundi soir, avait ronchonné Eugène.

— Je vois pas ce qu'il y a d'amusant là-dedans.

— Moi non plus, justement !

— Arrête donc de grogner, vieux marabout. En plus, c'est excellent pour la santé, pis la mémoire. À nos âges, c'est pas à négliger. C'est toi-même qui me le disais, le jour où j'ai oublié les carottes sur le rond du poêle : il faut que je fasse attention à ma mémoire ! En servant du poisson, je fais juste t'écouter, mon homme. Même les docteurs conseillent de manger du poisson, cârosse ! Comme les carottes qui sont bonnes pour la vue, tant qu'à ça ! Pis par chance, j'ai pas de misère à manger ni le poisson ni les carottes. Au contraire, je trouve ça ben bon. Mais si toi, t'en veux pas, on pourrait manger de la sauce blanche aux œufs sur des toasts, pour le souper de demain ? Qu'est-ce que t'en penses ?

— Ouache ! Tu le sais que j'haïs la sauce blanche à m'en confesser...

— Pourquoi ? C'est si bon, pis en plus, c'est vite préparé. Je sais pas trop ce que j'ai, mais depuis la semaine dernière, ça me tente pas mal moins de faire à manger. J'ai dû trop en faire, durant l'hiver, je dirais ben ! Alors, qu'est-ce que je fais demain soir, d'abord ? On pourrait peut-être manger des patates au saumon ? C'est pas du poisson blanc, ça là !

— Gériboire, Roberte ! Tu le fais exprès ou quoi ?

Une question à laquelle la vieille dame n'avait pas donné suite, parce que son mari n'aurait sûrement pas aimé l'entendre répondre que oui, elle le faisait exprès ! Elle s'était contentée de suggérer, sur un ton ingénu, tout en détournant brièvement les yeux vers la fenêtre :

— Si mes repas de la Semaine sainte te conviennent pas, mon pauvre Eugène, t'auras juste à te faire des toasts au beurre de « pinottes ». Comme les enfants quand ils étaient petits, pis qu'ils aimaient pas ce que je mettais dans leur assiette.

— J'suis pas un enfant.

— Qu'est-ce que ça change ? Pour moi, c'est clair que je ferai pas deux soupers à tous les jours, juste à cause de tes caprices. J'aurais pas le temps, pis j'viens de te le dire : ça me tente pas.

Puis la vieille dame avait ramené son attention sur son mari pour lui ordonner, avec la même intonation qu'elle employait jadis avec ses enfants :

— Astheure, mange ton poisson pis tes légumes, mon homme, sinon, ça va refroidir ! Tu le sais comme moi que des patates bouillies, il faut les manger rapidement, autrement, elles noircissent, pis c'est pas ben ben appétissant.

Et c'est ainsi que le matin de Pâques était arrivé, après une semaine de remarques désobligeantes à l'heure du souper.

Ne restait plus qu'à régler le cas du dîner pascal, parce que Roberte n'avait trouvé ni l'occasion ni le courage d'en parler.

En fait, pour se ménager une porte de sortie et ainsi s'éviter une discussion pénible, elle s'était entendue avec sa fille pour qu'elle lui donne un petit coup de pouce.

— Si ça ressemble à une invitation de dernière minute, ça va mieux passer, avait-elle souligné. J'ai ben pensé à mon affaire, pis voilà ce qu'on va faire !

Là-dessus, Roberte avait déclaré à Laurette, qui l'écoutait attentivement à l'autre bout de la ligne, qu'elle serait bien gentille d'assister à la messe de dix heures dans son ancienne paroisse, sous prétexte de souhaiter Joyeuses Pâques à ses parents.

— Là, avait poursuivi Roberte, tout en gardant un œil sur la porte donnant dans le magasin, tu vas nous annoncer que tu t'en vas manger chez ton frère. Vous avez eu l'idée de faire une sorte de cabane à sucre pour faire plaisir aux petits, pis à cause de ça, t'aurais pas eu le temps de venir nous visiter durant l'après-midi, comme tu fais d'habitude. À quoi j'vas répondre que t'es ben chanceuse, parce que j'ai toujours aimé le temps des sucres... À ce moment-là, tu m'invites, en disant que ça ferait sûrement plaisir à Émilien si j'étais là. Je dis oui, parce que de toute façon, j'avais acheté des chocolats pour les enfants, pis que j'aimerais ben ça leur donner à Pâques, pas à la Trinité ! Ensuite, j'vas me tourner vers ton père pour lui demander s'il vient lui aussi.

— Tu penses vraiment que ça va marcher ? avait demandé Laurette d'une voix hésitante, empreinte de scepticisme. À mon avis, c'est pas tout à fait la découverte du siècle, ton affaire ! Même que ça me paraît un peu gros. Popa est quand même pas un imbécile !

— Je sais ben, mais j'ai pas trouvé d'autre chose, cârosse ! J'ai eu beau virer ça dans tous les sens, de jour comme de nuit, c'est ce que j'ai imaginé de mieux. De toute façon, on l'a dit, l'autre jour : on s'attend pas à ce que ton père vienne manger avec nous autres. Du moins, pas pour cette fois. Ceci étant dit, j'avoue que je m'en fiche un peu si ton père s'aperçoit qu'on est en train de le mener en bateau. L'important, c'est le résultat... Chose certaine, Eugène serait ben malvenu de lever le ton devant sa clientèle. Tu le sais comme moi comment ça se passe sur le parvis de l'église après la messe, non ? On a toujours une gang de clients agglutinés autour de nous autres. À plus forte raison, le matin de Pâques... Ça devrait aider à faire passer l'idée en douceur. Je peux-tu compter sur toi ?

Et Laurette avait dit oui.

Au réveil de ce dimanche pascal, un soleil radieux faisait oublier le froid tenace des derniers jours. Roberte avait donc commencé par choisir sa plus jolie robe, fleurie et toute en couleurs d'été, celle qui plaisait tant à son mari. Ensuite, elle s'était coiffée soigneusement avec un chignon plus élaboré que de coutume, et elle avait mis un trait de rouge à lèvres, ce qu'elle faisait de moins en moins souvent depuis quelques années. L'étincelle aperçue dans le regard d'Eugène, quand elle l'avait finalement rejoint à la cuisine, lui laissa croire qu'elle avait misé juste, et qu'il allait avaler la pilule sans trop grimacer.

En tous les cas, pour l'instant, il semblait de bonne humeur, et il n'avait pas reparlé du repas de Pâques qu'elle avait décidé d'annuler, comme ceux de Noël et de la Saint-Valentin.

Quoi qu'il en soit, dans un peu plus d'une heure, Roberte saurait si elle avait eu raison de planifier cette mise en scène. N'empêche que la vieille dame se sentait fébrile, comme au jour où elle avait tenu un petit rôle dans la représentation de Noël, à l'école de sa paroisse !

En préparant son manteau, la seule certitude que Roberte avait était qu'elle irait jusqu'au bout, quoi qu'il lui en coûte ! Elle l'avait promis à ses enfants, et jamais elle n'avait failli à ses engagements face à eux.

— Tu viens, mon homme ? demanda-t-elle à Eugène, qui avait replongé le nez dans le quotidien de la veille. M'sieur le curé attendra pas après nous deux pour commencer à chanter sa grand-messe.

Le marchand leva alors les yeux vers le cadran de la cuisinière et il referma aussitôt le journal d'un geste sec.

— Gériboire ! Déjà dix heures moins quart ! Le temps passe vite à matin. Sors-moi mon pardessus, Roberte, pendant que je mets mes claques.

Ils entrèrent dans l'église en se tenant par la main, comme ils le faisaient depuis tant d'années. Pour eux, et parce qu'ils vivaient avec le public, l'apparence projetée avait toujours eu une grande importance.

Ainsi, dans la paroisse, le couple Méthot était reconnu pour être solide, bien assorti, et il faisait l'envie de la plupart des gens.

Puis, ils regagnèrent le banc qui était le leur depuis des décennies, saluant silencieusement leurs connaissances en tournant la tête à gauche et à droite, tout en souriant.

Aussitôt, la messe commença.

Dire que Roberte était attentive aux rituels observés pour une telle cérémonie et au sermon du curé Vaillancourt, un peu plus tard, serait le fait d'un fieffé menteur, car ce qu'elle n'était pas du tout. Alors, elle se leva et elle se rassit comme une automate ; elle répondit aux prières machinalement du bout des lèvres ; elle se présenta à la table de communion par habitude ; et tout au long de la messe, elle tenta de repérer sa fille dans la foule des fidèles, le plus discrètement possible, du coin de l'œil. Mais en vain.

Un petit doute l'agaça jusqu'à la bénédiction.

Et si sa fille n'était pas là ?

En fin de compte, Laurette, son mari Jean-Michel et les deux garçons les attendaient sur le parvis.

— Grand-moman !

Roberte n'était pas sitôt sortie de l'église que le jeune Simon se précipitait vers elle, suivi de près par ses parents, qui donnaient la main à son petit frère Nicolas. Ils se retrouvèrent tous à la hauteur d'Eugène, en même temps que certains paroissiens, ceux que le marchand appelait « ses habitués », et qui se faisaient un devoir de venir le saluer, ainsi que sa gentille épouse, tous les dimanches, après la messe.

Laurette dut se faufiler entre deux hommes plutôt costauds pour être bien en face de son père.

— Salut popa !

Eugène accueillit sa fille par un sourire sincère. Il était toujours heureux de la voir, celle-là ! Pourtant, le sourire fut vite remplacé par un froncement de sourcils quand il comprit que ce n'était pas normal que Laurette et son mari se retrouvent là, en ce moment bien précis.

— Veux-tu ben me dire ce que vous faites ici, vous deux ? Le curé de votre paroisse est parti ? Vous avez plus de vicaire, par-dessus le marché, pis on dit plus la messe ?

— Ben non, voyons ! Monsieur le curé Thomassin pis l'abbé Dompierre sont toujours là. C'est juste qu'on voulait vous souhaiter Joyeuses Pâques, à moman pis toi.

— Oh !

Eugène dodelina la tête, puis il esquissa une moue. Il avait l'air franchement déçu.

— Coudonc, toi ! Si vous vous êtes donné la peine de venir nous saluer jusqu'ici, dans notre paroisse, souligna-t-il, ça serait-tu que vous viendrez pas nous voir dans le courant de l'après-midi ?

Et sans laisser à sa fille la chance de lui répondre, le marchand se tourna vivement vers son épouse.

— Tu vois, Roberte ! Je le savais... Je le savais donc que ça finirait par arriver un jour ! Pis on dirait ben que ça va être aujourd'hui. On va se retrouver tout fin seuls pour la journée, à cause de toi pis de ta nouvelle manie de plus vouloir recevoir notre fille à manger. On va passer un gériboire de beau dimanche de Pâques!

Devant cette discussion qui s'amorçait, quelques curieux s'étaient rapprochés, étonnés d'entendre le ton monter.

De la part des Méthot, cette attitude était tout à fait surprenante.

En effet, hormis la mésentente au sujet de la reprise du commerce par le fils, et encore, on évaluait la situation uniquement à la suite de quelques ouï-dire, car les principaux intéressés ne s'étaient jamais prononcés en public, les résidents du quartier tenaient les Méthot en haute estime, considérant qu'ils formaient une famille exemplaire.

Indifférent à l'attroupement qui se formait lentement autour d'eux, parce qu'il était plutôt courant qu'Eugène s'amuse à discourir pour distraire la galerie, ce dernier avait les yeux braqués sur Roberte qui, visiblement, ne se sentait pas très à l'aise. Elle qui détestait être le point de mire d'une assemblée sentait son cœur battre la chamade. Mais qu'importe, leurs histoires de famille ne regardaient personne d'autre qu'eux, et son mari aurait dû baisser le ton, et ne pas s'attaquer à elle ainsi. Roberte aurait bien voulu être capable de riposter, mais subitement, les mots lui manquaient. En même temps, elle espérait que son mari se taise, au lieu de quoi, il continuait de plus belle, visiblement de très mauvaise humeur contre elle.

Roberte pencha la tête, accablée par la situation présente.

— T'aurais dû m'écouter aussi !

La vieille dame avait l'impression que les paroles de son mari étaient autant de lourdes pierres qui s'accumulaient sur ses épaules.

— Si on avait organisé un souper, comme de coutume, pis comme je te l'avais demandé, surtout, les enfants auraient été avec nos autres, pis...

— Non, popa ! interrompit Laurette.

Présentement, la jeune femme était bien la seule personne présente capable de tenir la dragée haute à son père, et elle le savait. Cependant, elle baissa la voix avant de poursuivre. Tout comme sa mère, Laurette était plutôt réticente quand venait le temps de parler devant des étrangers. Or, en ce moment, c'était une petite foule qui assistait à leur discussion, et elle trouvait la situation plutôt désagréable et gênante.

Et dire que c'était son père qui proclamait qu'il fallait toujours laver son linge sale en privé !

— S'il vous plaît, parle moins fort, popa ! l'exhorta-t-elle. Tout le monde nous regarde.

— Pis ça ? J'ai pas de cachettes à faire à personne... Dans le fond, j'veux juste savoir pourquoi vous viendrez pas nous voir après-midi, comme vous le faites d'habitude le jour de Pâques. C'est pas sorcier à comprendre pis à répondre, ça là ! Vous allez souper dans la famille de Jean-Michel, ou ben vous êtes déçus que votre mère vous aye pas invités?

— Ni l'un ni l'autre... On a vu les parents de Jean-Michel hier, en soirée.

Avant de poursuivre, Laurette jeta un regard discret autour d'elle, et elle reconnut plusieurs de leurs fidèles clients. Son père risquait fort de désapprouver ce qu'elle s'apprêtait à faire, mais elle n'avait plus vraiment le choix de continuer.

La jeune femme inspira profondément, puis elle tenta de faire abstraction des gens qui les entouraient. Machinalement, elle plaça une main sur son ventre rebondi, très évident, puisque son manteau ne fermait plus complètement. Le geste eut pour elle un petit quelque chose de réconfortant, de rassurant.

Elle avait toujours beaucoup aimé son père, l'avait respecté. Mais l'essentiel de sa vie se jouait maintenant ailleurs que sous son toit. Elle inspira profondément une seconde fois pour se donner un peu de courage, puis elle se lança.

— En réalité, popa, ce qui se passe, en ce moment, pis tu dois ben t'en douter, c'est qu'Émilien pis moi, on commence à être vraiment fatigués de jamais être ensemble pour les fêtes.

Cette remarque eut l'heur de déstabiliser Eugène.

— Ah bon... Il me semble que t'exagères quand même un peu. C'est pas d'hier qu'on est pas tout le temps tous ensemble, voyons donc! Faudrait quand même pas charrier!

La désinvolture, ou plutôt la suffisance utilisée par Eugène pour camoufler son désarroi, mit aussitôt Laurette hors d'elle. Au point où elle en oublia tous ceux qui suivaient la discussion avec une curiosité amusée.

— Que tu soyes d'accord ou pas, c'est ça qui est ça, popa ! On est malheureux à cause de toi, pis va falloir que tu le comprennes. *Fly bean !* Ça va faire quasiment un an que la chicane dure. Tu trouves pas que ça suffit ?

— Quand je dis que t'exagères, j'ai pas tout à fait tort ! Écoute-toi donc parler ! Je vous ai jamais empêchés de vous voir, ton frère pis toi.

— Ça serait ben le boutte ! Pis je dirais que c'est encore une chance, parce qu'on t'aurait pas écouté. Voyons donc ! Ça a pas d'allure, ce que t'es en train de dire là. De toute façon, c'est pas de ça que je parle.

— Ah non ? C'est de quoi, d'abord ?

— C'est du fait qu'au-delà de se voir de temps en temps, Émilien pis moi, on veut reprendre nos dimanches d'avant, où tout le monde s'amusait pis discutait autour de la table. On le fait pour nous autres, ben sûr, mais surtout pour nos enfants. C'est pour cette raison-là qu'on a décidé qu'à l'avenir, ou ben Émilien va venir chez nous avec sa femme pis sa fille, ou ben c'est nous autres qui irons chez lui, le dimanche, soit pour dîner ou pour souper.

Roberte était émue d'entendre sa fille prendre à son compte l'idée d'organiser de nouveau les réunions dominicales. Contre la volonté d'Eugène, s'il le fallait, et la tenant volontairement à l'écart de cette décision.

Le marchand, toujours aussi prompt, n'y vit que du feu, et oubliant momentanément sa bouderie, il relança Laurette de belle façon.

— C'est ça ! Vous parlez d'organiser des réunions de famille le dimanche, pis moi, je te réponds que c'est une idée de fous, votre affaire. Nous deux, ta mère pis moi, on est juste des cotons ?

— J'ai jamais dit ça, popa ! Pis je l'ai surtout pas pensé. Vous serez toujours les bienvenus, moman pis toi. Mais mettons que pour l'instant, c'est plutôt toi qui veux plus voir Émilien. Parce que nous autres, on serait partants pour se retrouver tout le monde ensemble, aussi souvent qu'avant. Pis j'espère que t'empêcheras jamais moman de venir.

Tout avait été dit et de façon très claire.

Il y eut un petit malaise. Laurette en profita pour se calmer en respirant profondément.

— C'est pas dans notre nature de contrarier tes volontés, pis tu le sais, ni de s'emporter les uns contre les autres, d'ailleurs, reprit-elle sur un ton plus doux. C'est pour ça qu'on a décidé de s'arranger entre nous deux, Émilien pis moi. Comme ça, il y aura pas de chialage ni de chicane inutiles... De celles qui font mal... Pis je le répète : c'est ben certain que si ça vous tente de venir, vous allez être les bienvenus, moman pis toi... C'est un peu pour ça que j'suis ici, à matin, pour vous inviter, des fois que ça te tenterait de te joindre à nous. On fait une sorte de cabane à sucre pour le dîner.

Aux derniers mots prononcés par Laurette, et comme ils s'enchaînaient merveilleusement bien à leur récente discussion, Roberte se redressa.

— Tu parles d'une bonne idée !

Eugène, tout à sa réflexion, n'eut aucune réaction devant l'enthousiasme de son épouse.

Roberte, quant à elle, soulagée de constater qu'aucun blâme ne lui serait adressé, avait retrouvé son allant. Elle se tourna vivement vers sa fille. Non seulement la vieille dame avait-elle jugé que la discussion avait suffisamment duré, en public de surcroît, mais elle considérait qu'il était grand temps qu'elle donne son opinion, elle aussi.

— Si c'est de même, pis que t'es ben certaine qu'Émilien va avoir assez de manger pour tout le monde, vous pouvez compter sur moi.

Ces derniers mots firent sursauter Eugène.

— Ben là, Roberte ! Qu'est-ce qui te prend, tout à coup ?

— Rien !

— Ben voyons donc... Gériboire, ma femme, je te reconnais plus ! Il me semble que c'est pas dans tes habitudes d'accepter une invitation comme celle-là sans m'en parler.

— Pourquoi je te demanderais ton avis, Eugène, puisque je connais d'avance la réponse ?

Devant cette réplique, il y eut des rires étouffés autour d'eux.

Ces quelques ricanements prudents furent tout de même la goutte qui fit déborder le vase de la patience d'Eugène. Comme son caractère entier et parfois explosif était de notoriété publique, personne ne fut surpris par la remarque qui allait suivre dans l'instant.

Être la risée de quelqu'un n'était pas le genre de concession qu'Eugène serait capable de faire un jour. Il lança donc un regard impatient vers son épouse, se demandant si sa maladie ne serait pas en train de revenir subitement. Ça expliquerait cette décision surprenante d'agir contre sa volonté, et cette manie récente qu'elle avait de lui tenir tête ou de le contredire.

Eugène réprima une envie de soupirer, puis il haussa les épaules. Pour l'instant, l'essentiel pour lui était d'avoir le dernier mot pour ne pas perdre la face devant ses clients. Il verrait à Roberte et aux enfants plus tard, quand il aurait eu le temps de réfléchir à tout ça.

— Si c'est de même, Roberte, amusez-vous bien, déclara-t-il de sa voix la plus autoritaire, celle qui n'appelait aucune réplique.

Puis, il se tourna vers sa fille.

— Tu sauras, Laurette, que ça me tente pas pantoute de passer l'après-midi les deux pieds dans la «sloche» pour manger une palette de tire qui va me coller sur les dentiers, pis me donner mal à l'estomac.

— C'est comme tu veux, popa.

De toute évidence, Laurette était grandement désappointée. Qu'à cela ne tienne, son air malheureux ne toucha guère Eugène, qui n'en avait pas terminé avec elle.

— Pis si t'avais pensé que la meilleure place pour m'en parler, c'était de faire ça en public, tu t'étais ben trompée, ma pauvre fille ! Astheure, mes salutations à toute la compagnie, je m'en vas chez nous.

Sur ces mots, le marchand salua les gens à la ronde avant de faire quelques pas en direction de la rue, où il s'arrêta un instant.

— Ah oui ! s'écria-t-il d'une voix forte sans se retourner. Oubliez pas, tout le monde, que le magasin ouvre seulement à midi demain, parce que ça va être le lundi de Pâques.

Là-dessus, il bifurqua à droite sur le trottoir, et il poursuivit sa route la tête haute, en direction de chez lui.

Sans même avoir échangé un dernier regard avec son épouse.

Devant une telle attitude, Roberte resta figée un instant, incapable de bouger ou de raisonner. Puis, elle se dit que dans un sens, elle avait obtenu ce qu'elle voulait, puisque son mari avait dit qu'il allait réfléchir.

En revanche, le chemin pour y arriver, n'était pas du tout celui qu'elle aurait voulu emprunter. Alors, elle soupira discrètement, tandis que les curieux s'éloignaient en devisant à voix basse.

« Quel gâchis ! », songea alors Roberte.

Puis, une idée sans importance, et tout à fait terre à terre, lui traversa l'esprit. Compte tenu des circonstances, Roberte la trouva même déplacée. Il n'en restait pas moins qu'elle tira sur la manche du manteau de sa fille pour attirer son attention.

— C'est complètement stupide, mon affaire, mais je peux pas aller manger chez ton frère !

Laurette, qui s'apprêtait à suivre son mari qui s'éloignait en direction de leur auto, persuadée que sa mère les suivrait, se tourna brusquement vers celle-ci.

— Bon ! Qu'est-ce que c'est ça encore ? Tu veux pas venir chez Émilien ? Je peux-tu te dire que je commence à être vraiment tannée ? lança-t-elle en pesant bien les deux derniers mots.

— J'ai pas dit que je voulais pas, cârosse ! J'ai dit que je pouvais pas. C'est pas pareil pantoute.

— Pis qu'est-ce qui t'empêche de venir dîner avec nous autres ?

— T'as juste à regarder ce que j'ai sur le dos, pis tu vas tout comprendre ! À matin, quand je me suis habillée, j'ai pas pensé plus loin que le bout de mon nez, pis j'ai voulu faire ma fine en mettant la robe que ton père préfère. De quoi j'ai l'air, astheure ? C'est pas pantoute adéquat pour manger de la tire sur la neige !

Soulagée, Laurette éclata de rire.

— Si c'est juste ça, ton problème, inquiète-toi pas, j'vas te régler ça en deux temps trois mouvements ! On va passer par chez nous, pis je devrais trouver, dans le fond de mon garde-robe, une paire de jeans qui va te faire, un chandail chaud pis des bottes.

Comme en temps normal, on habille la même grandeur, ça devrait aller.

— Mais j'ai jamais mis ça, moi, des jeans !

— Ça prend toujours une première fois à tout, moman ! lança joyeusement Laurette en pointant sa mère avec l'index. C'est toi-même qui m'a appris ça quand j'étais petite.

— C'est ben vrai !

— En plus, tu vas enfin comprendre que j'ai raison quand je dis que c'est ben confortable, des jeans. Je parie même que tu vas vouloir t'en acheter une paire. Astheure, suis-moi ! Jean-Michel nous attend là-bas, dans l'auto.

— Pis ton père dans tout ça ?

— Quoi, popa ?

— Ça m'inquiète un peu de le savoir tout seul.

— Bon là, j'pense que ça suffit, moman ! Pense un peu à toute la peine qu'Émilien a, pis ça va calmer tes inquiétudes… Malgré tout le respect pis l'amour que je ressens pour vous deux, il était grand temps qu'on mette popa au pied du mur. On a obtenu ce qu'on voulait, pis ton mari a tout le reste de la journée pour réfléchir. C'est ça qui compte. Laisse-le ruminer un peu, ça peut pas lui faire de tort… Maintenant, on y va, j'suis vraiment tannée de parler de tout ça, pis je meurs de faim !

Chapitre 8

«Elle court, elle court
La maladie d'amour
Dans le cœur des enfants
De 7 à 77 ans
Elle chante, elle chante
La rivière insolente
Qui unit dans son lit
Les cheveux blonds, les cheveux gris
Elle fait chanter les hommes
Et s'agrandir le monde
Elle fait parfois souffrir
Tout le long d'une vie…»

~

La maladie d'amour,
August Darnell / Coati Mundi A Hernandez

Interprétée par Michel Sardou, 1973

Le vendredi 8 mai 1970, dans la cuisine du casse-croûte avec madame Rita, Mado et le chef Romano

Il régnait une atmosphère effervescente dans la cuisine, car le dimanche suivant serait la fête des Mères. Pour souligner l'occasion, monsieur Romano et Mado avaient décidé de confectionner deux magnifiques gâteaux. Si l'on se fiait aux années précédentes, les clients seraient nombreux en cette journée consacrée aux mamans.

— Selon moi, c'est la journée la plus achalandée de l'année, avec le jour de Noël, bien entendu. Mais là, c'est juste quand je décide de garder le casse-croûte ouvert, avait souligné Rita en début de semaine. Par contre, la fête des Mères, c'est un incontournable! Ça fait que c'est une ciboulette de bonne idée, vos deux gâteaux! Le service va être pas mal plus simple! En plus, c'est tellement agréable de vous voir popoter ensemble. Ça met de l'ambiance dans la cuisine!

En réalité, il n'y avait rien d'exceptionnel à voir le chef Romano et Mado Champagne cuisiner ensemble, car il arrivait de plus en plus souvent que cette dernière troque son tablier à frisons de serveuse pour celui de cuisinière, nettement moins séduisant, avec ses taches tenaces qui restaient imprégnées dans le tissu, même quand Mado le lavait à l'eau de Javel. Mais peu lui importait. La serveuse aimait vraiment « faire à manger », comme elle le disait elle-même, au point où elle affirmait avec aplomb qu'elle avait maintenant deux métiers.

— Pis soda, je saurais même pas dire lequel je préfère, tellement j'aime les deux !

— Pourquoi faire un choix ? T'as le droit de les aimer tous les deux, tu sais, avait alors rétorqué malicieusement Rita.

Alors, en ce moment, c'était la cuisinière en elle qui considérait avec sévérité les deux gâteaux rectangulaires, encore dans leur moule, garnis de crème à la vanille et ornés de bonbons roses, avant qu'ils se retrouvent dans la chambre froide pour qu'ils soient encore moelleux et tendres pour les repas du dimanche. Le chef et Mado avaient préféré une pâte au beurre pour que le produit final garde toute sa fraîcheur durant plusieurs jours.

— Par contre, il me semble que deux, c'est vraiment pas beaucoup, énonça Mado sur un ton à la fois navré et inquiet.

Le chef, occupé à couper finement les légumes de sa bolognaise, qu'il prévoyait cuire en double quantité en prévision de la fête, détourna les yeux de son travail pour un instant.

— *Madonna mia, qué jé souis* content *dé* vous entendre parler comme ça ! lança-t-il avec sa grandiloquence coutumière. Vous avez peut-être bien raison, *madémoiselle* Mado. *Jé souis* un peu comme vous, et *jé mé démande* si ça *séra* suffisant. Ah !

Si ma fille Anna était là, avec nous, aussi, *cé sérait* probablement *plous* facile pour tout *lé* monde.

— Pis les gâteaux seraient assurément plus beaux aussi, observa Mado, tout en tournant la tête vers monsieur Romano.

Soucieux à son tour, ce dernier fronça les sourcils, et il abandonna la taille de ses légumes sur-le-champ.

— Qu'est-*cé* qui *né* va pas avec nos gâteaux ? demanda-t-il, tout en s'approchant de la serveuse, son couteau de chef à la main. Il *mé* semble qu'ils sont *ploutô*t réussis, non ?

— C'est sûr que c'est pas trop pire, approuva Mado, examinant encore les deux pâtisseries. Mais ça pourrait être tellement mieux ! Rappelez-vous la belle pièce montée qu'Anna nous avait faite pour le mariage de Daniel pis Jacinthe. Soda de soda que c'était beau, son affaire !

— Ça, c'est certain, approuva alors Rita, s'invitant ainsi dans la discussion. Anna avait pas son pareil pour les desserts. Quand notre chef pis sa fille travaillaient ensemble, ils étaient pas battables. On sait toutes ça. Mais comme on peut pas faire apparaître Anna sur un claquement des doigts, on va faire avec ce qu'on a, ciboulette !

— *Cé né* pas tellement gentil pour nous, ça, madame Rita !

— Ce que je dis a rien à voir avec la qualité de votre travail à tous les deux. Pour ça, j'ai aucun doute que vos gâteaux vont être ben bons, pis ben fondants en bouche, comme vous le dites d'habitude. Non, ce que je veux dire, c'est que pour la fête des Mères, ça serait tu vraiment nécessaire d'avoir un gâteau aussi spectaculaire qu'un gâteau de noces?

— Pourquoi pas?

Mado et Gepetto avaient répondu à l'unisson. Rita esquissa un sourire amusé, tout en haussant toutefois les épaules.

— Ben non, voyons! Pensez-y comme il faut, m'sieur Romano, pis vous allez vite comprendre que j'ai raison.

— *Perché?*

— Parce que les clients verraient même pas la différence!

— Je te suis pas, Rita, intervint Mado. Il me semble que d'habitude, t'aimes ça quand c'est ben présenté, non?

— Je dis pas le contraire, Mado, mais dans le cas présent, c'est pas vraiment nécessaire d'en faire plus. Ils sont en masse beaux, vos gâteaux, pas besoin d'en rajouter…

— T'es sûre?

— Ben oui! Tu vas voir, c'est pas compliqué pantoute! Pour ceux qui vont commander un morceau de gâteau, le dessert va leur arriver en portion déjà coupée, dans une des assiettes en carton rose que j'ai achetées chez les Méthot expressément pour l'occasion. Pis on va servir ça avec une boule de crème glacée à la vanille, gracieuseté de la maison, pour souligner la fête des Mères. Le gâteau en entier, ils le verront jamais!

Il y eut un très bref silence, que Mado rompit en s'exclamant :

— Sais-tu que t'as ben raison, Rita ! Je te dis, moi, des fois, j'ai le tour de dire des niaiseries...

— *Jé né souis* guère mieux *qué* vous, *mademoiselle* Mado, soupira le chef en retournant à son poste devant le long comptoir. Finalement, moi aussi, j'étais en train *dé mé* désoler pour pas grand-chose... *Jé sérais* aussi bien *dé* m'occuper *dé* ma bolognaise et *dé* préparer beaucoup *dé* pizzas. Ça va être *molto plous* utile pour *lé* restaurant !

— Pis moi, j'vas remettre mon tablier de *waitress* parce que l'heure du dîner approche, pis que les tables sont pas encore montées. Le temps de me laver les mains, pis j'vas dans la salle à manger.

— Je te suis dans quelques minutes, Mado ! Je m'occupe de faire un peu de place dans la chambre froide pour vos gâteaux, pis j'arrive !

Malgré l'absence de la jeune Anna, la cuisine du casse-croûte était menée de main de maître par le chef Romano, qui avait appris, au fil des années, à déléguer certaines tâches, ce qui ne déplaisait pas du tout à Mado. Elle s'était même donné la peine d'apprendre quelques ficelles du métier aux côtés de Léonie, qui, pour sa part, n'avait pas son pareil pour mettre en valeur les mets à saveur locale. Ainsi, au grand soulagement de Rita, qui envisageait l'avenir avec une crampe d'appréhension lorsqu'elle pensait au départ d'Anna, le problème avait été réglé avant même d'exister. Gardant la surprise jusqu'au jour où la jeune Romano aurait quitté le restaurant, question de ménager les susceptibilités, Mado avait pallié les inconvénients que cette absence aurait pu susciter, et la clientèle n'avait souffert d'aucun manque majeur sur le menu habituel du restaurant.

En prime, la cohabitation du chef et de Mado devant les fourneaux avait généré quelques beaux fous rires mémorables, et de nombreuses discussions animées dans la cuisine.

En un mot, à part l'ennui que chacun pouvait éprouver de temps en temps en pensant à Anna, sa désertion passait quasiment inaperçue.

Il en fut de même aujourd'hui, malgré l'intensité des préparatifs en vue de la fête des Mères.

Comme il avait été convenu avec sa patronne, Mado se changea rapidement dès que le coup de feu du midi fut passé.

— Pis t'es vraiment certaine, Rita, que t'auras pas besoin de moi à l'heure du souper ? demanda-t-elle tout en fouillant dans son sac à main pour trouver son paquet de gomme. Il faut pas oublier qu'on est vendredi !

— Pars en paix, Mado, tout est sous contrôle ! Le chef nous a laissé suffisamment de plats préparés que j'aurai tout simplement à réchauffer au besoin. En plus, Mario m'a promis d'être ici avant quatre heures.

— C'est vrai, j'avais oublié qu'il fermait sa boulangerie un peu plus tôt, aujourd'hui... Sais-tu qu'il est pas mal *sweet*, ton voisin, de venir t'aider comme ça... Pis de plus en plus souvent, on dirait ben ! lança

Mado avec une pointe de taquinerie dans la voix. Curieux, par contre, qu'il aye jamais donné d'explication pour son absence de trois jours, l'hiver dernier.

— Je te l'ai pas dit ?

— Non...

— T'avais raison, Mado. C'était vraiment une question de famille. Mario est pas rentré plus que ça dans les détails.

— Bon ! Tu vois que j'ai raison, des fois... Comme ça, on peut s'attendre à continuer de le voir souvent, ce qui te fait pas mal plaisir, je m'en suis rendu compte.

À ces mots, Rita se sentit rougir. Elle détourna la tête pour camoufler son embarras, mais ce fut tout à fait inutile. Mado était déjà à côté d'elle. Familièrement, la serveuse passa un bras autour des épaules de celle qui était sa patronne, certes, mais aussi et surtout une très chère amie.

— Toi avec, tu sais, t'as le droit d'être en amour, dit-elle avec le plus grand des sérieux.

À ces mots, Mado sentit les épaules de Rita tressaillir, ce qu'elle accueillit comme une confirmation de ce qu'elle venait d'avancer.

— Parce que tu penses que j'suis en amour ? bafouilla Rita.

— J'pense pas, Rita, je le sais ! Ça prend juste deux yeux pour voir à quel point vous êtes ben assortis, Mario pis toi. C'est tellement évident...

— Ah bon... Je pensais pas que...

— Soda, Rita, arrête-moi ça tusuite ! C'est quoi cette gêne-là ? T'es rouge comme une tomate, comme si t'étais en train de faire une mauvaise action. Il y a rien de mal là-dedans, ma pauvre toi. Ben au contraire ! Tiens, prends Valentin pis moi, par exemple. On a beau être rendus à un âge où on devrait plus penser à l'amour pis au mariage, ben ça nous est tombé dessus sans qu'on l'aye vu venir. Pis ça nous gêne pas une miette ! Je dirais même qu'on se fiche pas mal de ce que le monde peut penser. À part sa mère, ben sûr, mais ça, c'est une autre histoire... Toujours est-il que je me dis que vous autres avec, vous méritez d'être heureux. En plus, il faut pas oublier que vous êtes pas mal plus jeunes que Valentin pis moi... Ce que je comprends moins, par exemple, c'est pourquoi vous en faites une cachotterie. Mario aurait-tu une mère comme celle de mon Valentin, pis on le saurait pas ? Ça serait-tu à cause de ça qu'il se serait absenté, cet hiver ?

Une aussi longue tirade sur l'amour fut amplement suffisante pour que la pauvre Rita vire à l'écarlate. Mais la dernière remarque de Mado la fit tout de même sortir de son mutisme.

— Ben non, voyons ! Des « madames » Lamoureux, il y en a sûrement pas tant que ça dans tout Montréal.

— Je l'espère ben, parce que c'est quelque chose d'assez compliqué, tu sauras, d'essayer de plaire à quelqu'un qui veut pas vous avoir dans sa vie.

— Je savais tout ça, oui !

— Ouais...

Mado eut alors un sourire gêné.

— C'est vrai que je t'en parle quand même pas mal souvent, observa-t-elle alors. Tu dois être tannée en soda de m'entendre radoter là-dessus ! Mais qu'est-ce que tu veux que je te dise ? Il y a des bouttes que je trouve tellement difficiles à passer qu'on dirait qu'il faut à tout prix que le méchant pis l'impatience sortent, sinon, j'vas virer folle. Pis à qui veux-tu que j'en parle, à part toi ? Sûrement pas à Valentin. Ça le mettrait tout à l'envers, le pauvre homme ! Mais c'est pas grave, ça doit ben achever. Astheure que je rencontre la belle-mère plus régulièrement, j'vas finir par la gagner, ma soda de place dans cette grande maison-là !

La conversation bifurquant d'elle-même en terrain moins personnel, Rita se détendit. Elle aussi, en fin de compte, elle aurait bien des choses à raconter, à confier plutôt, mais comme elle avait promis à Mario de se taire...

Heureusement, Mado s'éloignait déjà pour décrocher le manteau léger qu'elle portait durant quelques semaines, chaque printemps. Elle l'avait choisi d'un ton d'océan, car pour elle, le bleu était une couleur de vacances.

— Ouais... J'ai choisi un manteau bleu parce que j'espère, un jour, que j'vas pouvoir aller faire un voyage au bord de la mer, répéta-t-elle songeuse à une Rita qui avait dû entendre cette explication au moins une bonne centaine de fois, au fil des années.

Puis, Mado secoua les boucles noires qu'elle venait de libérer du filet qu'elle portait pour travailler.

— Bon, j'suis prête, annonça-t-elle en se tournant vers sa patronne. Ah oui, avant que je parte... T'es vraiment certaine que ça dérangera pas que je fasse un petit gâteau demain en arrivant ?

— Ben voyons donc, Mado ! Ça fait au moins trois fois que tu me demandes ça depuis à matin... C'est quoi ces inquiétudes-là ? Si je t'ai dit oui tantôt, ciboulette, c'est parce que c'est oui ! Tu peux préparer tout ce que tu veux pour la mère de Valentin. Je me dis que c'est pour la bonne cause.

— Tant qu'à ça, t'as pas tort. Pas pantoute à part de ça ! J'ai pour mon dire qu'à force de lui faire plaisir, j'vas ben finir par convaincre cette femme-là que j'suis devenue tout à fait indispensable à son bonheur.

Ce furent ces derniers mots qui accompagnèrent la serveuse, tandis qu'elle marchait à pas pressés vers la demeure de son fiancé, se disant qu'elle avait un culot incroyable d'oser croire que sa démarche serait facilement acceptée.

Ce serait la première fois qu'elle se présenterait à cette adresse sans être accompagnée de Valentin, et cela l'angoissait un peu

Cependant, en même temps, son intuition lui murmurait que c'était la chose à faire, la seule et unique pour en avoir le cœur net, et qu'à partir de là, tout pourrait soit dégringoler, soit faire en sorte de bâtir des liens durables. D'où cette nervosité qui l'habitait depuis le matin.

Il y avait aussi une petite voix embêtante qui l'avait réveillée, ce matin, et qui lui murmurait, en arrière-plan, que si elle échouait, probablement que la maison des Lamoureux lui serait interdite à tout jamais.

Arrivée au coin de l'avenue menant à l'imposante demeure grise en pierres de taille, Mado s'arrêta. Pour une des premières fois de sa vie, elle se demanda si son impétuosité naturelle saurait bien la servir, encore une fois. Elle misait gros, en ce moment. En fait, elle mettait dans la balance une bonne partie des années qu'il lui restait à vivre, ou peu s'en faut. Si elle réussissait son pari, le mariage pourrait probablement se célébrer durant l'été.

Cependant, si elle ratait son coup, elle devrait attendre que la mère de Valentin décède avant de voir son vœu le plus cher se réaliser.

Si jamais il se réalisait !

De cela non plus, Mado n'était pas vraiment certaine, car elle ne pouvait savoir à l'avance quelle serait la réaction de son fiancé devant un échec. La seule chose dont elle pouvait être certaine, c'était l'amour filial indéfectible que Valentin éprouvait pour sa mère, et sa fidélité exemplaire à s'occuper de la vieille dame. Une attitude aussi dévouée, chez un homme à la cinquantaine bien entamée, la tracassait grandement, et en même temps, cela avait un petit quelque chose de rassurant.

De toute façon, qui ne risque rien n'a rien, n'est-ce pas? Mado croisa donc les doigts au fond de la poche de son manteau, pour conjurer tous les mauvais sorts que le destin pourrait s'amuser à semer sous ses pas, tout en prenant une longue inspiration. Puis, elle redressa les épaules et elle descendit l'avenue.

Dans moins d'une heure, elle saurait à quoi les prochains mois, et peut-être même les prochaines années, allaient ressembler.

— Pis peut-être aussi que dans dix minutes, madame Lamoureux va me sacrer à la porte de chez elle, murmura Mado, de plus en plus nerveuse... Soda que je prends un gros risque, moi là...

Mado s'arrêta à nouveau de marcher, parce qu'en ce moment, son cœur battait la chamade si fort qu'elle l'entendait cogner dans sa poitrine. Il fallait vraiment qu'elle se calme avant de poursuivre sa route.

La maison des Lamoureux n'était plus qu'à un jet de pierre, et la serveuse pensa alors qu'il serait encore temps de reculer. Ainsi, personne, jamais, ne saurait qu'elle était venue jusqu'ici avec une intention bien précise.

— Parce que si je me trompe d'un bout à l'autre, parce que j'aurais eu la berlue l'autre soir, la pauvre femme aurait toutes les raisons du monde de me dire de me mêler de mes affaires, pis de vouloir se débarrasser de moi, une bonne fois pour toutes! Elle pourrait même me crier par la tête que j'aurais rien à redire à ça... Par contre, si ce que j'ai vu est ben réel, pis soda d'affaire, j'ai pas l'habitude d'avoir des visions, j'vas libérer un paquet de monde d'une montagne de tensions inutiles, à commencer par la belle-mère elle-même.

Fidèle à ce qu'elle avait toujours été, généreuse et soucieuse des autres, Mado Champagne jugea qu'améliorer le quotidien de madame Lamoureux primait sur tout, même sur ses espoirs de mariage.

— De toute façon, si Valentin est sincère dans ses grandes déclarations, il va comprendre que j'étais pas malveillante pour un sou, pis il va me pardonner mon effronterie.

Sachant que madame Lamoureux n'ouvrait jamais la porte, puisqu'elle était soi-disant condamnée à son fauteuil roulant, Mado passa par la porte de la cuisine qui n'était pas verrouillée durant la journée. Elle frappa deux petits coups secs sur le battant, l'entrouvrit sans attendre, puis elle glissa la tête à l'intérieur.

— Madame Lamoureux? lança-t-elle d'une voix forte qui ne trahissait pas le tremblement intérieur qu'elle ressentait.

Tout en s'annonçant, la serveuse était entrée dans la pièce.

— Coucou, c'est moi, Mado... Mado Champagne.

Comme s'il pouvait y avoir une autre Mado dans la vie d'Adrienne Lamoureux!

— Faites pas le saut, madame Lamoureux, mais j'suis rentrée dans votre maison, pis j'vas essayer de vous trouver... J'vas commencer par le salon, parce que c'est toujours là que vous êtes quand j'viens faire mon tour... Bougez pas, j'arrive.

Après avoir déposé son manteau sur le dossier d'une chaise, Mado sortit de la pièce, et elle emprunta le long couloir sombre qui menait jusqu'à l'avant de la maison.

Effectivement, la mère de Valentin était au salon.

Assise de guingois dans son fauteuil, la vieille dame avait retiré ses chaussures et ses bas. Présentement, elle tentait tant bien que mal de se redresser. Sans demander ce qui s'était passé pour qu'elle se retrouve aussi mal positionnée, Mado se précipita vers elle.

— Forcez pas de même, voyons donc ! C'est un plan pour vous donner mal dans le dos.

Et d'une main ferme, mais sans brusquerie, Mado aida la mère de Valentin à se réinstaller.

Quand Adrienne Lamoureux leva les yeux vers la serveuse, elle rougissait comme une gamine prise en défaut. Mado en resta figée durant un bref moment. Jamais elle n'aurait pu imaginer qu'un jour, elle verrait la mère de Valentin gênée par une situation quelconque. Bien au contraire, cette dernière était ce genre de femme qui avait toujours le mot incisif pour remettre les gens à leur place.

« Décidément, songea alors la serveuse, c'est la journée des personnes mal à l'aise. Soda d'affaire ! D'abord Rita, pis moi, pendant que je m'en venais ici, pis astheure, on dirait ben que c'est la belle-mère elle-même qui est gênée par quelque chose. »

Or, si Mado comprenait tout de même un peu pourquoi sa patronne pouvait se sentir embarrassée par sa relation avec son voisin, après tout, elle-même était déjà passée par là avec Valentin, en revanche, elle ne voyait pas du tout ce qui pouvait rendre Adrienne Lamoureux troublée au point d'en rougir.

Elle avait à peine pris le temps de formuler la question que la réponse lui sauta aux yeux.

Et cette réponse prouvait qu'elle ne s'était pas trompée, et qu'elle avait raison d'être ici!

En effet, l'autre soir, au moment où elle s'était penchée pour ramasser sa serviette de table qui avait glissé de ses genoux jusque sous la table, elle avait cru voir qu'Adrienne Lamoureux bougeait ses jambes.

Voilà donc pourquoi elle était avachie sur son fauteuil tout à l'heure, toute rougissante.

En un mot, Adrienne Lamoureux devait être debout quand Mado était arrivée. Comme elle n'était plus toute jeune, le temps qu'elle mette à venir au salon n'avait pas suffi pour que la mère de Valentin puisse se rasseoir convenablement.

Et c'était elle, Mado Champagne, qui venait de découvrir le pot aux roses, en arrivant ainsi à l'improviste.

Le soulagement que Mado ressentit à ce moment-là était immense, mais que faire maintenant de cette découverte?

À peine Mado eut-elle le temps d'amorcer un semblant d'introspection que la vieille dame éclatait subitement en sanglots incontrôlables, ce qui mit un terme prématuré à la réflexion de la serveuse.

Sans plus chercher à comprendre quoi que ce soit, Mado remisa aussitôt ses questionnements et ses soupçons, sa colère et aussi sa déception, devinant aisément que son Valentin avait dû faire les frais de ce qui ressemblait à un mensonge éhonté. Malgré cela, et n'écoutant que son grand cœur, elle se pencha vers celle qui serait probablement sa belle-mère… un jour!

— Ben voyons donc, vous là! Mais qu'est-ce qui se passe ici, voulez-vous ben me le dire? Je peux-tu vous aider pour quelque chose?

— Oui. Vous pouvez préparer le thé.

Adrienne Lamoureux parlait d'une voix étranglée que Mado ne lui connaissait pas.

— Si ça prend rien que ça pour faire votre bonheur, ma pauvre vous, c'est déjà parti! lança-t-elle, sans passer de remarque.

Délaissant les chaussures de la dame qui gisaient sur le tapis du salon, Mado ramassa tout de même la paire de bas, puis elle manipula adroitement le fauteuil roulant, et les deux femmes ressortirent ensemble du salon.

Quelques instants plus tard, elles se retrouvèrent à la cuisine.

Installée dans son fauteuil au bout de la table, madame Lamoureux, mortifiée d'avoir été prise en flagrant délit de ce qu'elle appelait sa petite marche de survie quotidienne, avait laissé Mado lui enfiler ses bas, puis elle avait essuyé soigneusement son visage avec un fin mouchoir de batiste qu'elle glissait tous les matins dans la manche de son chandail ou de son chemisier, en cas d'un éternuement subit.

Pour l'instant, la mère de Valentin attendait patiemment que Mado se décide enfin à parler, afin de pouvoir lui donner quelques explications plus ou moins logiques. Celles qu'elle avait préparées de longue date au cas où son fils la surprendrait debout sur ses deux jambes.

Heureusement ou malheureusement, la vieille femme n'aurait su le dire, ce n'était pas son garçon qui s'était présenté, mais c'était Mado, cette femme qu'elle se refusait d'aimer, car elle la voyait comme une adversaire redoutable qui cherchait à monopoliser toutes les attentions de son cher Valentin.

Le mot partage était celui de son dictionnaire personnel qu'Adrienne utilisait le moins souvent.

Elle jeta un regard en coin vers Mado qui s'affairait au comptoir.

Qu'avait-elle réellement vu, et le cas échéant, qu'allait-elle faire de cette découverte? Se précipiterait-elle à la pharmacie pour prévenir son fils, ou au contraire, essaierait-elle de tirer profit de la situation?

De son côté, pour se donner le temps de reprendre ses esprits, Mado s'éternisait à préparer le thé, sans dire un mot.

Elle mit donc l'eau à bouillir, et elle sortit la boîte joliment décorée qui contenait les poches de mousseline de ce thé anglais que les Lamoureux appréciaient particulièrement, et qu'ils faisaient venir à prix d'or directement de Londres. Ensuite, elle ouvrit l'armoire vitrée pour prendre deux tasses fleuries faites d'une porcelaine très fine et elle y déposa les sachets.

Puis, toujours sans dire un mot, Mado vint se poster devant la fenêtre pour attendre que la bouilloire émette son long sifflement. L'immense cour bordée d'une majestueuse haie de cèdres était égayée par une multitude de jonquilles, la seule fleur, avec les roses, dont Mado connaissait le nom. Le printemps était bel et bien installé !

Quelques instants plus tard, la serveuse déposa élégamment les boissons fumantes sur la table, après tout, c'était son métier depuis des décennies de servir gentiment les gens, et sans attendre d'y être invitée, elle prit place devant la vieille dame. Ce qu'elle avait à proposer le serait uniquement si la mère de Valentin la regardait droit dans les yeux, sans dérobade.

Ce que madame Lamoureux fit sans la moindre hésitation, empruntant cet air altier qui lui seyait à merveille. Après tout, elle était chez elle, non ?

Toutefois, et pour une toute première fois, Mado ne se sentait nullement intimidée, consciente que toutes les deux, elles partageaient un lourd secret que même leur cher Valentin ignorait.

Néanmoins, elle baissa les yeux.

Le regard fixé sur sa tasse, Mado se demanda alors comment elle allait annoncer la nouvelle à son amoureux, puis elle se gourmanda, car on n'en était vraiment pas rendus là. Elle soupira en se disant qu'une cigarette fumée lentement l'aiderait sûrement à réfléchir, et finalement, elle leva la tête.

Adrienne Lamoureux la fixait intensément.

« Elle a le regard d'une biche effarouchée ! », se dit curieusement Mado, un brin décontenancée par la comparaison. Et plutôt que d'y voir de l'arrogance, ce qu'elle aurait sans doute fait en temps normal, la serveuse découvrit alors une fragilité déconcertante qu'elle n'aurait jamais suspectée avant aujourd'hui.

Madeleine Champagne, cette femme sans prétention et au cœur charitable, était en train d'admettre que la mère de Valentin n'était rien d'autre, après tout, qu'une très vieille femme malheureuse.

De surcroît, une vieille femme qui avait peur.

Mado retint son souffle un instant, se demandant comment elle réagirait si elle-même se retrouvait dans la même situation. Que ferait-elle devant la peur de l'inconnu, la précarité engendrée par son grand âge, la solitude ?

Or, c'était ce que le regard de madame Lamoureux lui renvoyait. Elle était un être blessé qui ne savait plus comment s'accrocher à un quotidien qui semblait vouloir se dérober. Un rien devait la déstabiliser, l'effrayer, alors elle prenait les commandes et usait de son autorité pour s'éviter les surprises les plus douloureuses. À ses yeux, perdre l'attention de son garçon devait être l'ultime crainte. Sa supercherie n'était qu'une façon malhabile de s'assurer de la présence de son fils à ses côtés, et ce, jusqu'à la fin de sa vie.

Oh ! Mado ne réfléchissait pas nécessairement en ces termes, mais les émotions qu'elle ressentait suffisaient à lui faire saisir le sens de cette mascarade de mauvais goût. Elle comprenait surtout qu'elle avait deux choix : soit elle se faisait l'amie de cette vieille dame, et elle l'aiderait peut-être à retrouver une certaine joie de vivre ; soit elle l'ignorait totalement, auquel cas, elle n'avait plus qu'à partir, la laissant dans l'expectative de ce qui pourrait lui arriver, si jamais Valentin venait à savoir qu'elle lui avait menti tout ce temps.

Or, Mado n'avait jamais été méchante avec qui que ce soit. Directe, oui, cinglante, en certains cas, et même un brin rancunière, quand la blessure qu'on lui avait infligée découlait d'une mesquinerie évidente. Mais il suffisait parfois d'un peu de bonne volonté, ou de quelques jours à peine, pour que la serveuse du casse-croûte Chez Rita ait déjà tout oublié.

Alors, Mado tendit la main au-dessus de la table, et sans la moindre hésitation, elle vint la poser sur celle d'Adrienne Lamoureux qui, de son côté, comprit aussitôt que la balle venait d'atterrir dans son camp et qu'en lui tendant ainsi la main, Mado lui signifiait qu'elle ne dirait rien à Valentin.

Adrienne sentit alors quelques larmes perler à ses paupières pour une seconde fois. Son soulagement était ineffable. Elle reprit son mouchoir pour essuyer ses yeux.

Enfin, elle n'aurait plus à jouer la comédie.

Il y eut alors entre les deux femmes un flottement tout léger qui dura à peine quelques instants, puis un sourire timide parut sur le visage amaigri et ridé.

Il n'en fallait pas plus pour que Mado réponde à ce sourire.

— Pis si on essayait, vous pis moi, de trouver une manière de faire qui pourrait ressembler à une belle surprise pour Valentin ?

Nul détail ou précision n'était nécessaire, Adrienne Lamoureux avait fort bien compris que Mado lui offrait de l'aider à se dépêtrer de cette situation malheureuse qu'elle avait elle-même engendrée en feignant la paralysie.

— Vous croyez ?

— Pourquoi pas ? L'important, c'est pas tellement ce qu'il y a en arrière de nous, madame Lamoureux, c'est ce qu'il y a devant. On arrête pas de le dire, Valentin pis moi.

— Ah oui ?

— Et comment ! On est ben conscients, lui comme moi, qu'à nos âges, si on se met à regretter le nombre d'années passées tout seuls, il nous restera plus assez de temps pour accueillir le bonheur... Pis soda, dans le fond, c'est juste ça l'important, dans la vie, être heureux ! Vous pensez pas, vous ?

* * *

En fin d'après-midi de ce même vendredi, Daniel et Jacinthe arrivaient au casse-croûte de madame Rita, en compagnie de leurs deux filles.

— Mautadine que ça fait longtemps que j'suis venue ici ! lança la jeune mère tout en tenant la porte grande ouverte pour que Daniel fasse entrer la poussette de la petite Christine.

Elle respira bruyamment, le nez en l'air et les yeux mi-clos, et aussitôt, un sourire gourmand éclaira son visage.

— Miam, ça sent toujours aussi bon ! Merci, Daniel. C'est gentil d'avoir pensé à nous emmener ici pour le souper.

À l'autre bout de la salle, Rita venait d'apercevoir les nouveaux venus.

— Mais qui c'est que je vois là ? Ciboulette ! Attendez-moi, j'suis à vous autres dans deux secondes.

Rita s'empressa de déposer le torchon qu'elle utilisait pour préparer la salle en vue du souper, et elle zigzagua entre les tables pour se diriger vers la petite famille.

— Tu parles d'une belle visite, toi ! Pis avec vos filles, en plus. J'suis donc contente ! Ça fait une éternité que je vous ai pas vus.

— Ouais, c'est vrai que ça fait un bail qu'on a pas mis les pieds chez vous, madame Rita, admit Daniel en s'arrêtant devant la patronne du restaurant. On s'excuse de pas venir plus souvent, mais qu'est-ce que vous voulez ? Avec deux enfants, on fait pas toujours ce qu'on veut !

— Voyons donc, Daniel, c'était pas un reproche ! Je me doute un peu que deux enfants, ça doit vous occuper une vie sans bon sens.

Tout en parlant, Rita se tourna vers les deux enfants.

— Mais quand nos petites filles sont belles comme ces deux-là, c'est pas vraiment un sacrifice !

La patronne du restaurant examina les deux minois levés vers elle, puis elle afficha un grand sourire.

— Elles sont ben différentes l'une de l'autre, vos filles ! Mais j'aurais ben de la misère à en choisir une, par exemple, parce qu'elles sont toutes les deux aussi jolies !

— C'est ben de valeur pour vous, madame Rita, mais elles sont pas à vendre. Ni à louer non plus, répondit malicieusement Jacinthe.

— Mais j'espère ben !

Avec aisance, Rita s'accroupit pour être à la hauteur de Caroline.

— Comment ça va, toi ? Ça faisait longtemps que t'étais pas venue faire ton tour avec ton parrain... Pis, comment tu trouves ça, être une grande sœur ?

— C'est vrai que j'suis grande, maintenant.

Pas du tout intimidée, Caroline soutenait le regard de la jolie dame qui portait, à son avis, le plus beau tablier qu'elle ait jamais vu. Avec des petits frisons de dentelle tout autour, c'était nettement plus joli que les tabliers tout blancs et souvent tachés que sa maman utilisait pour cuisiner.

— Pis c'est moi qui aide maman avec bébé Cricri, précisa-t-elle avec un sérieux étonnant et une conviction absolue.

— Elle est chanceuse, cette maman-là !

— Oh oui ! confirma Jacinthe.

Se redressant, Rita offrit un second sourire lumineux à Daniel, puis elle se tourna vers Jacinthe. Elle n'avait peut-être pas eu la chance d'être mère, et elle s'en désolait, mais la patronne du resto connaissait si bien la marmaille du quartier qu'elle disait parfois en riant qu'elle y était un peu pour quelque chose s'ils étaient devenus de bonnes personnes.

Puis, les bébés avaient toujours eu un pouvoir apaisant et réjouissant sur elle, et comme les jeunes parents dégageaient une telle joie de vivre, Rita se sentit aussitôt contaminée par ce courant de bonne humeur.

— C'est beau de vous voir ensemble ! déclara-t-elle, conquise. C'est une vraie réussite, votre affaire. Vous avez vraiment une belle famille ! Je vous envie, vous savez, ajouta-t-elle, sans amertume. C'est drôle, mais on parlait justement de vous deux, à matin, Mado, le chef Romano, pis moi.

— Ah oui ? En quel honneur ?

Rita égrena un rire cristallin.

— Imaginez-vous donc que c'était pour une question de gâteau. Devant les desserts préparés pour la fête des Mères, on s'est rappelé votre gâteau de noces et on s'est passé la remarque à quel point il était beau.

— Pour être beau, il était beau en mautadine ! Anna s'était vraiment surpassée ! J'oublierai jamais comment c'est que le cœur m'a bondi dans la poitrine quand je l'ai aperçu, avec ses trois étages... J'étais émue aussi, quand j'ai vu toute la salle ici, ben décorée, compléta Jacinthe en regardant autour d'elle.

Puis, ramenant les yeux sur la patronne du casse-croûte, elle précisa :

— Quand ben même on aurait voulu avoir un plus beau mariage que celui-là, on aurait pas pu. À part la robe, comme de raison. Mais pour le reste, tout était parfait, pis j'vas toujours... Oui, oui Caro ! Maman va s'occuper de toi dans deux minutes.

Une main agrippée à la jupe de sa mère, la petite fille essayait d'attirer son attention. Rien ne l'impatientait plus que d'entendre sa maman jaser comme une pie avec des gens qu'elle ne connaissait pas, ou à peine, et parler de choses qu'elle ne comprenait pas. La gamine poussa un long soupir quand elle entendit Jacinthe continuer de plus belle.

— Pis j'vas toujours garder des bons souvenirs de notre mariage, reprit cette dernière. C'est ce matin-là, poursuivit-elle à l'intention de Rita, qu'on a compris à quel point on avait des bons amis. Hein, Daniel ?

— C'est sûr, ma douce... C'est un peu pour ça qu'on revient s'installer dans le quartier. Pour être proches de tout notre monde !

— Non ?

Rita avait l'air ravie.

— Vous revenez par ici ?

— Oui. Le 1er juillet, on déménage. Astheure que je me suis acheté un char, usagé, mais ben propre, ça me dérange pas une miette de m'éloigner un peu de ma *job*. On vient justement d'aller visiter un beau cinq et demie à deux rues d'ici. Mon *boss* m'avait donné l'après-midi de congé pour qu'on puisse régler l'histoire du bail.

— Ciboulette ! Tu parles d'une bonne nouvelle !

— Merci, madame Rita. Ça fait plaisir de voir que les gens du quartier sont heureux de savoir qu'on revient par ici. Astheure, auriez-vous une table un peu à l'écart ? On occupe pas mal de place à côté de l'entrée, avec notre carrosse... Ça va prendre une table assez grande, par exemple, parce que mon ami Arthur doit venir nous rejoindre avec son grand-père. Le temps que les parents de mon ami ayent fini de souper pour retourner à la quincaillerie, pis ils s'en viennent tous les deux. Ah oui ! Monsieur Picard fait dire qu'il préférerait autre chose qu'une banquette. Il a dit en riant qu'il avait pris un coup de vieux durant l'hiver, pis que ses fesses avaient tellement ramolli qu'elles auraient probablement plus la force de glisser sur un banc.

— On va vous arranger ça sans problème. J'vas tellement être contente de le revoir, lui aussi ! Ça fait des mois qu'il est pas venu faire son tour. Ciboulette ! On dirait ben que ça va être la fête chez nous à soir !

— Ça ressemble à ça, oui ! On s'en vient célébrer la fête des Mères un peu en avance, parce que dimanche, on reçoit ma mère à souper, pis quand elle vient manger chez nous, c'est jamais un congé pour Jacinthe. Elle est ben fine, ma mère, mais saudit qu'elle a des caprices aussi ! Pis en même temps, on va souligner les trois ans de Caroline, parce que c'est sa fête lundi prochain.

— Déjà trois ans ? T'as ben raison de dire que t'es devenue une grande fille, ma belle Caroline ! Trois ans, on rit plus ! Suivez-moi, m'en vas vous monter quelque chose qui a de l'allure. Tu vas m'aider, Daniel, à coller deux tables de quatre ensemble. Comme ça, vous allez être ben confortables.

Ensuite, Rita sortit la chaise haute du local qui donnait sur l'escalier menant à son appartement, et elle l'épousseta soigneusement, pour que Jacinthe puisse y asseoir bébé Christine. La petite se laissa faire en regardant un peu partout autour d'elle sans dire un mot.

En revanche, pour Caroline, il ne fut pas question d'utiliser quoi que ce soit pour lui permettre d'être assise à la hauteur de la table.

— Ça, c'est ben ma fille ! s'écria Jacinthe, tout en décochant un clin d'œil à madame Rita.

Boudeuse, Caroline refusait obstinément de s'asseoir sur ce que Rita appelait un « bousteur ».

— Quand elle a quelque chose dans la tête, elle l'a pas dans les pieds ! précisa la jeune maman. Mais c'est pas vraiment de sa faute, parce que j'suis pareille ! Merci ben gros pour votre offre, madame Rita, mais ma Caro préfère se mettre à genoux.

Le temps de dresser la table, et la salle du casse-croûte s'était remplie de gens. Heureusement, le boulanger, qui était arrivé depuis un petit moment déjà, avait rapidement pris la situation en main.

Surpris de le voir se mouvoir avec aisance dans le restaurant, Daniel se tourna vers Rita.

— Coudonc, depuis quand monsieur Mario travaille ici ? Me semblait que sa boulangerie l'occupait à temps plein, lui ?

— Là-dessus, t'as tout à fait raison, Daniel. Personne ici voudrait avoir son horaire de fou. La boulangerie a une très belle clientèle, et certains jours, je vous jure que ça dérougit pas de son côté. On vient même des quartiers voisins pour acheter son pain. Alors non, Mario travaille pas pour moi. Par contre, il a la gentillesse de me donner un coup de pouce de temps en temps. Surtout quand Mado doit s'absenter... Entre voisins, il faut ben s'entraider un peu, non ? Sur ça, prenez vos aises, vous êtes ici chez vous ! J'vas vous chercher des menus. Vous allez voir, le chef a mis une nouvelle pizza à l'essai, avec seulement des légumes de son pays, pis un pain de viande à l'italienne qui est pas piqué des vers pantoute. Comme de raison, il y a aussi tout le reste, comme d'habitude. Ça va-tu te prendre un menu spécial pour la petite Christine, Jacinthe ? J'aurais peut-être un fond de soupe au *barley,* pis...

— Donnez-vous pas ce trouble-là, madame Rita, ça sera pas nécessaire. Ça fait un bon bout de temps que mon bébé mange la même chose que nous autres. J'vas piger dans mon assiette pour la nourrir, pis ça va être ben correct de même.

Les menus avaient à peine eu le temps d'être ouverts qu'Arthur et son grand-père se joignaient déjà à eux.

— Basewell que je suis heureux d'être ici !

Joseph-Alfred avançait vers la table d'un pas chaloupé, tout en s'appuyant sur une canne.

Le patriarche des Picard ne resplendissait pas, il irradiait de pur bonheur.

Avec empressement, Arthur aida le vieil homme à enlever sa casquette et son manteau, puis il accrocha la canne au dossier de la chaise tandis que Joseph-Alfred se laissait littéralement tomber sur son siège, en poussant un soupir de soulagement.

— Ouf, rendu ! Ce n'est pas drôle du tout de constater que la moindre petite escapade prend des allures d'expédition ! Merci, mon garçon. Sans toi, je ne serais plus qu'une vieille chose inutile et encombrante.

— S'il vous plaît, grand-père, ne parlez pas comme ça.

— Mais c'est vrai ! Sans toi, je serais condamné à croupir dans notre petit logement d'une étoile à l'autre ! Ton idée géniale de faire bâtir un ascenseur m'a fait rajeunir d'au moins dix ans, et ton automobile me donne l'illusion de mener une vie active et normale, malgré mes jambes percluses de rhumatismes et de plus en plus paresseuses...

— Grand-père, quand même ! Il me semble que c'est juste normal que je...

— Tu n'as rien à répliquer, jeune homme, interrompit Joseph-Alfred, car c'est la stricte vérité. Je tiens à ce que les gens autour de moi sachent à quel point je suis un vieux monsieur chanceux de t'avoir dans sa vie. Maintenant, passons à autre chose, mes bobos et mon âge canonique ne sont pas des sujets de conversation bien agréables pour de jeunes personnes comme vous.

Sur ces mots, le vieillard promena autour de la table un regard vif et alerte que bien des jeunesses auraient pu lui envier.

— Tout d'abord, Daniel, ceci est pour toi, déclara-t-il, tout en sortant une enveloppe de la poche de sa chemise, en même temps qu'un étui à lunettes.

Le vieil homme se souleva à demi et il étira le bras en travers de la table pour déposer l'enveloppe devant Daniel.

— Non, ce n'est pas exactement ce que je voulais dire. Je me reprends. Ceci est pour Caroline, dont nous célébrons la fête ce soir. Il y a là une petite carte de souhaits qui traînait par hasard dans ma chambre. Mais comme une simple carte, c'est plutôt embêtant quand on ne sait pas encore lire, je l'ai donc accompagnée d'un bon d'achat à la quincaillerie. J'avais en tête un premier vélo, mais bon ! À Jacinthe et à toi de choisir ce que vous jugerez bon d'offrir en mon nom à votre fille. S'il n'y a rien en magasin qui puisse convenir pour un enfant de cet âge, tu demanderas à Joseph-Arthur de te montrer nos gros catalogues.

— Ben voyons donc, monsieur Picard !

— Ici non plus, je ne veux aucune réplique, Daniel. Comme je l'ai souvent dit, tu fais partie de la famille. C'était la moindre des choses de penser aux trois ans de la jolie Caroline, parce que, par ricochet, elle aussi fait partie de notre famille. Point à la ligne ! Et maintenant, que diriez-vous de regarder ce que nous pourrions manger ?

Et Joseph-Alfred se pencha sur le menu, avec un sourire gourmand, le nez surmonté de lunettes rondes à la fine monture en acier.

— Ça me donne des allures de séminariste, avait-il souligné à son petit-fils, qui l'avait accompagné chez l'optométriste. J'aime bien. Je vais pouvoir mystifier les gens !

Les heures du souper de ce vendredi furent mouvementées comme elles le sont souvent. Jeunes et moins jeunes envahirent la place, qui pour un en-cas, qui pour un repas complet. Plusieurs en profitèrent pour saluer Joseph-Alfred, que l'on ne voyait plus traîner dans les rues du quartier.

— Et c'est à mon plus grand regret, soyez-en assuré, répondait invariablement le vieil homme quand on lui passait la remarque qu'on s'ennuyait de lui. Mais si jamais vous aviez envie de piquer une petite jasette, venez faire un tour à la quincaillerie. Je suis fidèle au poste, à peu près tous les jours, et vous ne serez absolument pas obligé d'acheter quoi que ce soit !

Profitant d'une petite accalmie, Mario fit un aller-retour à la boulangerie pour chercher une galette au beurre qui sentait bon la cannelle et le miel. Rita y planta trois petites bougies, et c'est en chœur que tous les clients du casse-croûte chantèrent le traditionnel «Bonne fête» à Caroline, qui en fut bien impressionnée.

Puis, la place se vida, à l'exception de quelques fidèles habitués qui sirotaient leur café en fumant une cigarette. Dans un peu moins d'une heure, Rita pourrait fermer.

— Une pointe de pizza, Mario ?

— Non ! Ce soir, je prendrais des frites avec un bon hot-dog... Non deux !

— Va pour les hot-dogs ! Ça va faire changement.

Mais alors que Rita se dirigeait vers la plaque de cuisson pour y mettre les saucisses à griller, elle s'arrêta brusquement.

— As-tu remarqué la petite fille de Daniel et Jacinthe, toi ?

— Laquelle ? Celle qu'on a fêtée ou...

— Non, l'autre.

— Pas vraiment, non. Pourquoi ?

— C'est curieux, mais je l'ai pas entendue parler comme le font les bébés de son âge. Pourtant, j'en ai vu passer toute une trâlée, depuis que je travaille au casse-croûte. Des braillards qui dérangeaient tout le monde, des timides qui babillaient tellement bas qu'on les entendait à peine, des gentils qui placotaient tout le temps, même si on comprenait rien... Mais elle, rien... Ni gazouillis ni cris. Elle se contente de regarder un peu partout en souriant.

— Elle était peut-être intimidée par tous les gens autour d'elle.

— Oui, peut-être... C'est vrai qu'on a eu pas mal de monde, à soir.

À neuf heures trente, Mario et Rita éteignaient les lumières derrière eux. Seul le menu lumineux éclairerait la pièce jusqu'au lever du soleil.

Rita jeta un dernier coup d'œil dans la grande salle plongée dans la pénombre, elle esquissa un sourire en repensant aux charmantes fillettes de Daniel et Jacinthe, envia les jeunes parents une seconde fois, puis, glissant sa main dans celle de Mario, ils montèrent ensemble jusqu'à son appartement.

Chapitre 9

« … Dans ma Camaro je t'emmènerai
sur tous les chemins d'été
Dans ma Camaro je t'emmènerai à San Francisco
Soleil de plomb sur nos fronts brûlants
nos cheveux longs flottant dans le vent
Et attention nous nous envolons
comme des cerfs-volants
Dans ma Camaro je t'emmènerai
sur tous les chemins d'été
Dans ma Camaro je t'emmènerai à San Francisco
Dans la nuit noire à cent milles à l'heure
je t'en ferai voir de toutes les couleurs
Et au matin sur notre chemin
il pleuvra des fleurs »

~

Les chemins d'été, Luc Plamondon / André Gagnon

Interprété par Steve Fiset, 1970

Le lundi 15 juin 1970, en rafale un peu partout dans le quartier de la Place des Érables... Et à Rome aussi, où la journée s'achève

Ce furent les oiseaux qui réveillèrent Roberte. Sans ouvrir les yeux, elle s'étira en arc-boutant son dos, comme elle le faisait tous les matins depuis des lunes, puis elle tendit le bras en bâillant, la bouche grande ouverte.

Sa main ne rencontra que le vide.

Aurait-elle passé tout droit?

Intriguée, Roberte ouvrit les yeux et constata qu'effectivement, son mari n'était plus dans le lit.

— Ben voyons donc, murmura-t-elle en se soulevant sur un coude pour vérifier l'heure au cadran posé sur la table de chevet d'Eugène. Veux-tu ben me dire ce qui se passe à matin?

Six heures dix...

Roberte se laissa retomber sur son oreiller en soupirant d'aise.

Le réveil ne sonnerait que dans quelques minutes. Donc, elle n'avait pas oublié de se réveiller. C'était plutôt Eugène qui s'était levé avant elle. Une première dans leurs annales familiales, sauf à l'époque où les enfants n'étaient encore que des marmots, alors que Roberte et son mari s'étaient levés pour eux à tour de rôle.

En revanche, cette petite exception à leur routine n'avait rien d'inquiétant pour celle qui souffrait parfois d'insomnie.

Comme la marchande avait encore cinq belles minutes devant elle, elle se tourna paresseusement sur le côté. Le ciel était d'un bleu limpide et le vert des arbres s'y découpait joliment. Les rayons du soleil rebondissaient sur le toit en tôle de leurs plus proches voisins vers l'ouest, et par ricochet, ils venaient éclabousser le mur du fond de la chambre d'éclats lumineux. Roberte se dit alors que même si elle avait à travailler, aujourd'hui serait assurément une journée pour être heureux.

Les oiseaux devaient le savoir, eux aussi, puisqu'ils étaient vraiment tapageurs ce matin.

L'envie d'un bon café qu'elle aurait probablement le temps de siroter au jardin lui donna envie de se lever tout de suite. Elle étira le bras pour donner une petite tape sur le réveil afin que sa sonnerie insistante ne vienne pas gâcher la sérénité d'une si belle matinée, puis, repoussant le drap, Roberte se leva.

De l'escalier, elle aperçut son mari, qui semblait s'être rendormi dans son fauteuil préféré. « À son tour de connaître des périodes de sommeil plus capricieux », pensa-t-elle en finissant de descendre l'escalier. Marchant sur la pointe des pieds pour ne pas troubler son repos, la vieille dame fit même un détour par la salle de bain pour emplir la bouilloire.

Puis, elle plaça un cône de papier dans leur cafetière à filtre, mesura le café, et le versa dans le cône en papier. Au premier sifflement, elle retira la bouilloire du feu et versa l'eau bouillante sur les grains moulus.

Ce n'est qu'après avoir humé avec gourmandise la bonne senteur qui commençait à envahir la cuisine que Roberte s'approcha de son mari pour le réveiller en douceur. Avec ce mal de dos qui continuait parfois de l'agacer, ce n'était pas l'idéal de dormir ainsi dans un vieux fauteuil tout élimé.

Elle n'eut qu'à poser délicatement la main sur le bras d'Eugène pour que celui-ci ouvre les yeux. De toute évidence, ce dernier ne dormait pas. Il semblait inquiet.

— J'ai mal, murmura-t-il d'une voix rauque, en levant les yeux vers son épouse.

Celle-ci comprit aussitôt que quelque chose n'allait pas. Son mari avait un regard vitreux et sa respiration était superficielle. Machinalement, il frottait son bras gauche.

La pauvre femme remonta instantanément dans le temps, et elle revit son père, que des brancardiers emmenaient avec eux. Elle n'était pas bien vieille, à peine quinze ans, mais ce serait là le dernier souvenir qu'elle garderait de Roland Latour, cet homme merveilleux de sagesse et de bonté qui avait été son père. Plus tard, sa mère lui avait expliqué que c'était une crise cardiaque qui l'avait emporté.

— Comme ben des hommes de sa famille.

Alors, en ce moment, Roberte n'avait pas besoin d'un dessin pour comprendre ce qui se passait. Son mari était peut-être en train de mourir.

— Bouge pas, mon homme, j'vas aller téléphoner à notre docteur.

— J'ai mal, Roberte, arriva à prononcer encore difficilement le vieil homme.

— Parle pas, Eugène, garde toutes tes forces, tu vas en avoir de besoin. Je le vois ben que t'as mal. Le docteur va me dire quoi faire pour calmer tout ça. Attends-moi, ça sera pas long.

Toutefois, Roberte n'avait pas l'intention de rejoindre leur médecin à une heure aussi matinale. Ce serait une perte de temps, et comme son mari avait vraiment l'air mal en point, elle avait l'intuition qu'il fallait faire vite. Elle passa du côté du magasin, et composa le zéro. À son avis, s'il y avait quelqu'un qui pouvait l'aider dans un cas d'urgence, c'était bien la « demoiselle du téléphone ».

— C'est pour mon mari, déclara-t-elle dès qu'elle entendit une voix au bout de la ligne. Je pense qu'il fait une crise de cœur.

— Restez là, madame, je vous mets en communication avec la police.

Quelques instants plus tard, Roberte avait donné leur adresse, et une ambulance était déjà en route.

Pour rassurer Eugène, elle lui dit que c'était le médecin qui avait pris la décision de l'envoyer à l'hôpital.

Pour faire une couple d'examens, que le docteur Sanschagrin a dit. C'est l'affaire de quelques heures tout au plus, pis ils sont mieux équipés à l'hôpital pour faire cette sorte d'examen-là. Faut juste pas que tu t'énerves.

Le vieil homme se contenta d'un léger signe de la tête, pour montrer qu'il avait compris.

Pourtant, Roberte improvisait, tellement elle craignait que son homme décide de se lever.

Présentement, son mari avait exactement le même teint que son père le jour où il avait quitté leur maison. Roberte sentit alors son cœur se serrer d'épouvante.

— Un teint de cendre comme elle avait entendu sa mère l'expliquer à leur voisine, après les funérailles, ça trompe pas. C'est la preuve que la fin est proche.

À ce souvenir, Roberte se signa, implorant son père et tous les saints du ciel de leur venir en aide.

Eugène Méthot avait beau ne pas avoir le meilleur caractère qui soit, c'était son mari, et elle tenait à lui. À soixante-douze ans, c'était quand même un peu jeune pour être veuve.

Puis, que ferait-elle du magasin?

— Je monte m'habiller, reprit alors Roberte, qui avait bien de la difficulté à garder son calme, et qui n'osait même pas toucher son mari par crainte que cela ne lui soit funeste. Je reviens dans deux secondes. Aie pas peur, mon homme, j'vas rester avec toi tout le temps qu'il faudra.

Les minutes qui suivirent restèrent gravées dans la mémoire de Roberte comme un gigantesque tourbillon.

La marchande, tout à son inquiétude, en avait oublié le magasin. Elle attendit que son Eugène soit entre bonnes mains, avec de l'oxygène pour l'aider à respirer avant de pousser enfin un soupir de soulagement. Le teint de son mari était déjà un peu plus normal et il semblait reposer calmement.

— Maintenant, c'est à la grâce de Dieu, murmura-t-elle en regagnant la salle d'attente.

Le temps de se laisser tomber sur l'une des petites chaises droites, et Roberte se releva d'un bond, comme si elle venait de s'asseoir sur un nid de guêpes.

— Le magasin, cârosse ! Ça prend quelqu'un au magasin pour aider Maurice. Tout seul, il s'en sortira jamais…

On lui indiqua où trouver un téléphone, et Roberte appela son fils.

— Qu'est-ce qui se passe, moman ? demanda ce dernier d'une voix endormie. Tu trouves pas qu'il est un peu de bonne heure pour appeler chez les gens ?

— C'est ton père ! lança-t-elle, ne s'embêtant d'aucune fioriture. J'suis à l'hôpital avec lui.

— Un accident ?

— Pas vraiment, non. C'est le cœur. Du moins, c'est ça que le premier docteur qu'on a vu a prétendu après lui avoir mis un tube dans le nez pour lui donner de l'oxygène. Après ça, ils ont emmené ton père pis j'ai pas eu d'autres nouvelles… Ça fait que toi, tu t'en vas au magasin, tout de suite ! J'aurais ben demandé à ta sœur, mais avec son nouveau-né, il en était pas question. Ça fait qu'il reste juste toi qui peux nous rendre ce service-là. T'as ben dû garder ta clé, non ?

— Euh... Oui, c'est ben certain. Mais j'suis pas disponible, moman. J'suis supposé rentrer à ma *job* à neuf heures, pis...

— On dirait ben que t'as pas compris le message, mon garçon ! interrompit Roberte, d'une voix sèche qu'elle-même ne se connaissait pas... Je te demande pas gentiment si tu peux aller au magasin ni si ça te tente d'y aller, Émilien, je te dis de t'habiller, si jamais t'étais encore en pyjama, pis de te dépêcher d'aller rejoindre Maurice. Un point c'est tout. J'espère que cette fois-ci, tu m'as ben compris, pis que je serai pas obligée d'insister ! Je t'appelle là-bas dès que j'aurai des nouvelles fraîches.

Sur ce, elle raccrocha et elle retourna s'asseoir pour attendre.

La pénible situation familiale engendrée par Eugène leur avait peut-être gâché la vie, aux enfants et à elle, et Roberte en était sincèrement désolée. Elle savait que cette dernière année resterait une sorte de tache indélébile sur la trame de ce qu'elle avait voulu bâtir pour ses enfants. Il n'en restait pas moins que cette même situation avait aussi empoisonné l'existence de son mari, comme un venin dangereux, et il était peut-être en train d'en mourir. Si c'était le cas, Roberte ne se pardonnerait jamais les quelques repas qu'elle avait partagés avec les siens, s'amusant avec eux comme si de rien n'était, tandis qu'Eugène, empêtré dans ses émotions malsaines, restait seul à la maison à nourrir une rancœur qui n'avait probablement plus rien à voir avec celle du fameux dimanche où, bien maladroitement, Émilien leur avait annoncé qu'il ne reprendrait pas le commerce.

Après plus d'une heure d'attente, Roberte se leva pour désengourdir ses jambes, et elle fit quelques pas dans la salle, qui était en train de se remplir de gens. À croire que la maladie attendait le matin pour se manifester. Il y avait là des vieux, des jeunes, et même un tout petit bébé qui n'arrêtait pas de pleurer, même si sa mère le berçait, en le tenant tout contre elle. Roberte eut pitié de cette jeune femme qui avait les yeux rougis par le manque de sommeil, probablement, mais peut-être aussi à cause des larmes. Elle se dit alors que sa fille Laurette était chanceuse d'avoir trois garçons en parfaite santé, même si elle avait avoué à sa mère qu'elle aurait bien aimé avoir une petite fille.

Roberte rejoignit le corridor qui menait aux urgences, là où elle avait vu Eugène pour la dernière fois.

Comment allait-il, en ce moment, alors qu'on devait certainement s'occuper de lui ?

Était-ce très grave ou n'était-ce qu'un simple avertissement ?

L'envie de pousser cette lourde porte en métal qui semblait scinder en deux le monde des malades et celui des bien-portants lui traversa l'esprit, et elle fit quelques pas de plus. Mais comme elle eut rapidement la sensation de déranger le va-et-vient du couloir, Roberte retourna s'asseoir, et elle ouvrit son sac à main. En fourrageant dans le fond, elle trouva le petit étui en cuir rouge qu'elle avait reçu à sa première communion, celui où elle rangeait son chapelet.

Roberte le prit, en baisa la croix, et sans se soucier de qui que ce soit, elle ferma les yeux et elle se mit à prier, implorant Dieu et son père de lui laisser son mari pour quelque temps encore.

* * *

Agathe avait profité de ce lundi ensoleillé pour faire un bon ménage dans son petit logement. Comme son fils Rémi avait pris la mauvaise habitude de fumer lors de son passage à Boscoville, une odeur de nicotine s'était glissée insidieusement un peu partout, depuis la cuisine jusque dans chacune de leurs chambres, et la coiffeuse détestait cela. Elle avait bien assez de devoir tolérer ce relent de vieux cendrier dans son salon de coiffure, puisqu'elle ne pouvait pas exiger de ses clientes qu'elles s'abstiennent de fumer lorsqu'elles venaient se faire coiffer. Comme l'avait déjà dit l'une d'entre elles :

— Venir au salon de coiffure, c'est le seul congé que je prends durant le mois, loin de la famille pis de toute « l'ouvrâge » qui va avec. Ça fait que j'veux en profiter au maximum. S'il fallait que j'aye pas le droit de fumer ici, c'est pas mêlant, j'pense que j'irais me faire « coèffer » ailleurs !

Devant une telle mise en garde, la pauvre Agathe s'était sentie quelque peu insultée, elle qui était persuadée que ces dames venaient la voir parce qu'elle leur faisait de belles têtes. Néanmoins, elle n'avait pas osé rouspéter. Après tout, son salaire dépendait uniquement de leur présence et de leur plaisir à être chez elle ; cela valait bien un petit sacrifice.

Et comme elle permettait aux clientes de fumer, elle aurait été bien mal accueillie si elle l'avait interdit à son garçon.

Agathe était prête à faire bien des concessions pour que Rémi soit heureux chez lui. Ça lui enlèverait peut-être l'idée de faire des bêtises.

Comme il faisait très beau, aujourd'hui, et particulièrement doux au petit matin, Agathe avait ouvert bien grand toutes les fenêtres de la maison, sauf celle de la chambre de son fils, puisque ce dernier dormait encore. Puis, parce que cela ne faisait aucun bruit susceptible de troubler son sommeil, la coiffeuse avait sorti le plumeau pour traquer la poussière et le torchon pour faire briller les électroménagers.

Un peu plus tard, quand Rémi avait quitté la maison pour rejoindre ses amis, parce que, malheureusement, c'était ce qu'il faisait presque tous les jours aux alentours de dix heures, Agathe en avait profité pour passer l'aspirateur.

En fin d'avant-midi, la maison et le salon brillaient comme un sou neuf, et un bon parfum de Glade au lilas flottait agréablement dans l'air, après qu'elle eut traversé toutes les pièces en vaporisant derrière elle.

— Ah ouais, là, ça sent bon ! Maintenant, c'est à mon tour de sortir pour prendre un peu d'air !

Le temps de se changer, et Agathe quitta la maison, en direction du parc qu'elle traverserait lentement pour profiter de la belle journée.

— Pis après, bigoudi, j'aurai pas le choix, va falloir que je retourne à l'épicerie... Encore une fois ! marmonna-t-elle en regardant machinalement à droite et à gauche avant de traverser la rue.

Depuis le retour de son garçon, la coiffeuse était obligée de passer de plus en plus souvent à l'épicerie. En effet, si la chose pouvait être possible, son fils mangeait davantage présentement qu'à l'adolescence, ce qu'elle s'expliquait difficilement.

— Il est tellement affamé que ça lui prend un quatrième repas avant de se coucher, avait-elle signalé à Mado, lors de la dernière visite de son amie au salon. À croire qu'on l'a pas nourri comme il faut durant tous les mois qu'il a passés à Boscoville !

En revenant de l'épicerie, les bras chargés de deux sacs remplis à ras bord des biscuits et des friandises que son fils préférait, plus tout ce dont elle aurait besoin afin de cuisiner un pâté chinois pour le souper, Agathe se laissa tenter par un petit arrêt au casse-croûte. Pourquoi pas ? Elle avait faim, elle n'avait pas vu ses amies depuis au moins trois longues semaines, et habituellement, Rémi ne rentrait à la maison que vers cinq heures. Il lui raconterait alors sa journée en long et en large avec tellement de détails qu'Agathe se demandait chaque fois si elle devait le croire, puis ils passeraient à table, où son fils dévorerait tout ce qu'elle mettrait devant lui avant de repartir pour la soirée. Le taciturne bougon et colérique dont elle gardait un pénible souvenir s'était métamorphosé en véritable moulin à paroles.

En revanche, il ne parlait jamais de se trouver un emploi.

Et il riait tout le temps, lui qui avait été le roi des marabouts. Toutefois, comme il restait poli avec elle, et parfois même taquin, Rita se disait qu'elle attendrait à l'automne avant de lui reparler d'un éventuel boulot. Elle pouvait comprendre qu'après avoir été enfermé durant des mois, Rémi puisse avoir envie de s'amuser un peu. Agathe allait même jusqu'à se dire que c'était tout à fait normal. Elle souhaitait tout simplement qu'il ne soit pas retourné voir son ancienne bande de copains, mais là encore, elle n'osait pas vraiment lui en parler. S'il fallait qu'une parole malencontreuse fasse renaître le jeune garçon brutal et arrogant qu'il avait déjà été, elle ne s'en remettrait pas.

Quoi qu'il en soit, pour l'instant, elle avait tout son temps pour se gâter un peu, puisqu'on était en début d'après-midi. Jaser avec Rita et Mado lui ferait le plus grand bien. Ça la changerait agréablement de la bande de mémères qui fréquentaient régulièrement son salon, et qui prenaient un malin plaisir à dénigrer une bonne partie des gens qui habitaient le quartier. Ce qui l'exaspérait plus souvent qu'autrement, mais personne n'en savait rien.

Sur cette dernière pensée, la coiffeuse poussa la porte du casse-croûte.

— Ah ben, ah ben ! Rentre, Agathe !

Mado arrivait avec son sourire des grandes occasions.

— Ça me fait donc plaisir de te voir !

— Moi aussi...

Puis, après un regard autour d'elle, Agathe souligna :

— Il me semble qu'il y a pas grand-monde ?

— C'est souvent de même le lundi, j'sais pas trop pourquoi...

À son tour, Mado regarda un peu partout.

— Comme tu vois, le plus gros des clients sont déjà partis. Ça fait que tu peux t'installer où tu veux, j'vas te chercher un menu. Tu viens pour manger, j'espère ?

— Pour prendre une bouchée, oui, mais pour placoter surtout !

— Soda que ça tombe ben ! T'arrives juste à temps pour dîner avec moi. Donne-moi tes sacs, j'vas les mettre en arrière au frais, pis je préviens Rita que t'es là...

Mado tendit les bras à son amie pour saisir les deux sacs d'épicerie. Puis, elle fit quelques pas en direction de la cuisine, avant de s'arrêter brusquement.

Puis, tout en haussant la voix, elle interpella Agathe, qui se dirigeait vers le fond de la salle.

— Agathe? Qu'est-ce que tu dirais d'une petite pizza à deux?

— La bonne idée! répondit joyeusement la coiffeuse sans se retourner. Ça fait pas mal longtemps que j'en ai mangé. Tu me mettras un 7 Up avec ça.

Les deux femmes dînèrent tout en parlant de la pluie et du beau temps; d'Anna qui n'était toujours pas revenue; de l'été qui s'annonçait beau et chaud; et de ces mille détails qui ponctuent la vie d'un quartier comme le leur.

Puis, Rita les rejoignit le temps d'un café, tout en gardant un œil sur la salle à manger.

— Oh! Excusez-moi, madame Martin vient d'arriver avec sa fille. Réglée comme une horloge, la chère femme... Je te dis salut, Agathe! On se revoit bientôt. Mais j'y pense! Qu'est-ce que tu dirais de venir manger un bon soir? Avec ton garçon, comme de raison. Je m'ennuie un peu du temps où vous veniez dîner tous les dimanches... C'est moi qui vous invite, ben entendu!

— T'es ben fine, Rita! Sais-tu que je te dis pas non. J'en parle à Rémi pis je te reviens là-dessus.

Rita s'éloigna en direction de la porte, Mado s'essuya la bouche avec un coin de sa serviette en papier, puis elle empila les assiettes sales avant de se lever à son tour.

— Astheure, tu vas me faire le plaisir de goûter à mon pouding au pain.

— J'ai plus tellement faim, tu sais!

— Tu me feras pas cet affront-là, Agathe Langevin! On a pas besoin d'avoir faim pour manger un bon dessert comme le mien, tu sauras. Selon les clients, c'est le meilleur pouding au pain en ville!

— Tu fais ça, toi, du pouding au pain?

— Ouais madame! C'est la recette à ma mère. Il y a rien de plus simple à préparer, mais c'est bon en soda! Attends-moi, je reviens avec deux belles portions, du sirop d'érable, pis deux cafés. Tu vas m'en donner des nouvelles, j'suis sûre de ça!

Avec ses antennes habituelles, Mado avait cru sentir qu'Agathe n'était pas venue jusqu'ici uniquement pour manger et pour jaser de tout et de rien. Il y avait un peu de cela, c'était certain, mais il y avait un petit quelque chose dans son attitude qui l'intriguait, puisqu'elle n'avait pas parlé de son fils. Or, une Agathe qui ne parlait pas de son Rémi, c'était un brin particulier.

Selon Mado, cette attitude laissait présager que tout n'allait pas pour le mieux sous le toit de son amie. Elle attendit donc d'avoir fini de manger pour sonder le terrain.

— Dis-moi donc, Agathe… Comment c'est qu'il va, ton garçon? Ça fait quand même pas mal de mois qu'il est revenu, pis t'en as rien dit. J'avoue que je trouve ça bizarre. Il s'est-tu trouvé du travail pis il trouve ça trop dur ? Ou au contraire, il trouve rien, pis c'est ça qui te tracasse ?

C'est à ce moment que la coiffeuse comprit que c'était exactement pour cette raison qu'elle avait eu envie de faire un détour par le casse-croûte. Elle espérait, sans oser se l'avouer à elle-même, qu'on lui poserait précisément cette question.

Plongeant son regard dans celui de son amie, Agathe répondit donc bien honnêtement.

— Je le sais pas, Mado, ce qui se passe avec mon Rémi. Il est tellement différent de tout ce que je connais de lui que je trouve ça louche.

— Comment ça, différent ?

— J'sais pas trop comment dire ça... Tu le connais quand même un peu, non ? C'est depuis qu'il est tout petit que Rémi a toujours été un garçon un peu secret. Il a jamais aimé l'école, ça c'est un fait qui a pas changé, mais à part de ça, j'avais rien à lui reprocher. Il faisait sa petite affaire dans son coin sans jamais me déranger, pis je me disais que c'était parce qu'il était enfant unique qu'il était sage comme ça.

— Pis ça aurait pu être ça aussi. C'était pas tellement déraisonnable de penser de même.

— J'sais ben... Mais là...

Agathe prit une longue gorgée de café. Visiblement, elle tentait de rassembler ses idées.

— Est-ce que tu te rappelles, à l'époque où Rémi s'est fait arrêter, demanda-t-elle en baissant la voix, à quel point il était toujours de mauvaise humeur, pis comment il était franchement désagréable avec moi ? Je t'en parlais, des fois.

— Pis j'ai rien oublié, crains pas ! J'en revenais pas qu'un fils puisse être bête de même avec sa propre mère qui avait toute fait pour lui... T'es toujours ben pas pour m'annoncer qu'il a recommencé ?

— Pantoute... Mais je me demande si c'est le diable mieux...

— Comment ça ? J'ai de la misère à te suivre.

Deuxième gorgée de café, et second moment de réflexion pour Agathe. Puis, elle leva les yeux vers Mado.

— La chose qui a pas changé d'un poil, reprit la coiffeuse, c'est qu'il se lève toujours aussi tard. Il déjeune sans parler, pis il file j'sais pas trop où. Tu vas me dire que j'ai tort, pis je le sais, mais j'ose pas trop le questionner. Avec tout ce qui s'est passé il y a deux ans, on dirait que j'ai peur de mon garçon... Mais c'est pas de ça que je veux parler aujourd'hui. Je... je verrai à ça plus tard. Non, ce que j'essaye de comprendre avec toi, c'est pourquoi mon garçon revient pour souper de ben bonne humeur !

— Ah oui ? Pis c'est ça qui te fatigue ? À mon avis, c'est pas tellement inquiétant ce que t'es en train de me dire là.

— Attends, tu vas voir... Comment je pourrais ben expliquer ça ? Il est comme trop de bonne humeur. Ouais, c'est ça ! Il rit pour rien. Il fait des blagues, même pas drôles... Mais pour ça, je me dis que c'est peut-être normal, parce qu'il est encore assez jeune pour dire des niaiseries. Ce qui m'achale, par contre, c'est qu'il a les yeux rouges de quelqu'un qui a passé son après-midi à brailler, pis il mange comme un défoncé. Ça a juste pas d'allure…

— J'vas dire comme toi, c'est peut-être un peu bizarre… Les yeux rouges, tu dis?

— Ouais… Pis ça s'arrête pas là!

— Ben voyons donc!

— Le même manège recommence quand il revient de sa veillée. Les yeux rouges, les blagues pas drôles qui le font rire comme je l'ai jamais entendu rire, pis il mange encore comme un ogre… Tu vois Mado, c'est tout ça mis ensemble, qui me cause du tracas… Tu le sais-tu, toi, ce qui peut rendre quelqu'un de même? Moi, j'ai beau chercher, je comprends pas.

* * *

L'après-midi tirait à sa fin. Le soleil encore haut dans le ciel avait tout de même perdu de son intensité, et Joseph-Alfred en profitait pour prendre ce qu'il appelait son «bain de soleil», en compagnie de son petit-fils, sur le balcon en façade de la maison.

— C'est ainsi que le médecin disait, lorsque J.A. était encore un bébé, expliqua-t-il, goguenard. Je devais lui faire prendre un bain de soleil chaque jour, à la fin de l'après-midi, quand le soleil n'était pas trop fort. Le médecin prétendait que c'était une bonne façon de lui donner des vitamines… Comme à mon âge, on a coutume de dire que l'on retombe en enfance, je fais la même chose. De toute façon, un soleil pâlot comme en ce moment, c'est moins pénible pour mon «coco» déplumé.

— Vous n'en ratez pas une, hein, grand-père?

— Une quoi?

— Une occasion de vous moquer.

— Ah ça! C'est vrai que j'aime bien les taquineries. Mais comme en ce moment, c'est de moi dont je me moque le plus, je ne vois rien de répréhensible là-dedans... Sais-tu à quoi je pense, mon garçon?

— Non. Comment le saurais-je?

— Parce que tu réfléchis souvent comme moi. Vois-tu, Joseph-Arthur, j'étais en train de me souvenir de tous ces moments qu'on a passés ensemble, toi et moi, au fil des années.

— Il y en a eu beaucoup, c'est vrai.

— Et l'été, c'était souvent ici qu'on s'installait.

Le vieil homme s'étira un peu pour regarder la rue, d'un bout à l'autre, puis il ramena les yeux sur le bout de ses chaussures. Il esquissa alors un sourire moqueur.

— Le plancher du balcon peut bien être tout usé, souligna-t-il, en hochant la tête. À force de me bercer, j'y ai même tracé des rigoles.

— Vous y allez un peu fort, grand-père, avec vos rigoles.

— Peut-être, oui... Disons des sillons?

— Si vous voulez. Mais moi, ça m'obligeait de donner régulièrement un coup de peinture à la galerie, fit remarquer Arthur. Ça fait quoi? Au moins dix ans que je donne une couche de peinture grise au printemps, pis une autre à l'automne, vers le mois d'octobre.

— Mais ça en valait la peine ! Notre balcon tient le coup... Un peu comme moi, finalement.

— Et c'est très bien comme ça ! Mais oui, on en a passé des heures à se bercer et à discuter... Merci d'avoir été là pour moi, grand-père.

— Et moi, je pourrais te dire merci d'être là pour moi maintenant. On a fait un bon tandem, toi et moi !

— Pourquoi parler au passé ? On est encore ensemble, non ? Là, en ce moment même, on jase comme on le faisait, il y a presque vingt ans.

— C'est vrai... Tu as bien raison, mon Joseph-Arthur. C'est le grand âge qui me fait radoter comme ça. Je te l'ai dit, l'autre jour...

— Et moi, je vous ai répondu que je détestais parler de tout ça.

— C'est plus fort que moi. Les mots s'échappent de ma bouche sans ma permission.

— Pourquoi ?

— Parce qu'il y en a tellement plus derrière que devant. C'est une réalité que je ne peux oublier, et que je trouve parfois un peu étourdissante. Cependant, je tiens à te rassurer.

— Me rassurer sur quoi ?

— Sur le fait que je ne disparaîtrai pas tout de suite.

— Parce que vous savez ça à l'avance, vous ?

— Tout à fait ! J'ai passé un contrat avec le Bon Dieu. Je lui ai dit que je voulais devenir centenaire. Ça serait une bonne publicité pour Sa Création ! Et je lui répète ce souhait comme un mantra, au moins trois fois par semaine. Juste au cas où Il l'oublierait. Comme Il m'a toujours écouté jusqu'à maintenant, j'estime que je peux dormir en paix. Et toi aussi, jeune homme, tu devrais faire comme moi. Sois sans crainte, je ne mourrai pas demain.

— Tant mieux.

— N'est-ce pas ! Maintenant que te voilà sécurisé, pourquoi ne vas-tu pas à Rome comme on en a discuté au printemps ?

— Parce que vous croyez que...

— Je ne crois rien, Joseph-Arthur, je vois tout simplement. Tu ne parles peut-être pas autant que tu le faisais enfant, mais ton regard, lui, n'a pas changé. Il est resté limpide, et il est toujours aussi éloquent.

— C'est vrai que je n'ai pas envie de m'éloigner de vous. Voilà, je l'ai dit !

— Foutaises ! Et moi, je te dis de penser à toi. À ton avenir. Il est temps que tu cesses de faire du surplace !

— Et si je vous répondais que ça me fait peur ?

— Peur de quoi ? De savoir ? Basewell, Joseph-Arthur ! Après un an, il est tout à fait légitime de ta part de savoir à quoi t'en tenir.

— Dans un sens, vous n'avez pas tort.

— De grâce, laisse tomber les négations et admets, une bonne fois pour toutes, que j'ai raison... De toute façon, tu le sais très bien que j'ai souvent raison. Surtout quand il s'agit de toi.

Le ton rocailleux du vieil homme avait une intonation d'infinie tendresse alors qu'il prononçait ces derniers mots.

— Je sais.

Un bref silence, soutenu par le bruit des autos, un peu plus loin vers le parc, se glissa entre les deux hommes, puis Joseph-Alfred reprit.

— Tu vois, j'ai toujours bien aimé cette jeune Anna, et tout comme toi, je trouvais qu'elle avait une chance inouïe de pouvoir perfectionner son art auprès des plus grands maîtres. Mais là, je trouve qu'elle exagère un peu. Elle n'a pas le droit de te faire languir comme ça.

— Vos propos ne pourraient pas être plus directs que ceux-là... ni plus justes, admit Arthur sur un ton accablé.

— Je crois qu'on a suffisamment tourné autour du pot, non ?

— Oui. Encore une fois, vous avez raison sur toute la ligne. C'est moi qui ne veux pas voir la réalité en face.

— Tant mieux si tu commences à comprendre.

Arthur soupira.

— Vous savez, Daniel y est un peu pour quelque chose, lui aussi. En fait, il a sensiblement la même opinion que vous, sauf qu'il me la donne avec des mots un tantinet moins gentils.

— Heureux de voir que je ne suis pas le seul à prendre ton bonheur en considération. À l'exception de tes parents, bien entendu. Va, Joseph-Arthur, va en Italie, ainsi, tu en auras le cœur net... Et si je peux me rendre utile, je m'offre à consulter pour toi l'horaire des vols pour Rome.

— Je ne suis pas encore prêt à partir, grand-père, protesta le jeune homme. Laissez-moi au moins le temps de me faire à l'idée... et le temps aussi de convaincre maman que je ne cours aucun danger à voyager. Vous la connaissez, non?

— En effet!

— Si je vous disais que je préférerais attendre une prochaine lettre avant de prendre une décision définitive?

— Ce serait un compromis acceptable.

— Puis j'ai promis à Daniel de l'aider à déménager.

— Mais dès que ce sera fait, ne tarde pas trop. Va-t'en tandis que je suis suffisamment en forme pour aider à la quincaillerie. Tu sais comme moi que les grandes chaleurs m'affectent toujours un peu.

— Promis. Selon ce qu'Anna va m'écrire, au besoin, je vais en Italie avant la mi-juillet!

— Merveilleux.

— Vous avez l'air tout réjoui de me voir partir?

— Réjoui pour toi, bien sûr. Mais il y a surtout que j'ai hâte que tu me rapportes une belle paire de gants en cuir d'Italie! Couleur *Camel*! J'ai toujours trouvé que cela faisait très chic.

* * *

Au même instant, à des milles de là, Anna était penchée sur une feuille et elle mordillait le bout de son stylo. Cela faisait deux semaines qu'elle remettait l'écriture de cette lettre, incapable de trouver les bons mots.

Elle était chez son amie Maria Elena. En Italie, la soirée s'achevait, et par la fenêtre ouverte sur un ciel étoilé, on entendait les grillons chanter.

L'ami de son mentor Giulian Moretti, un certain Jean-Pierre Chevrier, lui avait fait parvenir une offre d'emploi pour son restaurant à Paris, et tout le monde autour d'elle lui conseillait de l'accepter.

— Tu *né* peux pas dire non, Anna, lui avait affirmé Felice Mingarelli. C'est une chance inespérée ! Si tu veux, *jé* peux écrire à ton papa pour lui expliquer la grande chance *qué* tu as.

— Là n'est pas le problème, oncle Felice. Je sais que papa va comprendre. Mais il y a aussi quelqu'un d'autre qui m'attend.

Anna n'avait pas besoin d'en dire plus, le chef savait de qui elle parlait. Il l'avait même déjà rencontré à l'Expo de Montréal.

— Es-tu certaine qu'il t'attend encore ?

— Oui.

— Même après toute une année ?

— Oui.

— Et toi, Anna, as-tu l'intention de retourner à Montréal ?

Cette fois, Anna n'avait pas répondu.

À ce souvenir, la jeune fille soupira.

— Pourquoi chercher midi à quatorze heures ? murmura-t-elle enfin. Je n'ai qu'à dire la vérité. De toute façon, c'est ce que j'ai toujours fait.

Alors, elle écrirait qu'une offre sensationnelle lui avait été faite. Une proposition qu'elle ne pouvait rejeter du revers de la main. Même sa tante Rosita lui avait répété moult fois qu'elle n'avait pas le droit de refuser pareille chance. Elle s'apprêtait donc à partir pour Paris afin d'y effectuer un stage rémunéré de six mois dans un prestigieux restaurant de la capitale française. Arthur n'avait pas à s'inquiéter, car elle ne serait pas seule dans cette ville immense, puisque son amie Julia l'accompagnerait. Elle qui adorait les voyages en profiterait pour perfectionner son français.

C'était vrai et ça n'engageait à rien, sinon la suggestion implicite d'attendre encore un retour qui, même pour Anna, était de plus en plus hypothétique. Alors, encore une fois, elle n'en parlerait pas.

Anna se décida enfin à coucher quelques mots sur le papier et demain matin, sans faute, elle posterait sa lettre. Elle n'avait que trop tardé.

« Rome, le 15 juin 1970

Mon cher Arthur,

En ce moment, ici, c'est déjà la nuit. Une nuit chaude qui sent bon le parfum des fleurs en pot sur le balcon. C'est magnifique.

Tu ne devineras jamais ce qui m'arrive... »

Et assise à côté d'Anna, une main sur son épaule Julia suivait les mots que la jeune fille écrivait à l'intention de celui qu'elle appelait son meilleur ami.

À suivre

Place des Érables

Tome 6 • Le nouveau rendez-vous du quartier

À mademoiselle Rose,
petite fleur à peine éclose,
pour son charmant sourire
et son regard attentif.
Bienvenue dans notre famille.

« On a deux vies, et la seconde commence quand on se rend compte qu'on n'en a qu'une. »

CONFUCIUS

Note de l'auteur

Jamais petit message aux lecteurs n'aura été aussi difficile à concevoir et à écrire !

Me voici arrivée au dernier tome de cette série qui m'a fait revivre les belles années de ma jeunesse, et je n'ai pas vraiment envie de quitter tous ces merveilleux personnages qui se sont présentés sans avertissement au bout de ma plume.

Les Picard, les Méthot, les Lamoureux et Mado, les Langevin, Rita Bellehumeur et son voisin Mario Painchaud, sans oublier la belle brochette de jeunes que nous suivons depuis maintenant dix ans…

Je vous l'ai déjà écrit : il m'est très douloureux de quitter ceux à qui j'ai donné la chance de s'exprimer à travers mes mots. D'une certaine façon, du plus jeune au plus vieux, ils sont tous un peu comme mes enfants, et je déteste quand l'un d'entre eux s'éloigne de moi. Alors, imaginez ce que je ressens quand tout un quartier s'apprête à partir !

Que voulez-vous, j'ai l'âme d'une maman poule ! Et à mes yeux, ce qui est bon pour les miens l'est tout autant pour mes personnages.

Oh ! Je vous entends d'ici me dire que je n'aurais qu'à continuer la série, puisque je suis supposée être le seul maître à bord. À première vue, cela semble d'une évidence criante, je vous le concède. Néanmoins, j'ajouterais à cela que vous n'avez pas entièrement raison, et vous allez vite comprendre pourquoi.

En fait, quand on connaît bien un univers, cela rend l'écriture plus facile, et les mots, parfois, se présentent d'eux-mêmes avec une spontanéité reposante. Je ne le nierai jamais. Mais il se peut aussi qu'à toujours emprunter les mêmes sentiers, qu'à passer chaque jour devant les mêmes maisons, il se peut, oui, que l'on finisse par lasser le lecteur. Et rien n'est plus angoissant pour un écrivain que la hantise de se répéter, croyez-moi ! À trop diluer la sauce, on risque de se retrouver avec un bouillon fade, n'est-ce pas ? Et personne n'aime goûter à ce genre de plat. Pas plus moi que vous !

C'est pourquoi ce matin, même si j'ai le cœur dans l'eau, je vais m'installer sur l'un des bancs de la Place des Érables pour une dernière fois. Je vais en profiter pour me gaver de l'image de ces commerces que j'ai bien aimé fréquenter, et je vais graver dans ma mémoire toutes les visites que j'ai faites à leurs propriétaires qui sont devenus des amis, au fil des pages.

Le voyez-vous comme moi, ce beau parc ombragé? La sentez-vous, cette chaleur du soleil qui jette ses rayons à travers la dentelle des feuilles printanières, encore toutes petites et fripées?

Cette fois-ci, ma vie est au diapason de celles de mes personnages. Dans ma cour, le printemps est beau et chaud, comme il l'est dans le parc. Puis, comble de ressemblance, je m'apprête à déménager. Tout comme Daniel et Jacinthe, je vis présentement entourée de boîtes de carton.

Eh oui! Encore une fois, je quitte un coin de ville que j'aimais bien pour goûter à la vie de condo, au bord de l'eau. Je ne l'avais pas prévu ainsi quand nous avions choisi de nous installer en banlieue. Je me voyais même devenir une gentille vieille dame dans ce que j'appelais mon coin de paradis. Mais la vie est truffée de surprises et de bouleversements, n'est-ce pas? Et à mon âge, j'aurais dû le savoir... Toujours est-il que le nid s'est vidé, notre bébé a choisi de prendre son envol, et la maison est devenue incontestablement trop grande. En revanche, laissez-moi vous dire que c'est un moyen casse-tête de passer d'une grande résidence à un petit logement pompeusement baptisé «condo»! Les habitudes et les attachements ont la couenne dure, comme l'aurait sans doute déclaré ma mère!

Heureusement, j'ai la chance de pouvoir visiter les nombreuses familles de la Place des Érables pour me changer les idées, lorsque j'ai un petit vague à l'âme devant un bibelot sacrifié, des babioles écartées, ou, petite misère !, des vêtements qui ne seront plus jamais de la bonne taille. C'est bien beau vivre d'espoir, mais il faut aussi apprendre à regarder la réalité bien en face : je n'aurai jamais plus vingt ans, ni le gabarit qui allait avec !

Je vais donc commencer ma promenade dans le quartier par une visite à madame Agathe. Il me semble qu'une bonne coupe de cheveux avant les grandes chaleurs de l'été serait la bienvenue. Mine de rien, je vais en profiter pour lui parler de son garçon Rémi. Je crois savoir ce qui le rend si joyeux, par moments, et j'ai bien l'intention d'en toucher un mot à la coiffeuse.

Puis, je ferai un détour par la quincaillerie, afin de saluer Joseph-Alfred et de piquer une petite jasette avec lui. Si l'occasion se présente, j'aimerais bien demander au jeune Arthur s'il a toujours l'intention de partir pour l'Italie. Comme c'est moi qui vais devoir décrire son voyage, je souhaiterais connaître ses intentions un peu à l'avance. C'est la moindre des choses, n'est-ce pas ? Enfin, j'aurais besoin d'une bouilloire qui siffle. Madame Léonie doit bien en garder quelques modèles en inventaire. En effet, depuis quelque temps, j'ai le même défaut que la gentille madame Méthot avec sa casserole de carottes : il m'arrive d'oublier les petites banalités du quotidien, parce que j'ai trop de choses en tête.

Pas facile de vieillir ! Toutefois, un petit coup de sifflet devrait suffire pour me ramener à l'ordre !

Justement, en parlant des Méthot ! J'aurais besoin de papier de soie pour emballer ma vaisselle. Je vais donc passer une commande à leur magasin et prendre des nouvelles de monsieur Eugène par la même occasion. J'espère que son malaise n'était pas trop grave, et que l'harmonie reviendra enfin régner sous leur toit.

Comme je ne suis pas malade, en quittant le magasin de variétés, je vais passer tout doit devant la pharmacie. De toute façon, j'ai l'intention de manger des frites au casse-croûte de madame Rita pour dîner aujourd'hui. Je prendrai donc le temps de discuter du mariage avec Mado pour savoir si je dois garder du temps et quelques pages pour la cérémonie.

En fin de compte, je constate qu'il reste encore bien des choses à dire sur le quartier de la Place des Érables.

Et ma foi, j'en suis fort aise !

Bonne lecture.

Saint-Jean Éditeur
est une maison d'édition québécoise
fondée en 1981

WEB SITES

www.NeilSlade.com
www.BookOfWands.com
www.BrainRadar.com

Painting From Another Dimension
www.JuliaPainting.com
(JuaLeeNoodle)

www.BrianGies.com
(ByronGooseberry)

www.BobbyReginelli.com
(BobbySpaghetti)

www.CraigBSimpson.com
(Craig Samsonite)

www.FredPoindexter.com
(Fred Poindexterity)

www.WestonWells.com
(Weston Wellwater)

www.TDLingo.com
(D.A.T. Stingo)

www.JimMullica.com

LIST OF WAND AND OTHER ILLUSTRATIONS

Electric Light Screwdriver 14

Pens and Mechanical Pencil 17

Rosewood Lightning Baton 31

Small Sonic Keyboard 38

Edible Dog Wand 44

Large Sonic Keyboard 66

Peruvian Steel Strainer Straw 76

D.A.T. Stingo With Un-capped Cranium 93

Click Pen 109

Chopsticks 126

Stingo's Guitar 138

Flashlight 177

Control Or Chance Aluminum Strip 212

Jar Note 215

Mouse Eared Glass Insulator 232

The Book of Wands 238

Triune Brain Lab Flag 240

What Mite Be 247

Niles Abercrumby With Camera 254